# LE CONFORMISTE

DU MÊME AUTEUR
CHEZ LE MÊME ÉDITEUR

*Les Indifférents*
*Le Mépris*
*La Belle Romaine*
*La Provinciale et autres récits*
*Nouvelles romaines*
*La Ciociara*
*Un mois en URSS*
*L'Ennui*
*Autres Nouvelles romaines*
*Agostino*
*L'Inde comme je l'ai vue*
*L'Automate*
*L'Homme en tant que fin*
*L'Attention*
*La Révolution culturelle de Mao*
*Une chose est une chose*
*Le monde est ce qui est* (théâtre)
*Le Paradis*
*Moi et Lui*
*À quelle tribu appartiens-tu ?*
*Une autre vie*
*Desideria*
*Picasso, 1901-1906, périodes bleue et rose (avec Pablo Lecaldano)*
*Bof !*
*1934*
*L'homme qui regarde*
*Le Voyage à Rome*
*Trente Ans au cinéma*
*La Femme-léopard*
*Promenades africaines*
*La Polémique des poulpes et autres histoires*
*Histoires d'amour*
*Histoires de guerre et d'intimité*

Alberto MORAVIA

# LE CONFORMISTE



*Traduit de l'italien*
*par Claude Poncet*



Flammarion

Titre de l'édition originale : *Il conformista*

ISBN 2-08-068441-8

# PROLOGUE

# I

Au temps de son enfance, Marcel était fasciné par les objets comme une pie. Soit que ses parents, par indifférence plus que par austérité, n'eussent jamais pensé à satisfaire son instinct de propriété ; soit qu'en lui cette avidité masquât d'autres instincts plus profonds et obscurs, il était continuellement assailli de désirs frénétiques pour les objets les plus divers. Un crayon muni d'une gomme, un livre d'images, une fronde, une règle, un encrier d'ébonite, une babiole quelconque soulevaient d'abord dans son âme une envie intense et immodérée de la chose convoitée, puis, une fois cette chose en sa possession, une satisfaction étonnée, insatiable, presque un enchantement. Marcel avait, dans la maison familiale, une chambre pour lui seul où il couchait et travaillait. Là, tous les objets épars sur la table ou rangés dans les tiroirs étaient à ses yeux choses sacrées ou déjà profanées selon que leur acquisition était récente ou ancienne. En somme, ce n'étaient pas des objets semblables à tous les autres de la maison, mais bien les éléments d'une expérience future ou passée, toute chargée de passion et de mystère.

Marcel se rendait compte, à sa façon, de ce caractère singulier de la propriété et tandis qu'il en tirait une jouissance ineffable, il en souffrait en même temps, comme d'une faute qui, se renouvelant constamment, ne lui laissait pas le temps d'éprouver du remords.

Parmi tous les objets, ceux qui l'attiraient davantage — peut-être parce qu'ils étaient défendus — c'étaient les armes. Non pas ces simulacres d'armes avec lesquels jouent les enfants : fusils de fer-blanc, pistolets à amorces, sabres de bois, mais bien les vraies armes, celles qui évoquent la menace, le danger et la mort, non par une simple imitation de forme, mais par leur raison d'être même, leur principe et leur fin. Avec un revolver d'enfant on jouait à la mort sans aucune possibilité de la provoquer réellement ; mais avec le revolver des grandes personnes, la mort était non seulement possible, mais virtuelle, comme une tentation freinée par la seule prudence.

De ces vraies armes, Marcel en avait eu dans les mains : un fusil de chasse, à la campagne, le vieux revolver de son père que celui-ci lui avait montré, rangé dans un tiroir, et, chaque fois, en empoignant l'arme, elle lui avait communiqué un frisson, comme si sa main avait finalement trouvé un prolongement naturel.

Marcel avait de nombreux amis parmi les enfants du quartier et il s'était rapidement aperçu que son propre goût pour les armes avait des origines plus profondes et obscures que les innocents engouements militaires de ses camarades. Ceux-ci jouaient aux soldats avec une cruauté et une violence feintes, mais en réalité, ils poursuivaient leur jeu par amour du jeu et leurs cruelles attitudes n'étaient que singeries sans aucune participation personnelle. Chez lui, au contraire, c'était l'inverse qui se produisait : c'étaient sa cruauté et sa violence qui cherchaient à se donner libre cours dans ce jeu de la guerre et, à défaut de ce jeu, dans d'autres passe-temps où se retrouvait immanquablement le goût de la destruction et de la mort. En ce temps-là, Marcel était cruel, sans remords ni vergogne, tout à fait naturellement, car les seuls plaisirs qui ne lui paraissaient pas insipides lui venaient de sa cruauté et celle-ci était encore assez puérile pour ne pas éveiller de soupçons en lui-même ou chez les autres.

Il lui arrivait, par exemple, en ce début d'été, de descendre au jardin, pendant les heures les plus chaudes. C'était un jardin étroit mais touffu, dans lequel poussaient en grand désordre des plantes et des arbres abandonnés depuis des années à leur exubérance naturelle. Marcel descendait au jardin armé d'un jonc mince et flexible qu'il avait arraché à un vieux battoir à tapis, trouvé au grenier ; pendant un moment, il rôdait sur le gravier des allées, entre les ombres mouvantes des arbres et les rayons ardents du soleil, en examinant les plantes. Les yeux brillants, tout son corps ouvert à une sensation de bien-être qui paraissait se confondre avec la vitalité du jardin luxuriant et plein de lumière, il se sentait heureux. Mais d'un bonheur agressif et cruel, comme désireux de se mesurer avec le malheur des autres. Quand il avait vu au milieu d'un massif une belle touffe de marguerites couverte de fleurs blanches ou jaunes, ou bien une tulipe à la corolle rouge bien droite sur sa tige verte, ou encore une plante d'asphodèle aux hautes fleurs blanches et charnues, Marcel donnait un coup de jonc, en le faisant siffler dans l'air comme une épée. Le jonc coupait net fleurs et feuilles qui tombaient au pied de la plante, proprement, laissant droites les tiges décapitées. Ce geste lui donnait une vitalité redoublée et en quelque sorte la satisfaction délicieuse qu'inspire le débordement d'une énergie trop longtemps comprimée ; et en même temps, il ne savait quel sentiment précis de puissance et de justice. Comme si ces plantes eussent été coupables et qu'il les eût punies, avec le sentiment qu'il était en son pouvoir de les punir. Mais il n'ignorait pas tout à fait le caractère défendu et coupable de ce passe-temps. Presque malgré lui, il jetait de temps à autre des regards furtifs vers la villa, de crainte que sa mère, de la fenêtre du salon, ou la cuisinière de celle de la cuisine, aient pu l'apercevoir. Et il redoutait moins un reproche que la simple constatation d'actes qu'il sentait lui-même anormaux et mystérieusement entachés de culpabilité.

Des fleurs et des plantes aux animaux, le passage fut insensible, comme il l'est dans la nature. Marcel n'aurait pu dire à quel moment il s'aperçut que ce même plaisir qu'il éprouvait à briser les plantes et à décapiter les fleurs se révélait plus intense et plus profond lorsqu'il infligeait semblables violences aux animaux. Peut-être le hasard seul le poussa-t-il sur cette voie : un coup de jonc qui, au lieu de mutiler un arbuste, atteignit un lézard endormi sur une branche, ou peut-être fut-ce un commencement d'ennui et de satiété qui lui suggéra de chercher de nouveaux sujets sur qui exercer sa cruauté encore inconsciente.

Quoi qu'il en soit, un après-midi silencieux où, dans la maison, tout le monde était endormi, Marcel se retrouva tout à coup, comme frappé par une explosion de remords et de honte, devant un massacre de lézards. Ils étaient cinq ou six qu'il avait réussi à dénicher sur des branches d'arbres ou sur les pierres du mur de clôture et qu'il avait foudroyés d'un seul coup de jonc au moment où, alertés par sa présence immobile, ils cherchaient à fuir vers quelque refuge. Ce qui l'avait poussé à cet acte, il n'aurait su le dire ou plutôt il préférait ne pas s'en souvenir, mais désormais, le mal était fait et il ne restait sous le soleil brûlant et maléfique que les petits corps sanguinolents et poussiéreux des lézards tués. Il demeurait debout devant le trottoir de ciment sur lequel gisaient les lézards, tenant le jonc serré dans sa main ; sur son corps et sur son visage il sentait encore l'excitation qui l'avait envahi pendant le carnage, non plus ardente comme alors, mais ternie par le remords et la honte. En outre, il percevait qu'à son habituelle sensation de cruauté et de puissance, s'était ajouté, cette fois, un trouble particulier, encore inconnu, inexplicablement physique, qui provoquait en lui, en même temps que le remords et la honte, un indéfinissable sentiment d'épouvante. Comme s'il découvrait en lui-même un caractère absolument anormal, dont il devait être honteux, qu'il lui fallait garder secret pour ne pas avoir honte également devant les autres et qui, en conséquence, le mettait à part de ses semblables. Il n'y avait pas de doute, il était différent des garçons de son âge qui, eux, ne se livraient, ni en compagnie, ni tout seuls, à de tels passe-temps ; et différent d'une façon définitive. Car les lézards étaient morts, il n'y avait aucun doute là-dessus, et cette mort, ainsi que les gestes cruels et insensés par lesquels il l'avait provoquée était irréparable ! En somme, il personnifiait ces gestes comme, dans le passé, il avait personnifié d'autres actes parfaitement innocents et normaux.

Ce jour-là, pour confirmer cette découverte si nouvelle et si douloureuse de son caractère anormal, Marcel voulut se confronter avec son petit ami Robert, qui habitait la villa voisine de la sienne. À l'heure du crépuscule, Robert, ayant fini de travailler, descendait au jardin ; et jusqu'à l'heure du dîner, avec le mutuel consentement de leurs familles, les deux enfants jouaient ensemble, tantôt dans le jardin de l'un, tantôt dans celui de l'autre. Seul dans sa chambre, étendu sur son lit, Marcel attendit ce moment avec impatience, tout au long de cet après-midi silencieux. Ses parents étaient sortis ; à la maison il n'y avait que la cuisinière qu'il entendait de temps en temps chantonner à mi-voix dans la cuisine, au rez-de-chaussée. D'ordinaire, l'après-midi, il étudiait ou jouait, seul dans sa chambre ; mais ce jour-là, ni le jeu ni l'étude ne l'attiraient ; il se sentait incapable de faire quoi que ce fût et en même temps impatient de cette oisiveté. Le malaise occasionné en lui par la découverte qu'il croyait avoir faite et l'espoir que son imminente rencontre avec Robert dissiperait ce malaise le paralysaient et le harcelaient à la fois. Si Robert lui disait que lui aussi tuait des lézards, avait plaisir à les tuer et n'y voyait aucun mal, il semblait à Marcel qu'il cesserait de s'estimer anormal et qu'il pourrait envisager le massacre des lézards avec indifférence, comme un incident sans signification et sans conséquences. Si Robert faisait ces choses-là, et de la même manière, avec les mêmes sentiments, cela signifiait que tout le monde les faisait ; et ce que tout le monde faisait, c'était normal, donc c'était bien. Ces réflexions n'étaient d'ailleurs pas très claires dans l'esprit de Marcel et ressemblaient plutôt à des sensations et des impulsions profondes qu'à des pensées précises. Mais d'un fait il paraissait être certain : c'est que de la réponse de Robert dépendait la tranquillité de son âme.

Dans cette espérance et ce désarroi, il attendit avec impatience l'heure du crépuscule. Il était sur le point de s'assoupir quand, du jardin, lui parvint un long sifflement modulé ; c'était le signal convenu par lequel Robert l'avertissait de sa présence. Marcel quitta son lit et sans faire de lumière, dans la pénombre du jour déclinant, il sortit de sa chambre, descendit l'escalier et se rendit au jardin.

Dans la lumière basse du crépuscule estival, les arbres étaient immobiles et compacts ; sous les branches, l'ombre apparaissait déjà nocturne. Les exhalaisons des fleurs, l'odeur de la poussière, les irradiations solaires émanant de la terre échauffée, stagnaient dans l'air calme et lourd. La grille qui séparait le jardin de Marcel de celui de Robert disparaissait complètement sous un lierre immense, épais et dru, semblable à un mur de feuilles superposées. Marcel alla droit au fond du jardin, dans le coin où l'ombre et le lierre avaient le plus d'épaisseur, monta sur une grosse pierre et, d'un geste délibéré, écarta toute une masse de la plante grimpante. Cette sorte de guichet dans le feuillage du lierre, c'était une invention à lui, suggérée par un sentiment de jeu secret et aventureux. Le lierre, une fois déplacé, laissa apercevoir les barreaux de la grille et, entre ces barreaux, le visage fin et pâle sous ses cheveux blonds de l'ami Robert. Marcel se haussa sur la pointe des pieds et demanda :

— Personne ne nous a vus ?

C'était la formule d'ouverture de leur jeu. Robert répondit sur un ton de leçon récitée : — Non, personne. — Et puis, un moment après : — Tu as travaillé ?

Il parlait presque bas, autre règle convenue. Chuchotant lui aussi, Marcel répondit : — Non, aujourd'hui, je n'ai pas travaillé... Je n'en avais pas envie... Je dirai à la maîtresse que je ne me sentais pas bien...

— Moi, j'ai fait mon devoir d'italien — murmura Robert, — et j'ai fait aussi l'un des problèmes d'arithmétique... il m'en reste un autre... pourquoi n'as-tu pas travaillé ?

C'était la question que Marcel attendait : — Je n'ai pas travaillé, — répondit-il, — parce que j'ai fait la chasse aux lézards.

Il espérait que Robert allait lui dire : « Ah ! vraiment... moi aussi quelquefois je fais la chasse aux lézards » ou quelque chose d'analogue. Mais le visage de Robert n'exprima aucune complicité, comme aucune curiosité. Marcel ajouta avec effort, cherchant à dissimuler son embarras : — Je les ai tous tués.

Prudemment, Robert questionna : — Combien ?

— Sept en tout — répondit Marcel. Puis, avec une espèce de vantardise, s'efforçant de donner des informations techniques : — Ils étaient sur des branches d'arbres et sur des pierres... J'ai attendu qu'ils remuent et je les ai atteints au vol... avec un seul coup de ce jonc... un coup par lézard... — Il fit une grimace de satisfaction et montra le jonc à Robert.

Il vit l'autre le regarder avec une curiosité non exempte d'une sorte de surprise : — Pourquoi les as-tu tués ?

— Comme ça — en hésitant ; il allait dire : — parce que ça me faisait plaisir, — mais, sans même savoir pourquoi il se retint et répondit : — parce qu'ils sont nuisibles... tu ne sais pas que les lézards sont nuisibles ?

— Non — dit Robert, — je ne savais pas... en quoi nuisent-ils ?

— Ils mangent le raisin — dit Marcel, — l'année dernière, à la campagne, ils ont mangé tout le raisin de la pergola.

— Mais ici, il n'y a pas de raisin.

— Et puis — continua Marcel sans se soucier de relever l'objection, — ils sont méchants... l'un d'eux en me voyant, au lieu de se sauver, m'a affronté avec sa bouche grande ouverte... si je ne l'avais pas arrêté à temps, il me sautait dessus... — Il se tut un moment et puis, plus confidentiellement, il ajouta : — Tu n'en as jamais tué ?

Robert secoua la tête et répondit : — Non, jamais.

— Puis, les yeux baissés, avec un air de componction : — On dit qu'il ne faut pas faire de mal aux animaux...

— Qui le dit ?

— Maman.

— On dit tant de choses... — dit Marcel de moins en moins sûr de lui, — mais essaie, bêta... je t'assure que c'est amusant.

— Non, je n'essaierai pas.

— Et pourquoi ?

— Parce que c'est mal...

Ainsi il n'y avait rien à faire, pensa Marcel désappointé. Il eut un mouvement de colère contre son ami mais parvint toutefois à se dominer et proposa : — Écoute, demain je fais de nouveau la chasse aux lézards... si tu viens avec moi, je te donnerai mon jeu de cartes des « sept familles ».

Il savait que l'offre était tentante pour Robert qui plusieurs fois avait exprimé le désir de posséder ce jeu. Et, en effet, Robert, comme illuminé par une inspiration subite, répondit : — Je viendrai à la chasse, mais à une condition : nous les prendrons vivants et puis nous les mettrons dans une boîte et ensuite nous leur rendrons la liberté... et tu me donneras le jeu.

— Pour ça non — dit Marcel, — ce qu'il y a d'intéressant, c'est justement de les attraper avec ce jonc... je parie que tu n'en es pas capable.

L'autre ne dit rien. Marcel poursuivit : — Alors, tu viendras... nous sommes d'accord... Mais trouves-toi aussi un jonc.

— Non — dit Robert avec obstination, — je n'irai pas.

— Mais pourquoi ? Il est neuf, tu sais, mon jeu de cartes...

— Non, c'est inutile — dit Robert, — moi, les lézards, je ne les tue pas... même si — il hésita, cherchant un objet dont la valeur serait proportionnée à l'acte : — même si tu me donnais ton pistolet.

Marcel comprit qu'il n'y avait rien à faire et tout à coup il se laissa emporter par la colère qui depuis quelques instants bouillonnait en lui : — Tu ne veux pas parce que tu es un lâche ! — dit-il, — tu as peur !

— Mais peur de quoi ? Tu me fais rire, vraiment !...

— Tu as peur — répondit Marcel irrité, — tu n'es qu'une poule mouillée, une vraie poule mouillée... — Brusquement il passa la main à travers les barreaux de la grille et saisit son ami par l'oreille. Robert avait des oreilles décollées, rouges, et ce n'était pas la première fois que Marcel les lui tirait ; mais jamais avec autant de rage et un désir si précis de lui faire mal : — Avoue que tu es une poule mouillée !...

— Non, laisse-moi ! — fit l'autre en commençant à gémir et à se tordre, — aïe, aïe !...

— Avoue que tu es une poule mouillée.

— Non... laisse-moi !

— Avoue que tu es une poule mouillée.

Dans sa main, l'oreille de Robert brûlait, toute chaude et suante ; des larmes apparurent dans les yeux bleus de la victime. Il balbutia : — Oui, c'est entendu, je suis une poule mouillée — et Marcel le laissa aussitôt. Robert sauta en bas de la grille et cria en se sauvant à toutes jambes : — Je ne suis pas une poule mouillée... pendant que je le disais, je pensais : je ne suis *pas* une poule mouillée... je t'ai eu !... — Il disparut et sa voix larmoyante et moqueuse se perdit au loin, derrière les bosquets du jardin voisin.

De ce dialogue, Marcel garda un sentiment de malaise profond. Robert, en refusant de lui être solidaire, lui avait en même temps refusé l'absolution qu'il cherchait et qui lui semblait liée à cette solidarité. Ainsi il se trouvait rejeté dans l'anormal ; mais non sans avoir montré à Robert combien il tenait à en sortir et s'être laissé aller — il s'en rendait parfaitement compte — au mensonge et à la violence. Maintenant, à la honte et au remords d'avoir tué les lézards, s'ajoutait la honte et le remords d'avoir menti à Robert sur les raisons qui le poussaient à lui demander sa complicité et de s'être trahi par ce mouvement de colère quand il l'avait saisi par l'oreille. À la première faute s'en ajoutait une seconde et il ne pouvait d'aucune manière effacer ni l'une ni l'autre.

De temps en temps, parmi ces réflexions amères, il revenait en esprit au massacre des lézards, comme s'il espérait le trouver dans son souvenir, épuré de tout remords, un simple fait comme un autre. Mais il s'apercevait vite qu'il aurait voulu n'avoir jamais massacré ces bestioles et en même temps, vivante, peut-être pas tout à fait désagréable, mais justement d'autant plus répugnante, lui revenait cette sensation d'excitation et de trouble physique qu'il avait éprouvée pendant la chasse. Une sensation si forte qu'il se demandait s'il pourrait résister, un jour prochain, à la tentation de renouveler le carnage. Cette pensée l'atterra ; ainsi non seulement il était anormal, mais, contraint de subir son anormalité, il n'était même pas capable de la contrôler.

À ce moment, il était dans sa chambre, assis à sa table, devant un livre ouvert, attendant le dîner. Impétueusement, il se leva, alla vers son lit et se jetant à genoux sur sa descente de lit comme il le faisait d'habitude pour réciter ses prières, il dit à haute voix en joignant les mains, d'un accent qu'il crut sincère : — Je jure devant Dieu de ne plus jamais toucher aux fleurs, aux plantes, ni aux lézards.

Cependant le besoin d'absolution qui l'avait poussé à rechercher la complicité de Robert subsistait, transformé maintenant en un besoin de condamnation. Robert, alors qu'il aurait pu le sauver du remords en se rangeant à ses côtés, n'avait pas l'autorité nécessaire pour confirmer le bien-fondé de ce remords et mettre de l'ordre dans la confusion de son esprit par un verdict sans appel. C'était un enfant comme lui, acceptable comme complice, inadéquat comme juge. Puis Robert, en refusant sa proposition, s'était appuyé pour assurer sa propre répugnance sur l'autorité maternelle. Marcel pensa que lui aussi en appellerait à sa mère. Elle seule pouvait le condamner ou l'absoudre, et en tout cas, faire rentrer son acte dans un ordre, quel qu'il fût. En prenant cette résolution, Marcel faisait abstraction de la connaissance qu'il avait de sa mère, se référant à elle comme à la mère idéale qu'elle aurait dû être et n'était pas. En réalité, il doutait de l'heureuse issue de son appel. Mais, après tout, il n'avait que sa mère, telle qu'elle était, et d'ailleurs son besoin de s'adresser à elle était plus fort que tous ses doutes.

Il attendit le moment de son coucher, car sa mère venait dans sa chambre pour lui souhaiter la bonne nuit. C'était là un des rares moments où il pouvait la voir seul à seul ; aux repas, ou pendant les rares promenades qu'il faisait avec ses parents, son père était presque toujours présent. Bien qu'instinctivement Marcel n'eût pas grande confiance en sa mère, il l'aimait et plus encore l'admirait d'une manière confuse et charmée, comme il aurait admiré une sœur aînée aux habitudes singulières et au caractère fantasque. La mère de Marcel, qui s'était mariée toute jeune, était restée enfant moralement et même physiquement ; en outre, tout en n'ayant aucune intimité avec son fils dont elle s'occupait fort peu à cause de ses nombreuses obligations mondaines, elle avait toujours mêlé sa vie à la sienne. Aussi Marcel avait-il grandi dans une continuelle agitation d'entrées et de sorties précipitées, de vêtements essayés et rejetés, d'interminables et frivoles conversations téléphoniques, de querelles avec les couturières et les fournisseurs, de discussions avec la femme de chambre, de sautes d'humeur continuelles pour les motifs les plus futiles. À n'importe quel moment Marcel pouvait entrer dans la chambre maternelle, spectateur curieux et ignoré d'une intimité où il n'avait aucune place. Parfois sa mère, comme secouée dans son inertie par un brusque remords, décidait de se consacrer à son fils et elle l'emmenait avec elle chez une couturière ou une modiste. Dans ces occasions, contraint de passer de longues heures assis sur un siège, tandis que sa mère essayait robes ou chapeaux, Marcel en venait à regretter la tourbillonnante indifférence à laquelle il était accoutumé.

Ce soir-là, comme il le comprit aussitôt, sa mère était plus pressée que d'ordinaire ; en effet, avant que Marcel ait eu le temps de surmonter sa propre timidité, elle lui tourna le dos, se dirigeant, à travers la chambre obscure, vers la porte demeurée entrouverte. Mais l'enfant n'entendait pas attendre un jour de plus le jugement dont il avait besoin. S'asseyant sur son lit, il appela très fort :

— Maman !

Sur le seuil, il la vit se retourner avec un geste d'ennui :

— Qu'y a-t-il, Marcel ? — demanda-t-elle en revenant auprès du lit.

Elle était maintenant debout à son chevet, en contre-jour, blanche et mince dans sa robe noire décolletée. Le visage fin et pâle, couronné de cheveux noirs, était dans l'ombre, pas assez cependant pour que Marcel n'y pût distinguer une expression agacée, affairée et impatiente. Cependant, emporté par son élan, il commença : — Maman, il faut que je te dise quelque chose...

— Bien, Marcel, mais fais vite... ta maman doit partir... Papa attend... — En même temps, elle portait ses mains à sa nuque, s'évertuant à rapprocher les deux parties du fermoir de son collier.

Marcel voulait révéler à sa mère le massacre des lézards et lui demander s'il avait mal agi. Mais la hâte maternelle le fit changer d'idée ou plutôt modifier la phrase qu'il avait mentalement préparée. Les lézards lui paraissaient tout à coup des bêtes trop petites et insignifiantes pour pouvoir fixer l'attention d'une personne aussi distraite. Sans même savoir pourquoi, il inventa sur-le-champ un mensonge qui aggravait le délit. Par l'énormité de la faute, il espérait parvenir à toucher la sensibilité maternelle qu'obscurément il sentait obtuse et inerte. Avec une assurance qui l'étonna lui-même, il dit :

— Maman, j'ai tué le chat.

À l'instant la mère venait enfin de réussir à faire rencontrer les deux parties du fermoir. Les mains réunies sur sa nuque, le menton incliné sur sa poitrine, elle regardait à terre et de temps en temps tapait impatiemment du pied.

— Ah ! oui, — dit-elle d'un ton vague, comme vidé de toute attention par l'effort auquel elle se livrait. Marcel confirma avec hésitation : — Je l'ai tué avec ma fronde.

Il vit sa mère secouer la tête, comme déçue, puis lâcher sa nuque, tenant d'une main le collier qu'elle n'avait pas réussi à fermer. — Ce maudit fermoir... — prononça-t-elle avec irritation, — Marcel... soit gentil... aide-moi à mettre mon collier. — Elle s'assit sur le lit, de biais, le dos tourné à son fils, ajoutant d'un ton impatient : — Mais fais attention de bien mettre le cran d'arrêt... autrement, le fermoir s'ouvrira de nouveau.

Tout en parlant, elle lui présentait ses épaules maigres, nues jusqu'au bas du dos, toutes blanches dans la lumière qui venait de la porte. Les mains effilées aux ongles pointus et incarnadins tenaient le collier suspendu au-dessus de la nuque délicate, ombrée d'un duvet frisé. Marcel pensa que le collier une fois attaché, elle l'écouterait plus patiemment et, se penchant, il prit les deux extrémités du collier et les réunit d'un seul coup. Aussitôt sa mère se releva et s'inclinant pour lui effleurer le visage d'un baiser :

— Merci... Maintenant, dors... bonne nuit...

Avant que Marcel ait pu faire un geste ou dit un mot pour la retenir, elle avait déjà disparu.

Le jour suivant, le temps était chaud et nuageux. Marcel, après avoir déjeuné en silence entre ses parents silencieux, glissa sans bruit de sa chaise et, par la porte-fenêtre, sortit dans le jardin. Comme d'habitude, la digestion provoquait en lui une sorte de vague torpeur, toute mêlée de lourde et rêveuse sensualité. À pas lents, marchant presque sur la pointe des pieds sur le gravier craquant, à l'ombre des arbres bruissants d'insectes, il alla jusqu'à la grille et regarda au travers. La route si connue lui apparut, légèrement en pente, flanquée d'une double rangée de poivriers d'un vert duveteux et quasi laiteux, déserte à cette heure et étrangement sombre à cause des nuages noirs et bas qui encombraient le ciel. En face, c'étaient d'autres grilles, d'autres jardins, d'autres villas semblables à la sienne. Après avoir contemplé la route attentivement, Marcel s'écarta de la grille, tira sa fronde de sa poche et se baissa à terre. Le menu gravier était parsemé de cailloux blancs plus gros. Marcel en ramassa un de la grosseur d'une noix, l'inséra dans le disque de cuir de la fronde et se mit à marcher lentement le long du mur qui séparait le jardin de celui de Robert.

Dans son idée, ou plutôt son sentiment, il était en état de guerre avec Robert et devait surveiller avec la plus grande attention le lierre qui recouvrait le mur de clôture ; au moindre mouvement, il ferait feu, c'est-à-dire qu'il lancerait le caillou enfermé dans sa fronde. Il satisfaisait dans ce jeu à la fois sa rancœur contre Robert qui n'avait pas voulu être son complice dans le massacre des lézards et l'instinct bestial et cruel qui l'avait poussé à ce massacre. Naturellement Marcel savait fort bien qu'à cette heure Robert avait l'habitude de dormir et ne l'épiait pas derrière le feuillage du lierre ; et cependant il agissait avec le même sérieux, le même esprit de suite que s'il avait été certain de sa présence. Le vieux lierre géant grimpait jusqu'aux pointes des barreaux de la grille, et ses grandes feuilles, noires et poussiéreuses, superposées, semblables à des volants de dentelle sur un calme sein de femme, se tenaient immobiles et flasques dans l'air lourd que n'agitait aucun vent. Par deux fois, il sembla à Marcel qu'un léger frémissement faisait palpiter le feuillage ; mais il se persuada plutôt de ce frémissement et aussitôt, avec une satisfaction intense, il projeta le caillou au plus épais du lierre.

Le coup lancé, il se baissa rapidement, ramassa un autre caillou et se remit en position de combat, les jambes écartées, les bras tendus en avant, la fronde prête à la détente ; on ne pouvait pas savoir... Robert pouvait être derrière le feuillage, en train de le viser, avec l'avantage d'être caché alors qu'il était, lui, complètement à découvert. Tout occupé à son jeu, il atteignit le fond du jardin, là où il avait taillé un guichet dans le feuillage du lierre. Puis il s'arrêta, regardant attentivement le mur de clôture. Dans son imagination, la maison était un château, la grille cachée par la plante grimpante en était le rempart fortifié, et l'ouverture, une brèche dangereuse et facilement franchissable. Alors, brusquement et cette fois sans aucun doute possible, il vit les feuilles remuer de droite à gauche, osciller, frissonner. Oui, il en était sûr, les feuilles bougeaient et c'était quelqu'un qui les faisait bouger. Dans le même éclair, il pensa que Robert n'était pas là, que c'était un jeu et que, puisqu'il s'agissait d'un jeu, il pouvait tirer ; et, en même temps que Robert était là et qu'il ne devait pas lancer son caillou s'il ne voulait pas tuer son camarade. Puis, dans une décision subite et irréfléchie, il tendit les élastiques et lança le caillou dans l'épaisseur du feuillage. Non encore satisfait, il se baissa, encastra fébrilement une autre pierre dans la fronde et tira, en prit une troisième et tira encore. Désormais, il avait mis de côté toutes ses craintes et ses scrupules ; il ne lui importait plus que Robert fût ou ne fût pas là derrière ; il éprouvait seulement un sentiment d'excitation hilare et belliqueuse. À la fin, haletant, après avoir bien criblé le feuillage, il laissa tomber sa fronde par terre et se hissa jusque sur le mur de clôture. Comme il l'avait prévu et espéré, Robert n'était pas là. Mais les barreaux de la grille étaient très largement espacés et permettaient de passer la tête pour regarder dans le jardin contigu. Poussé par il ne savait quelle curiosité, il passa la tête et regarda en dessous de lui.

Du côté du jardin de Robert, il n'y avait pas de plante grimpante, mais une plate-bande plantée d'iris qui s'étendait entre le mur et l'allée sablée. Alors, juste sous ses yeux, entre le mur et la rangée d'iris blancs et mauves, étendu sur le flanc, il vit un gros chat gris. Une terreur insensée lui coupa le souffle lorsqu'il remarqua la position étrange de la bête : couchée sur le côté, les pattes allongées et détendues, le museau abandonné sur le terreau. Le poil épais, d'un gris bleuté, apparaissait légèrement hérissé et en désordre et en même temps inerte, comme les plumes de certains oiseaux morts qu'il avait observés peu de temps auparavant sur le marbre de la table de cuisine. Maintenant sa terreur grandissait ; il sauta à terre, arracha le bambou qui servait de tuteur à un rosier, grimpa de nouveau et, passant le bras à travers les barreaux, s'évertua à piquer le flanc du chat avec la pointe terreuse du bambou. Mais le chat n'eut pas un mouvement. Tout à coup ces iris aux hautes tiges vertes, aux corolles blanches et mauves inclinées autour du corps gris immobile, lui parurent mortuaires comme les fleurs qu'une main pieuse dispose autour d'un cadavre. Il jeta le bambou et, sans se soucier de remettre le lierre en place, il sauta par terre.

Il se sentait en proie à des terreurs multiples et sa première impulsion fut de courir s'enfermer dans une armoire, une cachette, n'importe où, pourvu que ce fût dans une obscurité bien close, afin de se fuir lui-même. Ce qui l'épouvantait avant tout, c'était d'avoir tué le chat, et puis, en second lieu, et peut-être de façon plus poignante encore, d'avoir annoncé ce meurtre à sa mère, la veille au soir :

signe indubitable que d'une manière mystérieuse et fatale, il était prédestiné à accomplir des actes de cruauté et de mort. Mais la terreur qu'éveillait en lui la mort du chat et la prémonition significative de cette mort n'étaient rien en face de celle que lui inspirait l'idée qu'en tuant le chat il avait eu, en réalité, l'intention de tuer Robert. Le hasard seul avait voulu que le chat mourût à la place de son ami. Un hasard non absolument fortuit toutefois ; car on ne pouvait nier qu'il y eût progression des fleurs aux lézards, des lézards au chat, du chat au meurtre de Robert, pensé et voulu bien que non exécuté, mais encore possible et peut-être inévitable.

Ainsi donc, je suis un anormal, ne pouvait-il s'empêcher de penser ou plutôt de ressentir avec une vive conscience de son état : un anormal marqué pour un destin solitaire et menaçant et qui, désormais, suivrait une voie sanglante sur laquelle aucune force humaine ne pourrait l'arrêter. Absorbé par ces pensées, il tournait frénétiquement dans l'espace étroit entre la maison et la grille, levant les yeux de temps en temps vers les fenêtres de la villa avec un vague désir d'y voir apparaître le visage de sa frivole maman. Mais elle ne pouvait plus rien faire pour lui, si tant était qu'elle eût jamais été capable de faire quelque chose. Soudain, dans un brusque espoir, il courut de nouveau au fond du jardin, grimpa sur le mur et regarda au travers des barreaux de la grille. Il s'imaginait presque qu'il allait retrouver vide l'endroit où il avait aperçu le chat inanimé. Hélas ! le chat ne s'en était pas allé ; il était toujours là, gris et immobile dans sa couronne funéraire d'iris blancs et violets. Et ce qui accusait cette mort en y ajoutant un sens de charogne en putréfaction, c'était une file noire de fourmis qui, partant de l'allée, remontait la plate-bande jusqu'au museau, jusqu'aux yeux mêmes de l'animal. Marcel regardait et, tout à coup, comme en surimpression, il lui parut voir, à la place du chat, Robert lui aussi étendu parmi les iris, lui aussi inanimé avec les fourmis allant et venant de ses yeux éteints à sa bouche entrouverte. Avec un frisson d'horreur, il s'arracha à cette horrible contemplation et sauta en bas du mur. Mais, cette fois, il eut soin de remettre en place le guichet de lierre, car maintenant, avec le remords et la terreur de lui-même, naissait aussi la peur d'être découvert et puni.

Pourtant, s'il craignait cette découverte et cette punition, il les désirait en même temps ; tout au moins pour être arrêté à temps sur la pente glissante au bas de laquelle il lui semblait inévitable qu'un meurtre l'attendît. Mais, du plus loin qu'il s'en souvînt, ses parents ne l'avaient jamais puni et — il le comprenait vaguement — moins par un système d'éducation excluant la punition que par indifférence. Ainsi, à la souffrance de se juger coupable d'un délit et surtout susceptible d'en commettre de plus graves, s'ajoutait celle de ne savoir à qui s'adresser pour se faire punir et d'ignorer même quelle pourrait être la punition. Obscurément Marcel concevait que ce même mécanisme qui l'avait poussé à avouer sa faute à Robert dans l'espoir de s'entendre dire que ce n'était pas une faute, mais un acte courant, imputable à n'importe qui, lui suggérait maintenant de faire le même aveu à ses parents, dans l'espoir contraire de les voir s'exclamer avec indignation qu'il avait commis un crime abominable et méritait d'être puni par un châtiment exemplaire. Et peu lui importait que, dans le premier cas, l'absolution de Robert l'eût encouragé à répéter un acte qui, dans le second cas, lui attirerait un blâme sévère. En réalité, dans les deux cas, il voulait sortir de son isolement terrifiant, à tout prix et par tous les moyens.

Sans doute se serait-il décidé à confesser le meurtre du chat à ses parents si le soir, à table, il n'avait eu l'impression qu'ils savaient déjà tout. En effet, quand il se fut assis à sa place, il remarqua avec un sentiment mêlé d'appréhension et de vague soulagement que son père et sa mère paraissaient fâchés et de mauvaise humeur. Sa mère se tenait droite, son visage puéril tendu dans une expression de dignité exagérée, ses yeux baissés, dans un silence clairement dédaigneux. En face d'elle, le père montrait par divers signes non moins expressifs, d'analogues sentiments d'exaspération. Beaucoup plus âgé que sa femme, il donnait souvent à Marcel la sensation déconcertante qu'il les rangeait, sa mère et lui, sur le même plan, dans une même sphère d'enfantillage et de dépendance, comme si elle n'était pas une mère mais une sœur. Il était maigre, avec un visage sec et tanné, rarement illuminé de rires brefs et sans joie ; deux traits de ce visage, indubitablement liés entre eux, retenaient l'attention : l'éclat inexpressif, presque minéral des prunelles saillantes, et le tic fréquent dont on ne savait quel nerf irrité qui tirait la peau de sa joue. Des nombreuses années qu'il avait passées dans l'armée, il avait gardé le goût des gestes précis et des attitudes gourmées. Mais Marcel savait que lorsque son père était en colère, cette contrainte et cette précision devenaient excessives, se transformant en une étrange violence contenue et glacée qui s'appliquait — semblait-il — à charger de sens les gestes les plus simples. Or, ce soir-là, à table, Marcel remarqua aussitôt que son père, comme pour attirer l'attention, soulignait avec force tous ses gestes coutumiers et insignifiants. Par exemple, levant son verre, il en buvait une gorgée, puis le reposait sur la table d'un coup sec ; cherchait la salière, prenait une pincée de sel et la reposait aussi brusquement ; saisissant le pain, le rompait et le remettait sur la table de la même manière. Ou bien, comme tourmenté d'une manie de symétrie, avec les mêmes gestes mécaniques et la même brusquerie, il disposait les couverts autour de son assiette de façon que couteau, fourchette et cuiller fussent à angle droit avec la circonférence. Si Marcel avait été moins préoccupé par sa propre culpabilité, il aurait aisément compris que ces gestes lourds d'énergie significative et pathétique ne s'adressaient pas à lui, mais à sa mère. Celle-ci, en effet, chaque fois qu'un objet heurtait la table, se murait dans sa propre dignité avec des soupirs d'agacement et des haussements de sourcils résignés. Mais sa préoccupation le rendait aveugle, aussi crut-il ses parents au courant de tout. Sûrement Robert, en capon qu'il était, l'avait espionné. Marcel avait désiré une punition, mais en voyant ses parents aussi irrités, il eut soudain peur de la violence dont il savait son père capable en de telles circonstances. De même que les manifestations de tendresse de sa mère étaient sporadiques, inattendues, évidemment plus dictées par le remords que par l'amour maternel, ainsi les sévérités paternelles étaient imprévues, injustifiées, excessives, suggérées — aurait-on dit — plutôt par le désir d'agir après de longues périodes de distraction, que par une intention éducative. Tout à coup, sur une plainte de sa mère ou de la cuisinière, le père se rappelait qu'il avait un fils, hurlait, se mettait hors de lui et le frappait. Les coups surtout épouvantaient Marcel parce que son père portait au petit doigt une lourde chevalière qui, on ne sait comment, durant ces scènes, était toujours tournée en dedans, vers la paume de la main, ce qui ajoutait à la dureté humiliante de la gifle une douleur plus aiguë. Marcel soupçonnait son père de tourner exprès sa bague à ces moments-là, mais il n'en était pas sûr.

Intimidé, inquiet, il commença à échafauder hâtivement un mensonge plausible : il n'avait pas tué le chat, c'était Robert... et, en effet, le chat se trouvait dans le jardin de celui-ci, comment aurait-il fait, lui, pour le tuer à travers le lierre et le mur de clôture ? Mais, soudain, il se souvint d'avoir annoncé la veille à sa mère le meurtre du chat qu'il venait effectivement d'accomplir, le jour suivant : tout mensonge lui était donc interdit. Aussi distraite que fût sa mère, elle avait certainement rapporté sa confession à son père et celui-ci, non moins certainement, avait dû établir un lien entre ladite confession et les accusations de Robert. Ainsi n'y avait-il aucune possibilité de se démentir. À cette pensée, passant d'un extrême à l'autre, une impulsion lui fit désirer de nouveau une punition, pourvu qu'elle vînt vite et fût décisive. Mais quelle punition ? Il se rappela qu'un jour Robert lui avait parlé des collèges comme d'endroits où les parents mettaient leurs mauvais sujets de fils pour les châtier et il se surprit à désirer vivement ce genre de châtiment. C'était l'inconsciente lassitude du désordre et du manque d'affection de la vie familiale qui s'exprimait dans ce désir, lui faisant envisager avec complaisance ce que les parents auraient considéré comme une punition et plus encore l'induisant à se tromper lui-même sur son propre besoin de sanction par le calcul presque rusé qu'en calmant ses remords il améliorerait aussi son état de vie. Aussitôt sa pensée lui suggéra des images qui, loin d'être décourageantes, lui furent au contraire agréables : édifice gris, sévère et froid, aux fenêtres barricadées de grillages... dortoirs glacés et nus avec leurs rangées de lits alignés contre de hauts murs blancs... salles de classe mornes, garnies de bancs, avec la chaire au fond... corridors blêmes, escaliers obscurs, portes massives, grilles infranchissables... en somme, tout comme dans une prison... mais bien préférable cependant à la liberté inconsistante, inquiète, insoutenable de la maison paternelle. Jusqu'à l'idée de porter un uniforme de coutil et d'avoir la tête rasée, comme les collégiens qu'il lui arrivait de rencontrer, en rangs, dans les rues : jusqu'à cette image humiliante et presque odieuse lui paraissait agréable dans sa présente aspiration désespérée vers l'ordre et le conformisme quels qu'ils fussent.

Absorbé par ses divagations, il ne regardait plus son père, mais la nappe étincelante de lumière blanche sur laquelle, parfois, s'abattaient les insectes nocturnes venant, par la fenêtre grande ouverte, se heurter contre l'abat-jour de la lampe. Puis il leva les yeux et eut juste le temps d'apercevoir, derrière son père, sur l'appui de la fenêtre, le profil d'un chat. Mais avant qu'il eût pu distinguer la couleur de l'animal, celui-ci avait sauté sur le plancher, traversé la salle à manger et disparu du côté de la cuisine. Bien qu'il n'eût aucune certitude, le cœur de Marcel se gonfla cependant d'un joyeux espoir à la pensée que ce pouvait être le chat qui, quelques heures auparavant, était étendu immobile parmi les iris, dans le jardin de Robert. Et il fut heureux de cet espoir comme d'un signe qu'après tout la vie de cette bête lui tenait plus à cœur que son propre destin.
— Le chat ! — s'exclama-t-il dans un cri.

Et puis, jetant sa serviette sur la table et glissant une jambe hors de sa chaise : — Papa, j'ai fini... puis-je me lever ?

— Reste à ta place ! — dit le père d'une voix chargée de menace.

Marcel, intimidé, risqua : — Mais il est vivant, le chat !

— Je t'ai déjà dit de rester à ta place ! — répéta le père. Puis comme si les paroles de Marcel avaient brisé le long silence, il se tourna vers sa femme en disant : — Eh bien ! dis quelque chose... parle !

— Je n'ai rien à dire — répondit-elle avec une impassibilité ostentatoire, les paupières baissées, la bouche dédaigneuse. Elle portait une robe du soir, noire et décolletée. Marcel remarqua qu'elle froissait entre ses doigts maigres un mouchoir qu'elle portait fréquemment à ses narines ; son autre main jouait avec un petit morceau de pain, non pas avec les doigts, mais du bout des ongles, comme un oiseau.

— Mais, dis ce que tu as à dire... parle, sacrebleu !...

— Avec toi, je n'ai rien à dire !

Marcel commençait à peine à comprendre que le meurtre du chat n'entrait pour rien dans la mauvaise humeur de ses parents quand tout à coup les choses se précipitèrent. Le père répéta une fois encore : — Parle, pardieu... ! — Elle, pour toute réponse, haussa les épaules. Alors le père prit le verre à pied placé devant son assiette et en criant : — Parleras-tu oui ou non ? — il le lança violemment sur la table. Le verre se brisa. Avec un juron, le père porta sa main écorchée à sa bouche tandis que la mère, effrayée, se levait de table et se dirigeait rapidement vers la porte. Le père suçait sa blessure presque avec volupté en fronçant les sourcils, mais en voyant sortir sa femme, il s'interrompit et cria :

— Je te défends de sortir... as-tu compris ?

En réponse, la porte se referma avec violence. L'homme se leva à son tour et s'élança vers la porte. Excité par la violence de la scène, Marcel le suivit.

Le père s'était déjà dirigé vers l'escalier, une main sur la rampe, sans perdre contenance ni se hâter apparemment ; mais Marcel, qui le suivait, le vit gravir les marches deux par deux, volant silencieusement à l'étage supérieur comme — pensa-t-il — l'ogre de la fable, chaussé de ses bottes de sept lieues. Sans aucun doute, en montant de cette façon calculée et menaçante, il aurait raison de la fuite désordonnée de sa femme qui, un peu au-dessus, grimpait une marche après l'autre, les jambes entravées par sa jupe étroite. « Il va la tuer ! » pensait l'enfant en suivant son père. Arrivée sur le palier, la jeune femme courut jusqu'à sa chambre, pas assez vite cependant pour empêcher son mari d'entrer derrière elle en repoussant la porte qu'elle allait fermer.

Tout cela, Marcel le vit en montant avec ses jambes courtes d'enfant qui ne lui permettaient pas de gravir deux marches à la fois comme son père, ni de sautiller légèrement comme sa mère. Sur le palier, il remarqua qu'un silence subit s'était étrangement substitué au bruit de la poursuite. La porte de la chambre de sa mère était demeurée ouverte. Marcel, un peu titubant, s'approcha du seuil.

D'abord il ne vit, au fond de la chambre noyée dans la pénombre, derrière le large lit bas, que les grands rideaux vaporeux des fenêtres qui, poussés par un souffle de vent à l'intérieur de la pièce, se gonflaient jusqu'au plafond, effleurant presque le lustre. Ces rideaux silencieux, tout blancs dans la chambre sombre, donnaient une impression de désert, comme si les parents de Marcel s'étaient, à leur tour, envolés par la fenêtre, dans la nuit estivale. Puis, dans le rayon de lumière qui, de la porte ouverte sur le corridor, arrivait jusqu'au lit, il aperçut enfin ses parents. Ou plutôt il ne vit que son père, le dos de son père sous lequel sa mère disparaissait presque complètement, à part les cheveux épars sur l'oreiller et l'un des bras levés vers la tête du lit. Ce bras cherchait convulsivement à s'agripper sans pouvoir y parvenir. Et le père, écrasant sous son propre poids le corps de sa femme, faisait avec ses épaules et ses mains des gestes comme s'il eût voulu l'étrangler.

« Il est en train de la tuer ! » pensa Marcel, saisi, s'arrêtant sur le seuil. Une sensation insolite l'envahissait, une excitation combative et cruelle et tout ensemble un vif désir d'intervenir dans la lutte, que ce fût pour prêter main-forte à son père ou pour défendre sa mère, car il ne savait encore quel parti prendre. En même temps un espoir confus s'élevait en lui de voir sa propre faute effacée par ce crime d'une tout autre gravité : qu'était, en effet, le meurtre d'un chat en comparaison de celui d'une femme ? Mais au moment même où, sa dernière hésitation vaincue, il allait se précipiter, fasciné et plein de violence, il entendit la voix de sa mère, non pas étranglée, mais presque caressante, murmurer doucement : — laisse-moi — tandis que, contredisant cette prière, le bras levé vers la tête du lit se baissait pour entourer le cou du mari.

Stupéfait, presque déçu, Marcel fit un pas en arrière et sortit dans le corridor. Tout doucement, attentif à ne pas faire résonner les marches sous ses pas, il descendit au rez-de-chaussée et se dirigea vers la cuisine. Maintenant, il était de nouveau tourmenté par la curiosité de savoir si le chat qui avait sauté dans la salle à manger était celui qu'il craignait d'avoir tué. Il poussa la porte de la cuisine et un calme tableau d'intérieur s'offrit à sa vue : la cuisinière, une femme déjà mûre, et la jeune femme de chambre, assises à la table de marbre, étaient en train de manger dans la cuisine blanche, entre le fourneau électrique et la glacière. Et, par terre, sous la fenêtre, le chat occupé à lécher de sa langue rose le lait d'une écuelle. Hélas, avec un serrement de cœur, il vit aussitôt que ce n'était pas un chat gris, mais tigré et tout à fait différent.

Ne sachant comment justifier son intrusion dans la cuisine, Marcel alla vers le chat, se baissa et lui caressa l'échine. Tout en continuant à laper son lait, le chat se mit à ronronner. La cuisinière se leva et alla fermer la porte. Puis, ouvrant la glacière, elle en tira une assiette avec une tranche de gâteau qu'elle posa sur la table et, approchant une chaise, elle dit à Marcel : — Voulez-vous un peu du gâteau d'hier soir ?... J'en ai mis de côté pour vous. — Marcel, sans mot dire, laissa le chat, s'assit et se mit à manger le gâteau.

— Moi, — dit la femme de chambre, — il y a des choses que je ne comprends pas... ils ont tout le temps voulu pendant la journée et assez de place dans la maison... et, au contraire, juste à table, en présence de leur petit, il faut qu'ils se disputent...

La cuisinière répondit sentencieusement : — Quand on n'a pas envie de s'occuper de ses enfants, il vaut mieux ne pas les mettre au monde.

Après un court silence, la femme de chambre observa : — Lui, par l'âge, il pourrait être son père... on comprend qu'ils ne s'entendent pas...

— Si ce n'était que cela... — dit la cuisinière avec un regard significatif du côté de Marcel.

— Et puis, — continua la femme de chambre, — à mon avis, cet homme n'est pas normal...

À cette parole, Marcel, tout en continuant à manger lentement son gâteau, dressa l'oreille.

— Elle aussi, elle pense comme moi — poursuivit la femme de chambre, — sais-tu ce qu'elle m'a dit l'autre jour pendant que je la déshabillais pour se mettre au lit ? Giacomina, un jour ou l'autre, mon mari me tuera... Je lui ai répondu : mais, Madame, qui est-ce qui attend qu'il le fasse ? C'est bien vous...

— Chut — interrompit la cuisinière en indiquant Marcel. L'autre comprit et demanda à l'enfant : — Où sont papa et maman ?

— Là-haut, dans leur chambre, — répondit Marcel. Et puis, tout d'un trait, comme poussé par un élan irrésistible : — C'est bien vrai que papa n'est pas normal. Savez-vous ce qu'il a fait ?

— Non... quoi donc ?

— Il a tué un chat... — dit Marcel.

— Un chat ! Et comment ?

— Avec ma fronde... Je l'ai vu, dans le jardin, suivre un chat gris qui marchait sur le mur... et puis il a pris un caillou et l'a lancé sur le chat et il l'a atteint à l'œil... le chat est tombé dans le jardin de Robert et je suis allé voir et j'ai vu qu'il était mort... — À mesure qu'il parlait, il s'était échauffé, sans toutefois abandonner le ton de l'innocent racontant avec une ingénuité candide et ignorante quelque méfait dont il aurait été témoin.

— Mais, pensez donc... — dit la femme de chambre en joignant les mains, — un chat !... un homme de cet âge, un monsieur, prendre la fronde de son fils pour tuer un chat... allez dire après ça qu'il n'est pas anormal... !

— Quand on est méchant avec les bêtes, on est également méchant avec les chrétiens, — dit la cuisinière, — on commence par un chat et puis on tue un homme.

— Pourquoi ? — demanda soudain Marcel en levant les yeux de son assiette.

— On dit ça... — répondit la cuisinière en lui faisant une caresse. — Pourtant, — ajouta-t-elle en s'adressant à la femme de chambre, — ce n'est pas toujours vrai... celui qui a tué tous ces gens à Pistoia... je l'ai lu dans le journal... sais-tu ce qu'il fait maintenant, en prison ?... Il élève un canari...

Le gâteau était fini. Marcel se leva et sortit de la cuisine.

# II

« On commence par un chat et puis on tue un homme... » La terreur de cette fatalité si simplement exprimée par la cuisinière s'estompa peu à peu dans l'âme de Marcel, au cours des mois d'été passés au bord de la mer. Il pensait souvent encore à cette espèce de mécanisme incompréhensible et impitoyable dans lequel, durant quelques jours, sa vie semblait s'être engrenée. Mais il y pensait avec une angoisse de moins en moins vive, plutôt comme à un signal d'alarme qu'à la condamnation sans appel qui l'avait fait trembler quelque temps. Les jours passaient, heureux, dans l'ardeur du soleil, l'ivresse de l'air marin, les découvertes et les amusements variés. Et chaque jour qui passait semblait apporter à Marcel il ne savait quelle victoire, non pas sur lui-même puisqu'il ne s'était jamais senti volontairement et directement coupable, mais contre la force obscure, maléfique, astucieuse et étrangère, toute empreinte des sombres couleurs de la fatalité et du malheur, qui l'avait conduit, presque malgré lui, de la destruction des fleurs au massacre des lézards et de celui-ci à la tentation de tuer Robert. Cette force, il la sentait toujours latente et menaçante, mais non plus spécifique. Et comme parfois dans les cauchemars où l'on est affolé par l'apparition d'un monstre, on croit s'en préserver en simulant le sommeil, alors qu'on dort réellement et qu'on rêve, ainsi, ne pouvant écarter définitivement la menace de cette force, il lui semblait devoir l'endormir, pour ainsi dire, en feignant un oubli insouciant dont il était encore bien éloigné.

Cette détente était due en partie au penchant naturel de son âge mais en partie aussi à la volonté de sortir à tout prix du cercle maudit des présages et de la fatalité. Sans qu'il pût l'analyser, l'élan qui le poussait à se jeter à la mer dix fois par matinée ; à rivaliser de turbulence avec les plus turbulents de ses camarades de jeu ; à ramer pendant des heures sur la mer embrasée ; à se livrer, en somme, avec une sorte d'ardeur excessive à tous les passe-temps de la plage ; cet élan était au fond le même qui lui avait fait rechercher la complicité de Robert après le massacre des lézards et la sévérité de ses parents après le meurtre du chat. Une aspiration à être normal ; une volonté d'adaptation à une règle reconnue et générale ; un désir de ressembler à tous les autres puisque être différent signifiait être coupable. Mais l'artificiel et le voulu de sa conduite se trahissaient parfois dans le souvenir subit et douloureux du chat mort, étendu parmi les iris blancs et violets dans le jardin de Robert. Il était épouvanté par ce souvenir comme le débiteur au rappel de sa signature apposée au bas du document qui atteste sa dette. Par ce meurtre, il lui semblait avoir pris un engagement obscur et terrible auquel, tôt ou tard, il ne pourrait se soustraire, se cachât-il sous terre ou traversât-il les océans pour qu'on perdît sa trace. À ces moments, il se consolait en pensant qu'un mois, deux mois, trois mois avaient passé ; que bientôt un an, deux ans, trois ans se seraient écoulés. Ce qui importait, c'était de ne pas réveiller le monstre et de laisser passer le temps. Du reste ces accès de découragement et de crainte étaient rares et, vers la fin de l'été, ils avaient complètement cessé. Quand Marcel revint à Rome, l'épisode du chat, comme ceux qui l'avaient précédé, n'était plus pour lui qu'un souvenir vague, presque évanescent. Comme s'il avait vécu cette expérience dans une autre vie avec laquelle il n'avait d'autres rapports que ce souvenir inconscient et sans conséquences.

Ce qui contribua également à l'oubli ce fut, dès le retour en ville, l'excitation due à la rentrée scolaire. Jusqu'alors Marcel avait fait ses études à la maison, c'était sa première année d'école publique. La nouveauté des camarades, des professeurs, des classes, des horaires, nouveauté aux aspects variés, de laquelle émanait une idée d'ordre, de discipline et de travail en commun, plut à Marcel après le désordre, l'absence de règle et la solitude de chez lui. C'était un peu le collège dont il avait rêvé, en un jour mémorable, moins la rigueur, l'esclavage et les aspects désagréables évoquant la prison ; seulement dans son côté le plus séduisant. Marcel s'aperçut bien vite qu'un goût profond le portait à la vie scolaire. Il aimait se lever tôt le matin, toujours à la même heure, se laver et s'habiller rapidement, arranger soigneusement ses livres et ses cahiers dans son cartable et faire en se pressant la route qui menait à l'école. Il aimait se joindre à la foule de ses camarades pour faire irruption dans le vieux lycée, grimper les escaliers sales, courir par les corridors nus et sonores, reprendre son souffle en arrivant dans la classe, devant les bancs alignés en face de la chaire vide. Par-dessus tout, il aimait le rite des leçons : l'entrée du professeur, l'appel, les interrogations, l'émulation avec les camarades pour répondre aux questions, les succès et les échecs dus à cette émulation ; le ton calme, impersonnel de la voix du maître ; la disposition même, si éloquente, de la classe avec ses rangées d'élèves rassemblés dans le même besoin d'apprendre en face du professeur chargé de les instruire. Marcel était cependant un élève médiocre et, pour certaines matières, l'un des derniers de la classe. Ce qu'il aimait dans l'école, c'était moins l'étude qu'un nouveau mode d'existence, plus conforme à ses goûts que celui qu'il avait connu jusqu'alors. Encore une fois, c'était la règle qui l'attirait ; et d'autant plus qu'elle se révélait non fortuite, non assujettie aux préférences et aux inclinations naturelles de l'âme, mais préétablie, impartiale, indifférente aux goûts individuels, limitée et soutenue par des prescriptions indiscutables et toutes orientées vers un but unique.

Mais son inexpérience et sa candeur le rendaient gauche et hésitant en face d'autres règles qui, pour être passées sous silence, n'existaient pas moins et touchaient les rapports des enfants entre eux, en dehors de la discipline scolaire. C'était là un nouvel aspect de la règle auquel il était plus difficile de se conformer. Il en eut l'impression la première fois qu'il fut appelé à la chaire pour montrer son devoir. Le professeur lui avait pris son cahier des mains et, l'ayant posé devant lui sur la chaire, il s'était mis à le lire. Marcel, habitué aux manières affectueuses et familières avec les institutrices qui jusqu'alors l'avaient instruit, au lieu de rester debout, à côté, en attendant un commentaire, passa tout naturellement son bras autour des épaules du professeur et pencha son propre visage à côté du sien pour suivre la lecture du devoir avec lui. Sans manifester d'étonnement le professeur se borna à écarter la main posée sur son épaule et à se libérer du bras de Marcel. Mais toute la classe éclata d'un rire bruyant qui, pour Marcel, parut marquer une désapprobation très différente de celle du maître, moins indulgente et compréhensive. Par son geste ingénu — il y réfléchit plus tard quand il eût maîtrisé son malaise —, il avait manqué à la fois à deux règles distinctes : à celle de l'école qui lui demandait discipline et respect envers le maître ; à celle des camarades qui le voulait malin et dissimulé dans ses sentiments. Et le plus singulier c'est que ces deux normes ne se contredisaient pas et se complétaient même d'une manière mystérieuse.

D'ailleurs, il comprit vite que s'il était assez facile de devenir rapidement un bon élève, il était beaucoup plus difficile de devenir un camarade plein de malice et de désinvolture. Son inexpérience, ses habitudes familières et jusqu'à son aspect physique s'opposaient à cette seconde transformation. Marcel avait hérité de sa mère une perfection de traits presque mièvre dans sa régularité et sa douceur. Il avait un visage rond aux joues brunes et délicates, un petit nez, une bouche sinueuse à l'expression mobile et boudeuse, un menton à fossette et, sous la frange de cheveux châtains qui couvrait presque entièrement son front, des yeux gris-bleu, d'une expression sombre bien que naïve et caressante. C'était en quelque sorte un visage de petite fille. Mais les garçons, frustes comme ils étaient, n'y auraient pas pris garde si la douceur et la beauté de ce visage ne se fussent accompagnées de certaines particularités véritablement féminines, au point de donner à Marcel l'air d'une fille habillée en garçon : une insolite facilité à rougir, un penchant irrésistible à exprimer la tendresse de son âme par des gestes caressants, un désir de plaire poussé jusqu'à la servilité et la coquetterie. Ces caractéristiques étaient innées chez Marcel, donc inconscientes. Quand il s'aperçut qu'elles le rendaient ridicules aux yeux de ses condisciples il était trop tard ; eût-il pu les maîtriser, sinon les supprimer, sa réputation de fille en pantalon était désormais établie.

Automatiquement, on le tournait en ridicule, comme si son caractère féminin était admis, hors de discussion. Tantôt ses camarades venaient lui demander d'un air sérieux pourquoi il n'était pas assis sur les bancs de l'école des filles et quelle idée lui avait pris de changer sa robe pour des pantalons ; ou bien à quels passe-temps il se livrait chez lui, brodait-il ou jouait-il à la poupée ? Ou encore pourquoi on ne lui avait pas percé les oreilles pour porter des boucles d'oreilles. Il lui arrivait de trouver sous son banc un chiffon avec une aiguille et une bobine, claire allusion au genre de travail qui aurait dû lui convenir ; parfois c'était une boîte de poudre de riz ; un matin même il trouva un soutien-gorge rose qu'un de ses condisciples avait dérobé à une sœur aînée.

Dès le début, ils l'avaient affublé d'un diminutif féminin et l'appelaient Marcelline. En face de ces moqueries, il éprouvait à la fois de la colère et une sorte de complaisance flattée, comme si dans un coin de lui-même il n'était pas trop mécontent ; sans pouvoir dire si cette complaisance était due à la cause de la moquerie ou au fait que ses compagnons s'occupaient de lui, ne fût-ce que pour le bafouer. Mais un matin que, comme à l'ordinaire, il entendait chuchoter derrière son dos : — Marcelline... Marcelline... est-ce vrai que tu as des culottes de fille ? — il se dressa et levant la main comme pour demander la parole, d'une voix forte, dans le silence subit de la classe, il se plaignit qu'on lui donnât un surnom féminin. Le professeur, un gros homme barbu, l'écouta en souriant dans les poils de sa barbe grise et dit : — On te donne un surnom de fille... quel surnom ?

— Marcelline — dit l'enfant.

— Et cela te déplaît ?

— Oui... parce que je suis un homme.

— Viens ici — dit le professeur. Marcel obéit et prit place à côté de la chaire. — Maintenant, — continua gentiment le professeur, — montre tes muscles à tes camarades.

Marcel, docile, plia le bras en gonflant ses muscles. Le professeur, se penchant hors de la chaire, lui tâta le bras, hocha la tête en signe d'ironique approbation et s'adressant aux écoliers :

— Comme vous pouvez le voir, Clerici est un garçon solide... et il est prêt à démontrer qu'il est un homme et non une femmelette... qui veut se mesurer avec lui ?

Il y eut un silence prolongé. Le professeur fit du regard le tour de la classe et conclut : — Personne ?... C'est donc signe que vous avez peur de lui... Veuillez alors cesser de l'appeler Marcelline. — Toute la classe éclata de rire. Rouge de confusion, Marcel revint à sa place. Mais, de ce jour, au lieu de cesser, les plaisanteries redoublèrent, envenimées sans doute par le fait que Marcel avait fait le mouchard — comme ils disaient — et manqué ainsi à la tacite loi de connivence qui liaient les garçons entre eux.

Marcel sentait que pour faire cesser ces moqueries, il lui fallait prouver à ses camarades qu'il n'était pas aussi efféminé qu'il le paraissait ; mais, pour une semblable démonstration, point n'était suffisant, comme l'avait suggéré le professeur, de faire montre de ses muscles. Il fallait quelque chose de plus étonnant pour frapper les esprits et susciter l'admiration. Quoi alors ? Sans qu'il pût le définir, ce devait être un acte, un sujet évoquant une idée de force, de virilité sinon de brutalité. Ses camarades admiraient — il l'avait remarqué — un certain Avanzini, parce qu'il possédait une paire de gants de boxe. Ces gants, Avanzini, un petit blond malingre, moins grand et fort que Marcel, ne savait même pas s'en servir, mais ils lui avaient valu une considération particulière. De même pour Pugliese, objet d'une admiration analogue, parce qu'il connaissait ou prétendait connaître un coup de jiu-jitsu infaillible, d'après lui, pour faire toucher terre à l'adversaire. Mis à l'épreuve, Pugliese n'avait, à dire vrai, pas su appliquer le fameux coup, mais cela n'empêchait pas ses camarades de le respecter comme Avanzini. Marcel comprenait qu'il lui faudrait exhiber quelque chose comme les gants de boxe ou exécuter quelque prouesse du genre jiu-jitsu. Mais il sentait aussi qu'il n'avait pas la légèreté et le dilettantisme de ses compagnons. Qu'il le voulût ou non, il appartenait à la race de ceux qui prennent au sérieux la vie et ses engagements ; à la place d'Avanzini, il aurait cassé le nez à ses adversaires et à la place de Pugliese, leur aurait fait mordre la poussière. Son incapacité à se satisfaire de mots et de gestes superficiels lui inspirait une vague méfiance envers lui-même ; aussi, tout en désirant donner à ses camarades la preuve de force qu'ils semblaient demander en échange de leur considération, il en était en même temps vaguement effrayé.

Un jour, il s'aperçut que quelques-uns de ses camarades, parmi les plus acharnés à se moquer de lui, avaient des conciliabules entre eux et, à leurs regards, il crut comprendre qu'ils tramaient quelque nouvelle plaisanterie à ses dépens. Pourtant la classe se passa sans incident, bien que les clins d'œil et les chuchotements eussent confirmé ses soupçons. Vint le signal du départ et Marcel, sans regarder autour de lui, prit le chemin de la maison.

On était aux premiers jours de novembre. L'air était doux, mais avec du vent : les dernières chaleurs et les parfums de l'été disparu semblaient se mêler dans l'atmosphère aux premières et encore incertaines rigueurs de l'automne. Marcel se sentait curieusement excité par cette atmosphère d'abandon et de mort naturelle, la même qui l'avait poussé quelques mois auparavant à détruire les fleurs et massacrer les lézards. L'été avait été une saison immobile, parfaite, pleine, sous un ciel serein, d'arbres garnis de feuillage et de branches chargées d'oiseaux. Maintenant, il voyait avec délices le vent d'automne lacérer et saccager cette perfection, cette plénitude, cette immobilité, en poussant des nuées sombres dans le ciel, en arrachant les feuilles et les faisant tourbillonner sur le sol, en chassant les oiseaux que l'on voyait émigrer parmi les feuilles et les nuages en longs vols noirs bien ordonnés. À un tournant, il s'aperçut qu'un groupe de cinq garçons le suivait ; il n'y avait aucun doute sur ce point puisque deux d'entre eux habitaient dans une direction opposée. Mais, plongé dans ses réflexions sur l'automne, il n'y prit pas garde. Il avait hâte maintenant d'arriver à la grande avenue de platanes par laquelle, en prenant un chemin de traverse, on arrivait chez lui. Il savait que les feuilles mortes jaunes et bruissantes s'entassaient sur les trottoirs de l'avenue et il goûtait par avance le plaisir de traîner les pieds dans cet amoncellement en l'éparpillant et le faisant crisser.

En même temps, presque par jeu, il s'efforçait de fourvoyer ses poursuivants, tantôt en entrant sous une porte cochère, tantôt en se mêlant à la foule. Mais, après quelques hésitations, les cinq garçons parvenaient toujours à le retrouver. Maintenant l'avenue était toute proche et Marcel ne voulait pas qu'on le vît s'amuser avec les feuilles mortes. Aussi se décida-t il à affronter ses camarades et, se retournant brusquement, il les apostropha : — Pourquoi me suivez-vous ? — L'un d'eux, un blondin à la figure pointue et à la tête rasée répondit vivement : — Nous ne te suivons pas, la route est bien à tout le monde, je pense ? — Marcel ne répondit pas et reprit son chemin.

L'avenue était là avec sa double rangée de platanes immenses et dénudés, avec ses maisons aux fenêtres alignées derrière les arbres, avec les feuilles d'or éparses sur l'asphalte noir et entassées au bord des trottoirs. Marcel avait perdu de vue ses cinq camarades qui avaient sans doute renoncé à le suivre et il était seul dans la large avenue déserte. Lentement, il posa le pied dans le feuillage épars sur le pavé et commença à marcher, heureux d'enfoncer jusqu'au genou dans la mouvante et légère masse bruissante. Mais comme il se penchait pour prendre une poignée de feuilles et les jeter en l'air, il entendit de nouveau les voix moqueuses : — Marcelline... Marcelline... montre ta petite culotte. — Alors, tout à coup, il eut envie de se battre, si envie que tout son visage s'enflamma d'une ardeur belliqueuse. Il se redressa et marcha délibérément à la rencontre de ses persécuteurs en leur disant : — Voulez-vous vous en aller, oui ou non ?

Au lieu de répondre, ils se jetèrent sur lui. Marcel pensa aux Horaces et aux Curiaces ; comme dans l'anecdote des livres d'histoire, il lui faudrait attaquer ses adversaires un par un, en courant de l'un à l'autre, assenant un mauvais coup à chacun d'eux pour les obliger à abandonner la partie. Mais il vit immédiatement que ce plan était impossible, car les cinq s'étaient jetés d'un bloc sur lui et ils le tenaient l'un par les bras, l'autre par les jambes et les deux autres à bras le corps. Le cinquième avait rapidement défait un paquet et s'approchait avec prudence, tenant en l'air une jupe bleue de petite fille. Tous les cinq riaient tout en le maintenant fortement et celui qui tenait la jupe dit : — Allons, Marcelline, laisse-nous faire... nous allons te mettre un jupon et puis nous te laisserons aller chez ta maman. — C'était bien le genre de plaisanterie que Marcel avait redouté et qu'avait suggéré son air trop efféminé. Tout rouge de fureur, il se débattit avec une extrême violence, mais les autres étaient plus forts et bien qu'il pût griffer l'un au visage et envoyer un coup de poing dans l'estomac d'un autre, il se sentit graduellement réduit à l'impuissance. Finalement, tandis qu'il gémissait : — Laissez-moi... imbéciles... laissez-moi ! — ses persécuteurs poussèrent un cri de triomphe : la jupe lui couvrait la tête et ses protestations se perdaient dans cette espèce de sac. Il se débattit en vain. Adroitement, les garçons firent glisser la jupe jusqu'à sa taille, puis la lui attachèrent avec un nœud dans le dos. Alors pendant qu'ils criaient : — serre... serre plus fort... — Marcel entendit une voix calme qui demandait sur un ton de curiosité plutôt que de reproche : — Mais, peut-on savoir ce que vous faites ?

Aussitôt les cinq garçons le laissèrent et s'enfuirent et il se retrouva seul, échevelé et haletant avec la jupe serrée autour de sa taille. Il leva les yeux et vit devant lui l'homme qui avait parlé : vêtu d'une sorte d'uniforme gris sombre, avec un col très haut et serré, pâle, décharné, les yeux enfoncés, un grand nez triste, une bouche dédaigneuse, des cheveux taillés en brosse. Il donnait de prime abord une impression d'austérité presque excessive ; mais au second regard Marcel nota chez lui quelques traits qui n'avaient rien d'austère, bien au contraire : le regard inquiet, ardent, quelque chose de mou et de fatigué dans la bouche, une allure générale équivoque. Il se pencha, ramassa les livres qu'en se débattant Marcel avait laissés tomber et dit en les lui tendant : — Mais que voulaient-ils te faire ?

Sa voix était sévère comme son visage mais non sans une sorte de douceur étranglée. Marcel, hors de lui, répondit : — Ils se paient toujours ma tête... ce sont des idiots ! — En même temps, il cherchait à dénouer dans son dos la ceinture de la jupe. — Attends — dit l'homme en se courbant et défaisant le nœud. La jupe tomba à terre ; Marcel en sortit en la piétinant et la lança d'un coup de pied sur un tas de feuilles mortes. L'homme questionna avec une espèce de timidité : — N'allais-tu pas chez toi ?

— Si — répondit Marcel en levant les yeux sur lui.

— Eh bien ! — dit l'homme, — je vais t'y conduire, en voiture — et il indiqua tout près une automobile arrêtée au bord du trottoir. Marcel la regarda ; il ne connaissait pas cette marque de voiture, étrangère peut-être, longue, noire, avec une carrosserie démodée. Il eut l'étrange pensée que cette auto arrêtée à deux pas de lui dénotait une prémédi-tation dans les avances de l'homme. Et il hésita avant de répondre. L'autre insista : — Allons, viens... avant de te ramener chez toi, je te ferai faire un joli tour ? Veux-tu ?

Marcel voulait ou plutôt sentait qu'il devait refuser. Mais il n'en eut pas le temps. L'homme lui avait pris ses livres des mains en disant : — Je vais te les porter — et se dirigeait vers l'auto. Il le suivit, un peu étonné de sa propre docilité, mais non à contrecœur. L'homme ouvrit la por-tière, fit monter Marcel à côté de lui, jeta les livres sur le siège arrière. Puis il s'assit au volant, ferma la portière, enfila ses gants et mit la voiture en marche.

L'automobile démarra doucement, majestueusement, avec un ronronnement sourd, entre les arbres de la longue avenue. C'était bien une voiture d'un modèle ancien, comme l'avait pensé Marcel, mais admirablement entrete-nue, amoureusement astiquée et dont tous les cuivres et les nickels étincelaient. L'homme, tenant d'une main le volant, prit de l'autre une casquette à visière dont il se coiffa. Cette casquette ajoutait à la sévérité de son aspect en lui donnant un air presque militaire. Marcel demanda, gêné : — Elle est à vous, cette voiture ?

— Dis-moi tu — dit l'homme sans tourner la tête et donnant un coup de klaxon d'une sonorité grave, démodée comme la voiture. — Non, elle n'est pas à moi... elle est à la personne qui me paie... je suis le chauffeur.

Marcel ne dit rien. L'homme, toujours de profil et conti-nuant à conduire la voiture avec une précision élégante et aisée, ajouta : — Ça te déplaît que je ne sois pas le patron ? Tu as honte ?

Marcel protesta vivement : — Non, pourquoi ?

L'homme eut un léger sourire de complaisance et accé-léra. — Maintenant, nous allons un peu sur la hauteur... sur le mont Mario... ça te va ? — dit-il.

— Je n'y suis jamais allé — répondit Marcel.

— C'est beau — dit l'homme, — on voit toute la ville... — Il se tut un moment et poursuivit avec douceur : — Comment t'appelles-tu ?

— Marcel.

— C'est vrai — dit l'homme comme se parlant à lui-même, — ils t'appelaient Marcelline, tes camarades... moi, je m'appelle Pascal.

Marcel était en train de penser que c'était là un nom ridicule quand l'homme ajouta, comme s'il avait lu dans sa pensée : — Mais c'est un nom démodé... appelle-moi Lino.

La voiture traversait maintenant les larges rues sales d'un quartier populaire, entre des immeubles misérables. Des groupes de gamins qui jouaient au milieu de la chaussée se rangeaient de côté, tout essoufflés, des femmes dépeignées, des hommes mal vêtus regardaient, du trottoir, le passage insolite de cette voiture. Marcel baissa les yeux, gêné par cette curiosité. — C'est Testaccio, — dit l'homme, — mais voici le mont Mario. — La voiture, quittant le quartier pauvre, attaquait la montée, sur une large route en tournants, derrière un tram, entre deux alignements de maisons. — À quelle heure dois-tu être rentré ?

— J'ai le temps — dit Marcel, — nous ne mangeons pas avant deux heures.

— Qui t'attend chez toi ? Ton père et ta mère ?

— Oui.

— Tu as des frères et sœurs ?

— Non.

— Et que fait ton papa ?

— Il ne fait rien — répondit Marcel assez vaguement.

Dans un tournant la voiture dépassa le tram et, pour prendre son virage aussi serré que possible, l'homme pesa des deux bras sur le volant sans un mouvement du buste, avec une dextérité pleine d'élégance.

Puis la voiture, continuant la montée, roula le long de hautes murailles herbeuses, de grilles de villas, d'enclos bordés de sureaux. De temps en temps une porte ornée de lanternes vénitiennes ou une arche portant une enseigne écarlate indiquait un restaurant ou une auberge rustique. Lino demanda à brûle-pourpoint : — Ton père et ta mère te font-ils des cadeaux ?

— Oui — répondit Marcel un peu incertain ; — quelquefois.

— Souvent ou rarement ?

Il déplaisait à Marcel d'avouer que les cadeaux étaient rares et que, pour lui, les fêtes passaient parfois inaperçues : — Comme ça... — se borna-t-il à répondre.

— Et tu aimes recevoir des cadeaux ? — demanda Lino, tirant une peau de chamois d'un des casiers du tableau de bord et essuyant la vitre.

Marcel le regarda. Il ne le voyait toujours que de profil, le buste très droit, la casquette sur les yeux. Il dit au hasard : — Oui, j'aime ça...

— Eh bien ! quel cadeau aimerais-tu recevoir ?

Cette fois la phrase était explicite et Marcel pouvait penser que le mystérieux Lino entendait vraiment, pour quelque raison personnelle, lui faire un cadeau. Il se rappela soudain son goût pour les armes et se dit en même temps, avec la sensation de faire une découverte, que la possession d'une arme lui assurerait la considération et le respect de ses camarades. Il risqua, un peu sceptique, conscient de trop demander :

— Par exemple, un revolver...

— Un revolver... — répéta l'homme sans marquer de surprise. — Quelle sorte de revolver ? À capsules ou à air comprimé ?

— Non — dit Marcel hardiment, — un vrai revolver.

— Mais que ferais-tu d'un vrai revolver ?

Marcel préféra taire ses raisons. — Je tirerais à la cible — répondit-il, — jusqu'à ce que je sois sûr d'avoir un tir infaillible.

— Et pourquoi tiens-tu autant à avoir un tir infaillible ?

Marcel pensa que l'homme le questionnait plus par goût de le faire parler que par véritable curiosité. Toutefois, il répondit sérieusement : — Quand on tire bien, on peut se défendre contre n'importe qui.

L'homme se tut un instant. Puis suggéra :

— Mets la main dans cette sacoche... à côté de toi, là, dans la portière.

Marcel, intrigué, obéit et sentit sous ses doigts le froid d'un objet de métal. — Prends-le — dit l'homme.

L'auto eut un bref écart pour éviter un chien qui traversait la route. Marcel sortit l'objet de métal : c'était un revolver automatique, noir et plat, image de destruction et de mort, avec son canon braqué en avant comme pour cracher des balles. Presque malgré lui, avec des doigts tremblants de plaisir, il serra la crosse dans sa main.

— Un revolver comme celui-ci ? — demanda Lino.

— Oui.

— Eh bien ! — dit Lino, — si tu le désires vraiment, je te le donnerai... pas celui-ci pourtant, parce qu'il fait partie du matériel de la voiture... mais un autre pareil.

Marcel ne dit rien. Il lui semblait être entré dans une atmosphère enchantée, dans un monde magique où des chauffeurs inconnus vous invitent à monter dans leur voiture et vous offrent des revolvers. Tout paraissait devenu extrêmement facile. Mais, il ne savait pourquoi, il avait une vague intuition que cette facilité si séduisante avait, à la réflexion, un arrière-goût désagréable, comme si derrière elle se cachait une difficulté encore inconnue, qui pouvait promptement se révéler menaçante. Probablement, pensa-t-il avec lucidité, sommes-nous deux dans cette voiture à poursuivre un but. Le sien était de posséder un revolver, celui de Lino d'obtenir en échange de l'arme quelque chose de mystérieux et peut-être d'inacceptable. Il s'agissait de savoir lequel des deux tirerait le plus d'avantages de l'échange. — Où allons-nous ? — demanda-t-il.

— À la maison où j'habite... chercher le revolver — répondit Lino.

— Et où est-elle cette maison ?

— Voilà, nous sommes arrivés — répondit l'homme en lui reprenant le revolver et le mettant dans sa poche.

Marcel regarda : la voiture s'était arrêtée sur la route, une vraie route de campagne cette fois, avec des arbres, des haies de sureau et derrière les haies, des champs et le ciel. Mais un peu plus bas on voyait un portail avec une arche, deux colonnes et une grille peinte en vert. — Attends ici — fit Lino. Il descendit pour aller au portail. Marcel le regarda ouvrir la grille à deux battants et revenir à la voiture : il était moins grand qu'il ne le paraissait assis ; ses jambes étaient courtes par rapport à son buste et ses hanches larges. Lino remonta dans la voiture et la fit entrer par le portail. Une allée sablée apparut entre deux rangées de petits cyprès déplumés que le vent violent fouettait et secouait. Au bout de l'avenue quelque chose scintillait sur le fond orageux du ciel : un éphémère rayon de soleil faisait étinceler les vitres d'une véranda encastrée dans une maison à deux étages. — Voilà la villa — dit Lino, — mais il n'y a personne.

— Qui est le propriétaire ? — demanda Marcel.

— Tu veux dire la propriétaire — corrigea Lino, — une dame américaine... mais elle est à Florence.

La voiture s'arrêta devant la maison. C'était une villa longue et basse, blanche, avec des encadrements de briques rouges aux fenêtres et un portique supporté par des pilastres carrés en pierre grise. Lino ouvrit la portière et sauta à terre en disant : — Eh bien, descendons.

Marcel ignorait ce que lui voulait Lino et n'en avait aucun soupçon. Mais de plus en plus il sentait sa méfiance s'éveiller, comme s'il craignait une supercherie. — Et le revolver ? — demanda-t-il sans bouger.

— Il est là, à l'intérieur — répondit Lino avec quelque impatience en montrant les fenêtres de la villa, — nous allons le chercher tout de suite.

— Tu me le donneras ?

— Bien sûr... un beau revolver neuf.

Sans souffler mot, Marcel descendit à son tour. Soudain il fut assailli par une rafale qui soulevait une poussière chaude, un coup de vent d'automne funèbre et enivrant. Pourquoi, à cette rafale, eut-il comme un pressentiment ? Tout en suivant Lino, il se retourna pour regarder encore le rond-point sablé, entouré de buissons et de maigres lauriers-roses. Lino le précédait et il remarqua que quelque chose gonflait la poche droite de son dolman : le revolver que l'homme, dans la voiture, lui avait pris des mains. Marcel eut la brusque conviction que Lino ne possédait pas d'autre revolver et se demanda pourquoi il lui avait menti et pourquoi il l'attirait dans la villa. Le sentiment de la supercherie grandissait en lui en même temps que la décision de garder les yeux bien ouverts et de ne pas se laisser berner. Ils étaient entrés dans un vaste living-room, avec des fauteuils groupés et des divans et, au fond, une cheminée au manteau de briques rouges. Lino, précédant toujours Marcel, traversa la pièce et se dirigea vers une porte peinte en bleu vif.

— Où allons-nous ?

— Dans ma chambre — répondit Lino légèrement, sans se retourner.

Marcel se décida à opposer, de toute façon, une première

résistance pour faire comprendre à Lino qu'il avait deviné son jeu. Comme l'autre ouvrait la porte bleue, il dit en se tenant à distance : — Donne-moi le revolver tout de suite sinon je m'en vais.

— Mais je ne l'ai pas ici, ce revolver, — répondit Lino en se retournant à demi : — il est dans ma chambre.

— Non, tu l'as — dit Marcel, — dans la poche de ta veste.

— Mais c'est celui de l'auto.

— Tu n'en as pas d'autre.

Lino parut avoir un brusque mouvement d'impatience, aussitôt réprimé. Une fois de plus Marcel remarqua le contraste que formait, avec le visage sec et sévère, la bouche un peu molle et les yeux anxieux, dolents, suppliants. — Je te donnerai celui-ci — dit enfin Lino, — mais viens avec moi... qu'est-ce que cela peut te faire ?... Ici, avec toutes ces fenêtres, nous pourrions être vus par quelque paysan...

— Et quel mal y aurait-il à ce qu'on nous voie — voulait demander Marcel, mais il se retint, sentant obscurément que le mal existait bien qu'impossible à définir. — Bon — dit-il puérilement, — mais, après, tu me le donneras... ?

— Sois tranquille.

Ils passèrent dans un petit corridor blanc au fond duquel il y avait une autre porte bleue. Cette fois Lino ne précéda pas Marcel, mais se mit à son côté en lui passant légèrement un bras autour de la taille. — Tu y tiens tant que cela à ton revolver ? — demanda-t-il.

— Oui — dit Marcel qui, gêné par ce geste, ne trouvait rien à dire.

Lino ôta son bras, ouvrit une porte et introduisit Marcel dans sa chambre. C'était une petite pièce blanche, longue et étroite, avec une fenêtre au fond. Un lit, une table, une armoire et deux chaises, peints en vert clair, formaient tout le mobilier. Au-dessus de la tête du lit, Marcel remarqua un crucifix de bronze, du modèle le plus commun. Sur la table de chevet, il y avait un livre épais, relié en noir, avec la tranche rouge : un livre de prières, pensa Marcel. La chambre, vide de tout objet et sans rien qui traînât, paraissait extrêmement propre. Dans l'air, flottait une odeur pénétrante, rappelant le savon à l'eau de Cologne. Où Marcel l'avait-il déjà sentie ? Peut-être dans la salle de bains quand sa mère, le matin, avait fait sa toilette. Lino dit négligemment : — Assieds-toi sur le lit, veux-tu ?... c'est plus commode — et il obéit en silence. Lino allait et venait dans la chambre, ôta sa casquette, la posa sur l'appui de la fenêtre, dégrafa son col et avec un mouchoir essuya son cou en sueur. Puis il ouvrit l'armoire, en tira une grande bouteille d'eau de Cologne, y trempa son mouchoir et se le passa avec soulagement sur le visage et le front. — En veux-tu aussi ? — demanda-t-il à Marcel, — c'est rafraîchissant.

Marcel aurait voulu refuser ; la bouteille et le mouchoir lui inspiraient une sorte de dégoût. Mais il laissa Lino lui passer en une fraîche caresse sa paume sur le front. Lino rangea l'eau de Cologne dans l'armoire et vint s'asseoir sur le lit, en face de Marcel.

Ils se regardèrent. Le visage sec et austère de Lino avait pris une expression nouvelle, consumée, caressante, suppliante. Il contemplait Marcel en silence. Celui-ci, qu'impatientait ce long regard, demanda pour faire diversion : — Et ce revolver ?

Lino soupira et, comme à contrecœur, tira l'arme de sa poche. L'enfant tendit la main, mais le visage de l'homme se durcit, il retira l'objet et dit rapidement : — Je te le donnerai... mais il faut que tu le mérites.

À ces mots, Marcel éprouva presque un soulagement. Donc, il ne s'était pas trompé, Lino voulait quelque chose en échange du revolver. Sur un ton empressé et faussement naïf, comme lorsqu'il troquait à l'école des plumes ou des billes de verre, il fit : — Dis ce que tu veux en échange et nous nous mettrons d'accord.

Il vit Lino baisser les yeux, hésiter et demander lentement : — Que ferais-tu pour avoir ce revolver ?

Il nota que Lino avait éludé sa proposition ; il ne s'agissait pas d'un objet à échanger avec l'arme, mais de quelque chose à faire pour l'obtenir. Comme il ignorait ce que cela pouvait être, il continua du même ton faussement naïf :

— Je ne sais pas... dis-moi, toi.

Il y eut un moment de silence.

— Ferais-tu n'importe quoi ? — demanda brusquement Lino d'une voix plus haute en lui prenant la main.

Le ton et le geste alarmèrent Marcel. Il se demanda si par hasard Lino n'était pas un voleur qui allait lui demander sa complicité. Mais, à la réflexion, il écarta cette hypothèse. Cependant il répondit prudemment : — Mais que veux-tu que je fasse ? Pourquoi ne le dis-tu pas ?

Lino s'était mis à jouer avec la main de l'enfant, la regardant, la retournant, la serrant et relâchant son étreinte. Puis d'un geste presque brutal, il le repoussa et dit lentement en le fixant : — Je suis sûr qu'il y a des choses que tu ne ferais pas.

— Eh bien ! parle — insista Marcel avec une espèce de bonne volonté mêlée d'embarras.

— Non... non... — protesta Lino. Une rougeur singulière, inégale, tachait son visage pâle à la hauteur des pommettes. Marcel crut comprendre que Lino aurait parlé volontiers, mais voulait y être invité. Alors il eut un geste de coquetterie voulue bien qu'innocente. Il se pencha et sa main saisit celle de l'homme : — Allons, parle... pourquoi ne dis-tu rien ?

Un long silence s'ensuivit. Lino regardait la main de Marcel, puis son visage et paraissait hésiter. Finalement, il repoussa une seconde fois la main de l'enfant, mais avec douceur, se leva, fit quelques pas dans la pièce. Puis il revint s'asseoir, reprit la main de Marcel, d'une manière affectueuse, un peu comme le feraient un père ou une mère avec leur fils. — Marcel, sais-tu qui je suis ? — fit-il.

— Non.

— Je suis un prêtre défroqué — dit Lino dans un éclat douloureux, désolé, pathétique, — un prêtre défroqué chassé pour son indignité du collège où il professait... et toi, dans ton innocence, tu ne sais pas ce que je pourrais te demander en échange de ce revolver dont tu as tant envie... et j'ai tenté d'abuser de ton ignorance, de ton innocence, de ton enfantine avidité !... Voilà qui je suis, Marcel. — Son ton était profondément sincère ; puis il se tourna vers la tête du lit et d'une manière inattendue, apostropha le crucifix, sans hausser la voix, en une lamentation monotone : — Je t'ai tant prié... mais tu m'as abandonné... et toujours, toujours, je retombe... pourquoi m'as-tu abandonné ? — Ces paroles se perdirent en une sorte de murmure, comme s'il s'était parlé à lui-même. Alors, il se leva du lit, alla prendre sa casquette sur l'appui de la fenêtre et dit à Marcel : — Allons... viens... je te raccompagne chez toi.

Marcel ne dit rien ; il se sentait tout étourdi et incapable de comprendre ce qui s'était passé. Il suivit Lino le long du corridor et à travers le living-room. Dehors, devant la maison le vent soufflait autour de la grande voiture noire, sous un ciel nuageux et sans soleil. Lino monta dans l'auto et l'enfant s'assit à son côté. La voiture démarra, suivit l'allée, franchit lentement le portail. Pendant un long espace de temps, ils se turent. Lino conduisait comme auparavant, le buste droit, la visière baissée sur ses yeux, ses mains gantées posées sur le volant. Au bout d'un moment, sans se tourner, il demanda inopinément : — Tu regrettes de ne pas avoir eu ton revolver ?

Ces mots rallumèrent dans l'esprit de Marcel l'avide

espoir de posséder l'objet tant désiré. Après tout, pensa-t-il, rien n'est peut-être perdu. Il répondit avec sincérité : — Bien sûr que je le regrette.

— Alors — demanda Lino, — si je te donnais rendez-vous demain, à la même heure qu'aujourd'hui... viendrais-tu ?

— Demain, c'est dimanche — répondit judicieusement Marcel, — mais lundi, oui... nous pouvons nous rencontrer sur l'avenue, au même endroit qu'aujourd'hui.

L'autre se tut. Puis brusquement, d'une voix forte et plaintive : — Ne me parle plus... ne me regarde plus... et si tu me vois lundi, à midi sur l'avenue, ne fais pas attention à moi, ne me salue pas... as-tu compris ?

« Qu'est-ce qui lui prend ? » se demanda Marcel un peu fâché. Et vivement : — Je ne tiens pas à te voir... c'est toi qui, aujourd'hui, m'as fait venir chez toi.

— Oui... mais cela ne doit pas se renouveler... jamais plus — dit Lino avec force, — je me connais et je sais que cette nuit je penserai sans cesse à toi... et que lundi je t'attendrai sur l'avenue, même si je prends maintenant la résolution contraire... je me connais... mais il ne faut pas t'occuper de moi !

Marcel ne répondit pas. Lino poursuivit, toujours avec la même fièvre ; — je penserai toute la nuit à toi, Marcel... et lundi je serai sur l'avenue... avec le revolver... mais, toi, il ne faut pas prendre garde à moi. — Il tournait autour de la même phrase en la répétant, et Marcel, avec sa froide et innocente perspicacité, comprit que Lino, sous prétexte de le mettre en garde, lui donnait réellement rendez-vous. Après un moment de silence, Lino demanda : — M'as-tu entendu ?

— Oui.

— Que t'ai-je dit ?

— Que tu seras lundi sur l'avenue pour m'attendre.

— Je ne t'ai pas dit que cela — dit l'autre douloureusement.

— Et qu'il ne fallait pas faire attention à toi.

— Oui — appuya Lino, — sous aucun prétexte... je t'appellerai... ; je te supplierai, te suivrai avec l'auto... je te promettrai tout ce que tu voudras... mais toi, il faudra continuer tout droit ton chemin comme si je n'étais pas là.

Impatienté, Marcel répondit :

— Bien... j'ai compris.

— Mais tu es un bébé — dit Lino passant de l'emportement à une douceur caressante, — et tu seras incapable de me résister... sans aucun doute, tu viendras... tu es un bébé, Marcel...

L'enfant fut vexé : — Je ne suis pas un bébé... je suis un garçon, et puis tu ne me connais pas.

Lino arrêta brusquement la voiture. Ils étaient encore sur la route de la colline, sous un haut mur d'enceinte ; plus bas on entrevoyait le porche d'un restaurant orné de lanternes vénitiennes. Lino se tourna vers Marcel : — C'est vrai — demanda-t-il avec une anxiété douloureuse, — c'est vrai que tu refuseras de venir avec moi ?

— N'est-ce pas toi qui m'en pries ? — dit Marcel, désormais conscient de son jeu.

— Oui, c'est juste... — dit Lino désespérément et il remit l'auto en marche. — C'est juste... tu as raison... c'est moi qui suis fou... de te le demander... moi...

Après cette exclamation, il se tut et le silence s'établit. La voiture descendit la côte et parcourut de nouveau les rues mal tenues du quartier populaire. Et puis ce fut la grande avenue avec ses hauts platanes nus et blancs, ses monceaux de feuilles jaunes le long des trottoirs déserts, ses constructions aux multiples fenêtres. Ce fut le quartier où habitait Marcel.

— Où est ta maison ? — demanda Lino en regardant droit devant lui.

— Il vaut mieux t'arrêter ici — dit Marcel, conscient que cette sorte de complicité plaisait à l'homme, — autrement on pourrait me voir descendre de ta voiture.

L'auto stoppa. Marcel descendit et Lino, à travers la portière, lui tendit son paquet de livres, puis il dit tout d'un trait : — Alors, à lundi... sur l'avenue, au même endroit qu'aujourd'hui ?

— Mais, moi — dit Marcel en prenant ses livres, — j'aurai l'air de ne pas te voir, n'est-ce pas ?

Il vit Lino hésiter et éprouva presque un sentiment de cruelle satisfaction. Les yeux de l'homme brillaient intensément au fond de ses orbites creuses et le couvaient d'un regard suppliant et angoissé. Puis il dit passionnément : — Fais ce que tu crois... fais de moi ce que tu veux... — La voix se brisa en une plainte chantante et ardente.

— Je te préviens, je ne te regarderai même pas — avertit Marcel pour la dernière fois.

Il vit Lino faire un geste qu'il ne comprit pas mais qui lui parut être un assentiment désespéré. Puis la voiture partit, s'éloigna lentement en remontant l'avenue.

# III

Chaque matin, Marcel était réveillé, à heure fixe, par la cuisinière qui avait une affection particulière pour lui. Elle entrait dans la chambre sombre en portant le plateau du petit déjeuner qu'elle posait sur le marbre de la commode. Puis Marcel la voyait se pendre des deux bras à la corde de la persienne et la relever en deux ou trois coups. Elle lui mettait le plateau sur les genoux et assistait debout à son repas, prête, dès qu'il aurait fini, à rejeter les couvertures pour l'obliger à s'habiller. Elle-même l'aidait, lui tendait ses vêtements et parfois se mettait à genoux pour lui lacer ses souliers. C'était une femme vive, gaie, pleine de bon sens ; de sa province natale, elle conservait l'accent et les manières familières.

Le lundi, Marcel se leva avec le souvenir confus d'avoir entendu la veille au soir, en s'endormant, des éclats de voix irritées venant du rez-de-chaussée ou de la chambre de ses parents. Il attendit d'avoir fini son petit déjeuner pour demander incidemment à la cuisinière, debout comme d'habitude à son chevet : — Que s'est-il passé cette nuit ?

La femme le regarda avec stupéfaction feinte et exagérée : — Rien que je sache !

Marcel comprit qu'elle avait quelque chose à dire ; son étonnement simulé, l'éclair malicieux de son regard, toute son attitude le dénotait. — J'ai entendu crier... — dit-il.

— Ah ! les cris... — dit la femme, — c'est normal... ne savez-vous pas que votre papa et votre maman crient souvent ?

— Si — dit Marcel, — mais ils criaient plus fort que d'ordinaire.

Elle sourit et s'appuyant des deux mains à la tête du lit : — Au moins, en criant, ils se seront peut-être mieux compris, n'est-ce pas ?

Poser des questions affirmatives qui ne demandaient aucune réponse était une de ses manies. Marcel demanda : — Mais pourquoi criaient-ils ?

La femme sourit encore : — Pourquoi les gens crient-ils ? Parce qu'ils ne sont pas d'accord !

— Et pourquoi ne sont-ils pas d'accord ?

— Eux ! — s'écria-t-elle, ravie des questions de l'enfant, — oh ! pour mille raisons... parce qu'un jour votre maman voudrait dormir la fenêtre ouverte et que votre papa ne veut pas... un autre jour, parce qu'il a envie de se coucher tôt et que votre maman veut veiller... les raisons ne manquent jamais, pas vrai ?

Marcel dit tout à coup d'un ton grave et convaincu, comme s'il exprimait un sentiment couvé depuis longtemps : — Je ne voudrais plus rester ici.

— Et que voudriez-vous faire ? — s'écria la femme de plus en plus satisfaite. — Vous êtes petit, vous ne pouvez pas vous en aller de chez vous, il faut attendre d'être grand.

— Je préférerais — dit Marcel, — qu'on me mette au collège.

La femme le regarda, attendrie, et s'exclama : — Vous avez bien raison... dans un collège, vous auriez au moins quelqu'un pour penser à vous... savez-vous pourquoi ils ont tant crié cette nuit, votre papa et votre maman ?

— Non, pourquoi ?

— Attendez... je vais vous faire voir. — Empressée, elle se dirigea vers la porte et disparut. Marcel l'entendit descendre précipitamment l'escalier et se demanda une fois de plus ce qui avait bien pu arriver la veille. Au bout de quelques instants, il entendit que la cuisinière remontait et elle entra dans la chambre avec un air animé et mystérieux. Elle tenait à la main un objet que Marcel reconnut aussitôt : une grande photographie avec un cadre d'argent qui était d'habitude au salon, sur le piano. C'était une vieille photographie, faite quand Marcel avait un peu plus de deux ans. La mère de Marcel, vêtue de blanc, y tenait son fils dans ses bras, lui aussi avec un costume blanc et un nœud blanc dans ses cheveux longs. — Regardez cette photographie, — s'écria la cuisinière excitée, — votre maman, en revenant hier soir du théâtre, est entrée dans le salon et la première chose qu'elle a vue, sur le piano, a été ceci... la pauvre !... elle a failli s'en trouver mal... regardez ce qu'il a fait, votre papa !

Marcel, abasourdi, regarda la photographie. Quelqu'un, avec une pointe de canif ou un poinçon, avait perforé les yeux de la mère et du fils, puis, avec un crayon rouge, avait dessiné de petits traits sous les trous, comme si des larmes de sang s'en échappaient. La chose était si étrange, inattendue, et en même temps si obscurément maléfique, que Marcel, sur le moment, ne sut que penser.

— C'est votre papa qui l'a fait — cria la cuisinière, — et votre maman avait raison d'être en colère.

— Mais pourquoi a-t-il fait ça ?

— C'est une jettatura... vous savez ce que c'est ?

— Non.

— Quand on veut du mal à quelqu'un... on fait ce qu'a fait votre papa... quelquefois, au lieu de crever les yeux, on crève la poitrine, à la place du cœur... et puis quelque chose arrive...

— Quoi ?

— La personne meurt... ou bien il lui arrive malheur... ça dépend...

— Mais — balbutia Marcel, — moi, je n'ai jamais rien fait de mal à papa...

— Et votre maman alors, qu'est-ce qu'elle lui a fait ? — s'écria la cuisinière indignée. — Mais savez-vous ce qu'il est, votre papa ? Fou !... et savez-vous où il finira ? à Sant'Onofrio, à la maison de santé... et maintenant, allons, habillez-vous, c'est l'heure d'aller à l'école... je vais reporter cette photographie. — Toute animée, elle partit en courant et Marcel demeura seul.

Pensif, incapable de s'expliquer l'incident, il se mit à s'habiller. Il n'avait jamais éprouvé aucun sentiment particulier pour son père et l'hostilité, vraie ou fausse, de celui-ci ne le peinait pas ; mais les paroles de la cuisinière touchant le pouvoir maléfique de la jettatura le faisaient réfléchir. Non qu'il fût superstitieux et crût vraiment que crever les yeux à une photographie pût faire du mal à la personne photographiée. Mais cet acte de folie de son père réveillait en lui une appréhension qu'il avait jugée définitivement assoupie. C'était ce même sentiment, pénible, impuissant, dont il avait été obsédé durant tout l'été, d'avoir pénétré dans le cercle d'une fatalité funeste. Il se réveillait maintenant en lui, plus fort que jamais, en face de cette photographie maculée de larmes de sang, comme le rappel d'une prédisposition maléfique.

Le malheur, qu'était-ce, sinon le point noir perdu dans l'azur du ciel serein et qui tout à coup grandit, devient oiseau de proie et fond sur le malheureux, comme un vautour sur la charogne ? Ou bien le piège dont on est averti, que l'on voit même distinctement, mais dans lequel cependant, on ne peut s'empêcher de mettre le pied ? Ou mieux encore une malédiction de maladresse, d'imprudence et d'aveuglement qui se retrouve dans tous les gestes, les sentiments, la nature même de celui qui en est la victime ? Cette dernière définition lui sembla la plus juste, parce qu'elle ramenait le malheur à un manque de grâce et ce manque de grâce à une fatalité intime, obscure, native, incompréhensible, sur laquelle le geste de son père fixait de nouveau son attention, comme une indication à l'entrée d'une route dangereuse. Il savait que cette fatalité voulait qu'il tuât ; mais ce qui l'épouvantait le plus n'était pas tant le meurtre que d'y être prédestiné, quoi qu'il fît. L'idée, en somme que la conscience même d'une telle fatalité n'était qu'une impulsion de plus à s'y soumettre ; comme si cette conscience eût été aveugle, d'un aveuglement tout particulier auquel personne ne pouvait croire et lui moins encore que les autres.

Mais plus tard, à l'école, il oublia rapidement et puérilement ses pressentiments. Il avait pour voisin de classe un de ses tourmenteurs, un garçon nommé Turchi, le plus âgé et à la fois le plus ignorant de la classe. C'était le seul qui, pour avoir pris des leçons de pugilat, savait donner des coups de poing suivant toutes les règles de l'art. Il avait un visage dur et anguleux aux cheveux coupés en brosse, un nez camus, et des lèvres minces ; gainé dans un maillot d'athlète il paraissait déjà un pugiliste en herbe. Turchi ne comprenait rien au latin ; mais en dehors du lycée, lorsqu'au milieu des groupes qui se formaient dans la rue, il levait une main noueuse pour ôter de sa bouche un mégot minuscule et déclarait en fronçant tous les plis de son front bas en un regard d'autorité prétentieuse : — Pour moi, c'est Colucci qui remportera le championnat ! — tous les garçons se taisaient, pleins de respect. Turchi qui, à l'occasion, pouvait démontrer en se prenant le nez entre deux doigts et le déplaçant de côté qu'il avait la cloison cassée comme les vrais pugilistes, ne s'occupait pas seulement de lutte, mais aussi de ballon et de tous les sports populaires et violents. Envers Marcel, il gardait une attitude sarcastique, presque modérée dans sa brutalité. C'était lui justement qui, deux jours auparavant, avait tenu Marcel par les bras tandis que les quatre autres lui enfilaient la jupe ; et Marcel qui ne l'avait pas oublié, crut, ce matin-là, avoir trouvé le moyen de conquérir cette dédaigneuse et difficile estime.

Profitant du moment où le professeur de géographie avait le dos tourné pour montrer la carte d'Europe, à l'aide d'un long bâton, il écrivit hâtivement sur son cahier : « Aujourd'hui, j'aurai un vrai revolver », puis poussa le cahier vers Turchi. Celui-ci, malgré son ignorance, était un élève modèle au point de vue conduite. Toujours attentif, immobile, d'un sérieux presque sombre à force d'inexpression et de bêtise, il étonnait profondément Marcel par son incapacité à répondre aux questions les plus simples : « À quoi peut-il penser pendant les leçons et pourquoi feint-il tant de diligence puisqu'il n'étudie pas ? » se demandait souvent Marcel. Quand Turchi vit le cahier, il eut un geste d'impatience, comme pour dire : « Laisse-moi tranquille... tu vois bien que j'écoute la leçon... » Mais Marcel insista en lui poussant le coude. Alors Turchi, sans bouger la tête, baissa les yeux pour lire les mots écrits. Puis il prit un crayon et écrivit à son tour : — Je n'y crois pas. — Piqué au vif, Marcel se hâta de confirmer toujours par écrit : — Parole d'honneur. — Turchi, sceptique, repartit : — De quelle marque ? — La question déconcerta Marcel qui, après un moment d'hésitation, répondit : — Un Wilson. — Il confondait avec Weston, nom qu'il avait précisément entendu prononcer quelque temps auparavant par Turchi. Celui-ci écrivit : — Jamais entendu parler. — Marcel conclut : — Je l'apporterai à l'école demain — et le dialogue cessa brusquement car le professeur, se retournant, interpella Turchi pour lui demander quel était le plus grand fleuve d'Allemagne. Comme d'ordinaire, Turchi se leva et après avoir longuement réfléchi, avoua sans embarras, avec une loyauté toute sportive, qu'il n'en savait rien. À ce moment la porte s'ouvrit et l'appariteur vint annoncer la fin des classes.

Il fallait à tout prix obtenir de Lino qu'il tînt sa promesse de lui donner le revolver, pensa Marcel, un moment plus tard, en marchant rapidement vers l'avenue des platanes. Il comprenait que Lino ne lui donnerait l'arme que s'il le voulait bien et il se demandait quelle attitude serait à adopter pour atteindre plus sûrement son but. Tout en ne pénétrant pas le vrai motif des bizarreries de Lino, il sentait avec une diplomatie instinctive, presque féminine, que la façon la plus sûre d'obtenir le revolver était celle que Lino lui-même lui avait suggérée, le samedi d'avant : ne pas s'occuper de lui, mépriser ses offres, repousser ses prières, se rendre précieux, en somme. Finalement n'accepter de monter dans la voiture que lorsqu'il serait certain de la possession du revolver. Pourquoi Lino tenait-il tant à lui, Marcel n'aurait su le dire ; pas plus qu'il ne s'expliquait l'espèce de chantage auquel il se livrait. Le même instinct qui le poussait à user de son pouvoir sur Lino lui laissait suspecter, dans ses rapports avec le chauffeur, l'ombre d'un sentiment insolite, d'une qualité aussi gênante que mystérieuse. Mais toutes ses pensées étaient fixées sur le revolver et, d'autre part, il n'aurait pu affirmer que ce sentiment et le rôle en quelque sorte féminin qu'il avait à jouer lui déplaisaient au fond. La seule chose qu'il tenait à éviter, pensait-il, tout en sueur à force de se hâter sur l'avenue des Platanes, c'était que Lino le prît par la taille, comme il l'avait fait l'autre jour, dans le corridor de la villa.

Comme ce dernier samedi, la journée était couverte et orageuse ; le vent chaud paraissait chargé de dépouilles arrachées un peu partout au cours de son impétueux passage : feuilles mortes, vieux papiers, plumes, duvets, brindilles, poussière. Juste à ce moment, sur l'avenue, le vent venait de souffler sur un tas de feuilles sèches et les faisait s'envoler en masse jusqu'aux branches dénudées des platanes. Marcel s'amusa à regarder les feuilles voltiger dans l'air sur le fond de ciel sombre, semblables à des centaines de mains jaunes aux doigts grands ouverts, et puis, baissant les yeux, il vit à travers ces mains dorées tourbillonnant dans le vent, la longue forme noire et brillante de l'automobile arrêtée au bord du trottoir.

Son cœur se mit à battre plus vite, il n'aurait su dire pourquoi. Pourtant, fidèle à son plan, il ne pressa pas le pas et continua son chemin. Il passait tranquillement à côté de la voiture quand, brusquement, comme à un signal, la portière s'ouvrit et Lino, sans casquette, passa la tête au-dehors en disant : — Marcel... veux-tu monter ?

Venant après les serments de la première rencontre, cette invitation, faite sur un ton grave, ne pouvait qu'étonner Marcel. Ainsi donc, Lino se connaissait bien, pensa-t-il, et c'était presque comique de le voir agir comme il l'avait prévu lui-même et ceci, envers et contre tout. Il continua de marcher comme s'il n'avait rien entendu et s'aperçut avec une ombre de satisfaction que la voiture s'était mise en marche et le suivait. La large chaussée était déserte à perte de vue entre les bâtisses régulières, trouées de fenêtres, et les grands troncs inclinés des platanes. La voiture le suivait au pas avec un ronronnement sourd qui était comme une caresse à l'oreille. Une vingtaine de mètres plus loin, elle le dépassa et s'arrêta à quelque distance ; puis la portière s'ouvrit de nouveau. L'enfant passa sans se retourner et entendit encore la voix rauque qui suppliait : — Marcel, monte... je t'en prie... oublie ce que je t'ai dit hier... Marcel, tu m'entends ? — Marcel ne put s'empêcher de penser que cette voix avait quelque chose de déplaisant ; qu'avait donc Lino à larmoyer ainsi ? Heureusement que personne ne passait sur l'avenue, car il aurait eu honte. Cependant, il ne voulut pas décourager cet homme et, en dépassant la voiture, il se retourna pour regarder en arrière, comme invitant à insister. Il eut un clin d'œil presque aguichant, s'en aperçut et aussitôt éprouva le même sentiment, bien particulier, d'humiliation plutôt agréable, d'hypocrite complaisance, que lui avait inspiré, deux jours auparavant, la jupe attachée à sa taille par ses camarades. Comme si, au fond, ce rôle quasi féminin, de séduction et de dédain, ne lui déplaisait pas et était conforme à sa nature. Pendant ce temps, la voiture, remise en marche, le suivait. Marcel se demanda si le moment de céder était arrivé et décida, après réflexion, d'attendre encore. La voiture passa à côté de lui, sans s'arrêter, au ralenti. Il entendit la voix qui l'appelait : — Marcel — puis aussitôt le ronronnement de l'auto qui s'éloignait. Alors il eut peur que Lino, perdant patience, ne soit parti, et la crainte le saisit d'avoir à se présenter le lendemain à l'école les mains vides. Il se mit à courir en criant : — Lino... Lino... arrête-toi !... — Mais le vent emportait ses appels et les dispersait dans l'air avec les feuilles mortes en un tourbillon angoissant et sonore. Évidemment Lino n'avait rien entendu et s'en allait. Donc, il n'aurait pas le revolver et une fois de plus Turchi se moquerait de lui.

Puis il respira, rassuré, et se remit en marche d'un pas presque normal : la voiture n'avait pris de l'avance que pour l'attendre à une croisée de routes et elle était arrêtée, barrant la chaussée dans toute sa largeur.

Marcel eut une espèce de rancœur contre Lino qui avait provoqué en lui cet humiliant battement de cœur, et, dans un subit élan de cruauté, il décida de le lui faire payer par une méchanceté bien calculée. La voiture était là, longue, noire, avec sa carrosserie démodée aux cuivres étincelants. Quand Marcel fut tout près, Lino mit la tête à la portière :

— Marcel — dit-il sur un ton de décision désespérée, — oublie ce que je t'ai dit samedi... tu as assez fait ton devoir comme cela... viens, monte, Marcel.

Marcel s'était arrêté près du capot. Il fit un pas en arrière et dit froidement, sans regarder l'homme :

— Non, je ne viens pas... et ce n'est pas parce que, samedi, tu m'as dit de refuser... c'est parce que ça ne me plaît pas !

— Et pourquoi cela ne te plaît-il pas ?

— Parce que... et d'abord pourquoi monterais-je ?

— Pour me faire plaisir...

— Mais je n'ai pas envie de te faire plaisir.

— Pourquoi ? Je te suis antipathique ?

— Oui — dit Marcel en baissant les yeux et en jouant avec la poignée de la portière. Il savait qu'il avait un air boudeur, obstiné, hostile, sans même comprendre si cet air était joué ou sincère. C'était certes une comédie qu'il jouait avec Lino ; mais alors pourquoi éprouvait-il un sentiment si fort et si compliqué, mêlé de vanité, de répulsion, d'humiliation, de cruauté et de mépris ? Il entendit Lino rire doucement, affectueusement, puis demander :

— Et pourquoi te suis-je antipathique ?

Cette fois, il leva les yeux et regarda l'homme en face. C'était vrai, Lino lui était antipathique, mais il ne s'était pas demandé pourquoi. Il examina le visage presque ascétique dans sa maigreur sévère et s'expliqua alors pourquoi il n'éprouvait pas de sympathie. C'était un visage faux, où la tromperie s'exprimait pour ainsi dire physiquement. Cette déloyauté s'exprimait surtout dans la bouche mince, sèche, dédaigneuse, austère à première vue ; et puis, quand un sourire en desserrait et retroussait les lèvres, elle apparaissait luisante, avec ses gencives enflammées, et humide, comme le désir. L'enfant hésita en regardant Lino qui attendait en souriant sa réponse, puis dit sincèrement :

— Tu m'es antipathique parce que tu as la bouche mouillée.

Le sourire de Lino se figea, il s'assombrit : — Quelles sottises tu inventes maintenant ! — puis se reprenant avec une légèreté désinvolte : — Alors, monsieur Marcel veut-il monter dans sa voiture ?

— Je monte — dit Marcel, se décidant finalement, — mais à une condition.

— Laquelle ?

— Tu me donneras le revolver...

— Entendu... Allons, viens...

— Non, donne-le-moi ici, tout de suite — insista Marcel avec obstination.

— Mais je ne l'ai pas ici, Marcel — dit l'homme, sincère, — il est resté samedi dans ma chambre... nous allons le chercher.

— Alors, je ne viens pas — dit Marcel avec une décision qui l'étonna lui-même. — Au revoir...

Il fit un pas comme pour s'en aller ; cette fois Lino perdit patience. — Viens, ne fais pas le bambin — s'écria-t-il. Il se pencha, saisit Marcel par le bras et l'attira sur le siège à côté de lui. — Nous allons immédiatement chez moi — ajouta-t-il, — et je te promets que tu auras le revolver. — Marcel, satisfait au fond d'être contraint par la force, ne protesta pas et se borna puérilement à prendre un visage boudeur. Lino, vivement, ferma la portière, mit le moteur en marche et la voiture démarra.

Ils gardèrent assez longtemps le silence. Lino ne paraissait pas loquace ; peut-être, pensa Marcel, était-il trop content pour parler. Quant à lui, il n'avait rien à dire : il allait avoir le revolver, le rapporterait chez lui et le lendemain, l'emporterait à l'école pour le montrer à Turchi. Sa pensée n'allait pas au-delà de ces simples et agréables perspectives. Sa seule crainte était que Lino ne voulût le berner de quelque manière. Dans ce cas, pensait-il, il inventerait une ruse quelconque pour pousser Lino au désespoir et l'obliger à tenir sa promesse.

Immobile, ses livres sur les genoux, il regardait défiler les grands platanes et les immeubles alignés jusqu'au bout de l'avenue. Comme l'auto attaquait la montée, Lino demanda, comme en conclusion d'une longue réflexion : — Qui t'a appris toute cette coquetterie, Marcel ?

Marcel, incertain du sens de cette phrase, hésita avant de répondre. L'homme parut s'apercevoir de son innocente ignorance et ajouta : — Je veux dire : qui t'a appris à être aussi rusé ?

— Pourquoi ? — demanda Marcel.

— Parce que...

— C'est toi plutôt qui es rusé — dit Marcel, — tu me promets un revolver et tu ne me le donnes jamais.

Lino se mit à rire et tapota le genou nu de Marcel : — Oui, aujourd'hui, c'est moi qui suis rusé. — Marcel écarta son genou, gêné. Lino n'enleva pas sa main et poursuivit d'une voix exultante : — Tu sais, Marcel, je suis si content que tu sois venu aujourd'hui... Quand je pense que l'autre jour je t'ai prié de ne pas m'écouter et de ne pas venir avec moi, je me rends compte combien l'on peut être stupide parfois... vraiment stupide... heureusement, tu as eu plus de bon sens que moi !

Marcel ne dit rien. Il ne comprenait pas très bien ce que disait Lino et, d'autre part, cette main sur son genou l'agaçait. Plusieurs fois, il remua la jambe, mais Lino n'enleva pas sa main. Par bonheur, à un tournant, ils se trouvèrent en face d'une autre voiture. Marcel, feignant d'avoir peur, s'écria : — Attention, cette auto arrive sur nous ! — et, cette fois, Lino retira sa main pour tourner le volant. Marcel respira.

Et ce fut la route de campagne entre les murs de clôture et les haies ; le portail avec sa grille peinte en vert ; l'allée bordée de petits cyprès déplumés et, au fond, le reflet des vitres de la véranda. Marcel remarqua que, comme l'autre fois, le vent agitait les cyprès sous un sombre ciel d'orage.

L'auto s'arrêta. Lino sauta à terre et aida Marcel à descendre, puis tous deux se dirigèrent vers le porche. Lino ne marchait pas en avant, cette fois, mais il tenait Marcel par le bras, serré, comme s'il eût craint de le voir s'enfuir. Marcel allait le prier de desserrer son étreinte, mais il n'en eut pas le temps. C'est en courant et le soulevant presque de terre que Lino lui fit traverser le living-room et le poussa dans le corridor. Là, d'un geste inattendu, il le saisit par la nuque, durement, en disant : — Petit idiot que tu es... idiot... pourquoi ne voulais-tu pas venir ?

La voix n'était plus doucereuse, mais rauque et cassée bien qu'avec un reste de tendresse. Marcel, ahuri, leva les yeux pour regarder Lino en face, mais, au même moment, il reçut une violente poussée. Comme on jette un chat ou un chien loin de soi en le prenant par le cou, Lino l'avait lancé dans sa chambre. Puis Marcel le vit tourner la clé dans la serrure, la mettre dans sa poche et se retourner avec une expression où se lisaient la joie et un triomphe rageur.

— Maintenant, assez... tu feras ce que je voudrai... en voilà assez, Marcel... petit tyran, sale petite bête, cela suffit... file doux, obéis et pas un mot de plus... — cria l'homme. Il montrait une joie sauvage, presque une volupté à commander, à prononcer ces mots méprisants et dominateurs ; et Marcel, tout abasourdi qu'il fût, ne put s'empêcher de remarquer que c'étaient des mots privés de sens, exprimant plutôt l'explosion d'un chant de triomphe qu'une pensée et une volonté conscientes. Épouvanté, stupéfait, il vit Lino aller et venir à grands pas dans la chambre, ôter sa casquette et la jeter sur l'appui de la fenêtre, rouler en boule la chemise posée sur une chaise et l'enfermer dans un tiroir, lisser la couverture chiffonnée ; en mettant dans ces gestes ordinaires un emportement plein d'un sens obscur. Puis l'homme, tout en continuant à crier d'incohérentes phrases impératives, s'approcha du mur, détacha le crucifix suspendu à la tête du lit et le jeta au fond du tiroir de l'armoire avec une brutalité affectée. Et Marcel comprit que, par ce geste, Lino entendait marquer que ses derniers scrupules étaient définitivement écartés. Comme pour confirmer ses craintes, Lino prit dans la commode le revolver tant désiré et cria en le montrant à l'enfant : —Tu le vois... eh bien ! tu ne l'auras jamais... il faudra que tu fasses ce que je veux, pour rien... sans revolver... de gré ou de force !

C'était donc vrai, pensa Marcel, comme il l'avait prévu, Lino voulait le berner. Il se sentit devenir pâle de colère et dit : — Donne-moi le revolver ou je m'en vais...

— Non... non... de gré ou de force... — Lino brandissait le revolver dans une main ; de l'autre il saisit Marcel par le bras et le jeta sur le lit, si violemment que Marcel retomba assis, sa tête allant heurter le mur. Aussitôt Lino, passant d'un seul coup de la violence à la douceur et de l'injonction à la prière, s'agenouilla devant lui. D'un bras il lui entourait les jambes, tandis que la main qui tenait l'arme reposait sur la couverture. Il gémissait en répétant le nom de Marcel ; puis, sans cesser de gémir, il lui étreignit les genoux de ses deux bras. Le revolver était resté sur le lit, noir sur la couverture blanche. Marcel regarda Lino agenouillé qui levait vers lui un visage suppliant, baigné de larmes, torturé de désir, puis venait frotter ce visage contre ses genoux comme certains chiens fidèles font avec leur museau. Alors il empoigna le revolver et d'un brusque effort se mit debout. Lino, pensant peut-être qu'il allait répondre à son étreinte, ouvrit les bras et le laissa aller. Marcel fit un pas au milieu de la chambre, puis se retourna.

Plus tard, en revivant cette scène, Marcel devait se rappeler que le seul contact de la crosse froide du revolver avait fait surgir en son âme une tentation impitoyable et meurtrière ; mais à ce moment il ne sentait rien qu'une violente douleur à la tête, là où il s'était cogné contre le mur, et, en même temps, une irritation, une répulsion extrême envers Lino. Celui-ci était demeuré à genoux près du lit ; mais quand il vit Marcel faire un pas en arrière et braquer le revolver, il se tourna un peu, sans se lever, ouvrit les bras d'un geste théâtral et cria d'une voix d'histrion : — Tire, Marcel... tue moi... oui, tue-moi comme un chien... — Marcel eut le sentiment de ne l'avoir jamais haï comme à ce moment, à cause de ce répugnant mélange de sensualité et d'austérité, de repentir et de luxure ; et, tout à la fois abasourdi et conscient, comme s'il se croyait tenu d'obéir à la terrible requête, il pressa la détente. Un fracas fit résonner la petite chambre. Marcel vit Lino tomber de côté, se relever en lui tournant le dos, s'agripper des deux mains au rebord du lit. Lentement, lentement, se redresser, puis s'effondrer sur le lit et demeurer immobile.

Marcel s'approcha de lui, posa le revolver à son chevet, appela à voix basse : — Lino — et sans attendre de réponse se dirigea vers la porte. Mais elle était fermée à clé et il se rappela que, cette clé, Lino l'avait ôtée de la serrure et mise dans sa poche. Il hésita ; il lui répugnait de fouiller le mort ; alors son regard tomba sur la fenêtre et il se souvint qu'elle était au rez-de-chaussée. En l'escaladant il tourna la tête de tous côtés, jetant un long regard circonspect et terrifié sur l'espace qui s'étendait devant la maison et sur l'auto arrêtée devant le porche ; si quelqu'un passait à ce moment, on le verrait en train d'enjamber l'appui de la fenêtre ; pourtant il n'y avait rien d'autre à faire. Mais il n'y avait personne et au-delà des quelques arbres qui entouraient la maison, la campagne dénudée et vallonnée apparaissait déserte, aussi loin que la vue pouvait porter. Marcel se laissa glisser de la fenêtre, alla prendre ses livres sur le siège de la voiture et, sans hâte, se dirigea vers la grille. Tandis qu'il marchait, sans répit sa conscience lui montrait, comme en un miroir, sa propre image de garçon en culottes courtes, ses livres sous le bras, dans l'allée bordée de cyprès, image énigmatique et pleine de funestes présages.

# PREMIÈRE PARTIE

# I

Une main tenant son chapeau, de l'autre ôtant de son nez ses lunettes noires et les mettant dans la poche de son veston, Marcel entra dans le hall de la bibliothèque et demanda à l'huissier où se trouvaient les collections de journaux. Puis il se dirigea lentement vers le large escalier en haut duquel la grande baie du palier resplendissait de l'éclatante lumière de mai.

Il se sentait léger, presque sans souci, dans une sensation de parfait bien-être physique, de pleine vigueur juvénile ; et le costume neuf qu'il portait, gris et de coupe simple, ajoutait à cette sensation celle non moins agréable d'une élégance sérieuse et soignée, selon ses goûts. Au second étage, après avoir rempli une fiche d'entrée, il alla vers la salle de lecture où, derrière un bureau, se tenaient un vieil huissier et une jeune fille. Il attendit son tour et remit sa fiche, demandant la collection de 1920 du principal journal de la ville. Et patiemment, appuyé au bureau, regardant devant lui toute la salle de lecture, il attendit encore. Plusieurs rangées de tables à écrire portant des lampes à abat-jour vert s'alignaient au fond de la salle. Elles étaient occupées par quelques rares étudiants et Marcel choisit mentalement sa place, la dernière, à droite au fond. La jeune fille réapparut, tenant sur ses bras le grand fascicule relié du journal demandé. Marcel prit le fascicule et l'emporta à la place qu'il s'était désignée. Il le posa sur le plan incliné de la table et s'assit en ayant soin de tirer son pantalon à la hauteur du genou.

Il tira une cigarette d'un paquet d'une marque courante, l'alluma, en tira une bouffée, puis, calmement, la cigarette entre deux doigts, ouvrit le fascicule et se mit à le feuilleter. Les gros caractères des titres avaient perdu leur éclat premier et étaient devenus d'un noir vert, le papier était jauni, les photographies paraissaient décolorées, confuses, sans relief. Il remarqua que plus les titres étaient grands, plus ils donnaient une impression de futilité et d'absurdité : annonces d'événements qui avaient perdu toute importance le soir même du jour où ils s'étaient passés et qui maintenant, tapageurs et incompréhensibles, n'éveillaient rien ni dans la mémoire, ni dans l'imagination. Les titres les plus absurdes étaient ceux qui étaient accompagnés d'un commentaire plus ou moins tendancieux ; par leur mélange de vitalité suggestive et de manque total de résonance, ils faisaient penser aux vociférations extravagantes d'un fou qui assourdissent sans émouvoir. Marcel compara son propre sentiment en face de ces titres à celui qu'il éprouverait sans doute devant celui où figurerait son nom et se demanda si la nouvelle qu'il cherchait éveillerait en lui la même impression d'absurdité et de vide. C'était donc cela le passé, pensa-t-il en continuant à tourner les pages : ce vacarme devenu silence, cette ardeur désormais éteinte auxquels la matière même du journal, ce papier jauni qui, avec les années, s'effrite et tombe en poussière, prêtait un caractère vulgaire et médiocre. Le passé était fait de violences, d'erreurs, de duperies, de futilités, extravagantes et qui assourdissent... seules choses que, jour par jour, les hommes trouvaient dignes d'être publiées et transmises à la postérité. La vie normale et profonde était absente de ces feuillets... Mais lui-même, qui se livrait à ces réflexions, que cherchait-il sinon le témoignage d'un crime ?

Il n'avait aucune hâte de trouver la nouvelle qui le concernait ; puisqu'il connaissait la date précise, il pouvait la retrouver à coup sûr. Vingt-deux, vingt-trois, vingt-quatre octobre 1920 ; chaque page qu'il tournait le rapprochait de ce qu'il considérait comme le fait le plus important de sa vie : mais le journal ne prévoyait pas l'annonce, n'en enregistrait pas les préliminaires. Parmi tous ces événements qui ne le touchaient en rien, le seul qui le regardait serait effleuré tout à coup, sans rien qui le pût faire prévoir, comme, venu des profondeurs de la mer, un poisson à la poursuite d'un appât effleure la surface de l'eau. Il pensa, s'efforçant à la légèreté : au lieu de ces grands titres concernant des événements politiques, on aurait dû imprimer : « Marcel rencontre Lino pour la première fois... Marcel demande le revolver... Marcel accepte de monter dans l'auto » ; mais soudain sa pensée s'immobilisa et un trouble subit lui coupa la respiration : il était arrivé à la date cherchée. Il tourna rapidement la page et, dans la chronique des faits divers, comme il s'y attendait, il trouva la nouvelle : quelques lignes sous ce titre : « *Accident mortel* ».

Avant de lire, il voulut allumer une autre cigarette. Il en aspira une bouffée puis abaissa son regard sur le journal. L'entrefilet disait : « Hier, le chauffeur, Pascal Seminara, habitant rue de la Camilluccia, n° 34, se blessa avec un revolver qu'il déchargea par inadvertance en le nettoyant. Promptement secouru, Seminara fut transporté d'urgence à l'hôpital du Saint-Esprit où les médecins de service constatèrent une blessure à la poitrine en direction du cœur, provenant d'une arme à feu. Le cas fut jugé désespéré ; en effet, le soir, malgré les soins prodigués, Seminara avait cessé de vivre. » Impossible de trouver nouvelle plus concise et conventionnelle, pensa Marcel en la relisant. Pourtant sous les formules usées du journaliste anonyme, deux faits importants se révélaient. D'abord que Lino était bien mort, ce dont il avait toujours été convaincu sans avoir jamais osé l'admettre ; ensuite que cette mort avait été attribuée, d'après une évidente affirmation du moribond, à un hasard malheureux. Ainsi il était complètement à l'abri de toute conséquence fâcheuse : Lino était mort et cette mort ne lui serait jamais imputée.

Mais ce n'était pas pour se rassurer qu'il s'était finalement décidé à rechercher dans cette bibliothèque la nouvelle du fait survenu tant d'années auparavant. Son inquiétude, que les années n'avaient pas entièrement assoupie, n'avait jamais envisagé les conséquences matérielles de l'événement. S'il avait franchi, le jour même, le seuil de la bibliothèque, c'était pour se rendre compte du sentiment que lui inspirerait la confirmation de la mort de Lino. À ce sentiment, il pourrait juger s'il était encore l'enfant d'autrefois, obsédé par ses penchants anormaux, ou l'homme nouveau, absolument normal qu'il avait voulu être par la suite et qu'il était certain d'être devenu.

Il éprouva un singulier soulagement et peut-être de la stupeur plus encore que du soulagement en s'apercevant que la nouvelle imprimée sur ce papier vieux de dix-sept ans, n'éveillait en son âme aucun écho appréciable. C'était comme si, après avoir gardé très longtemps un pansement sur une blessure profonde, il s'était enfin décidé à ôter son bandage et avait découvert, à son grand étonnement, la peau lisse et unie, sans trace d'aucun genre, là où il croyait trouver au moins une cicatrice. Sa recherche du fait divers dans le journal avait été pour lui comme l'enlèvement du bandage ; et se découvrir insensible, c'était se découvrir guéri.

Comment cette guérison était-elle advenue ? Il n'aurait su le dire. Mais, sans aucun doute, le temps seul n'avait pu produire un tel résultat. Il le devait beaucoup aussi à lui-même, à sa volonté persévérante au cours de toutes ces années, de perdre son caractère anormal et de se rendre pareil aux autres.

Avec une sorte de scrupule, détournant ses yeux du journal et le regard perdu dans le vide, il voulut cependant envisager de façon circonstanciée le problème de la mort de Lino, ce que jusqu'alors il avait évité d'instinct. La nouvelle du journal était relatée dans le langage conventionnel des faits divers ; dans une certaine mesure, cela pouvait expliquer l'indifférence et le manque de réaction de Marcel ; mais sa propre évocation de la scène ne pouvait être que vivante et sensible, elle pouvait donc réveiller en lui les vieilles terreurs si celles-ci existaient encore. Docilement, sa mémoire, comme un guide apitoyé et impartial, lui fit remonter le temps, refaire le chemin de son enfance, et les tableaux se succédèrent : sa première rencontre avec Lino sur l'avenue ; son désir de posséder un revolver ; la promesse de Lino ; les extravagances du pédéraste ; lui, Marcel, braquant le revolver ; l'homme criant dramatiquement, les bras ouverts, à genoux près du lit : « Tue-moi, Marcel... tue-moi comme un chien ! » ; lui, tirant comme sur un ordre ; l'homme qui tombait contre le lit, se relevait, puis restait immobile, couché sur le côté. En revivant un à un tous ces détails, il comprit que son insensibilité en face de la nouvelle du journal se confirmait et s'élargissait. Non seulement il n'éprouvait aucun remords, mais la surface inerte de sa conscience n'était pas même effleurée par ces sentiments de compassion, de rancœur et de dégoût pour

Lino qui, si longtemps, lui avaient paru inséparables de ce souvenir. En somme, il n'éprouvait rien ; l'impuissant étendu à côté du corps nu d'une femme désirable n'était pas plus inerte que son âme en face de cet événement lointain de sa vie.

Cette indifférence, Marcel la constata avec plaisir, car elle était le signe indubitable qu'entre l'enfant d'autrefois et le jeune homme qu'il était devenu, il n'existait plus aucun rapport, même pas caché, même pas indirect, même pas latent. Il était un autre, tout simplement. Il referma le fascicule avec lenteur et se leva pour aller le restituer à la bibliothécaire. Puis, avec cette attitude qu'il gardait toujours, celle d'un homme plein de mesure et de vigueur, il sortit de la salle de lecture, descendit l'escalier et traversa le hall.

En arrivant sur le seuil, dans la grande lumière du dehors, il ne put s'empêcher de penser que la réévocation de la mort de Lino, tout en n'ayant éveillé aucun écho en lui, ne lui avait pas apporté autant de soulagement qu'il l'avait cru de prime abord. Il se rappela la sensation éprouvée en feuilletant les pages du vieux journal : celle de retrouver avec surprise, sous des bandages défaits, une blessure parfaitement guérie, et il se dit que sous cet épiderme intact, l'ancienne infection couvait peut-être encore, sous forme d'un abcès clos et invisible. Ce qui le confirmait dans ce soupçon, c'était non seulement le caractère éphémère du soulagement un instant ressenti devant le compte rendu de la mort de Lino, mais la sombre mélancolie qui, comme un léger voile funèbre, s'interposait entre ses regards et la réalité. Comme si le souvenir de cet événement, tout dissous qu'il était par le puissant acide du temps, étendait encore une ombre indéfinissable sur son esprit et son cœur.

Tandis qu'il marchait lentement par les rues ensoleillées, encombrées de passants, il s'efforça d'établir une comparaison entre l'être qu'il était dix-sept ans auparavant et celui qu'il était maintenant. À treize ans, garçon timide, un peu efféminé, impressionnable, désordonné, imaginatif, impétueux, passionné ; maintenant, à trente ans, un homme sans timidité au contraire, parfaitement sûr de lui-même, d'aspect et de goûts masculins, calme, ordonné à l'extrême, presque privé d'imagination, froid et impassible. Il crut en outre se rappeler qu'autrefois il possédait une richesse intérieure, tumultueuse et obscure. Maintenant, tout en lui était net, un peu éteint peut-être ; quelques idées simples, quelques rigides convictions avaient remplacé l'ancienne abondance généreuse et confuse. Enfin, s'il avait été enclin à se confier, expansif, parfois même exubérant, il était devenu renfermé, d'humeur toujours égale, sans gaieté, sinon triste, silencieux. Le trait le plus caractéristique du changement radical intervenu durant ces dix-sept ans était la disparition d'une sorte d'excès de vitalité constitué par le bouillonnement d'instincts insolites et peut-être anormaux. Tout cela était remplacé par quelque chose d'un peu terne, d'un peu médiocre : du normal. Le hasard seul, pensa-t-il encore, l'avait autrefois empêché de céder aux désirs de Lino ; mais certainement son comportement plein d'agaceries et de despotisme féminin vis-à-vis du chauffeur s'expliquait, en dehors de la vénalité enfantine, par une inclination trouble et inconsciente des sens. Maintenant il était vraiment un homme comme la plupart des autres. Devant les glaces d'un magasin, il s'arrêta longuement pour s'examiner avec un détachement objectif et sans complaisance. Oui, il était comme tout le monde, avec son costume gris, sa cravate sobre, sa haute silhouette bien proportionnée, son visage rond et brun, ses cheveux bien peignés, ses lunettes noires. Durant ses années d'université, il avait tout à coup découvert avec une espèce de joie qu'un millier au moins de jeunes gens de son âge s'habillaient, parlaient, pensaient, se comportaient comme lui. À présent, ce chiffre pouvait probablement être multiplié par un million. Un homme normal, se répétait-il avec une satisfaction âpre et méprisante, c'était hors de doute, mais il ne pouvait dire comment il y était parvenu.

Brusquement il se rappela qu'il n'avait plus de cigarettes et entra dans un bureau de tabac sous la galerie de la place Colonna. En même temps qu'il demandait ses cigarettes préférées, trois autres personnes demandaient les mêmes cigarettes et le buraliste étala rapidement sur le marbre du comptoir, devant les mains qui tendaient l'argent, quatre paquets identiques que quatre mains, d'un geste identique, retirèrent. Marcel nota qu'il prenait son paquet, le palpait pour en vérifier la consistance, puis déchirait l'enveloppe, de la même manière que les autres. Comme eux il replaça le paquet dans une poche intérieure de son veston. L'un des trois clients, à peine sortis du bureau de tabac, s'arrêta pour allumer sa cigarette avec un briquet d'argent exactement pareil à celui de Marcel. Celui-ci observait ces détails parce qu'ils éveillaient en lui une complaisance presque voluptueuse. Oui, il était semblable aux autres, semblable à tout le monde : à tous ceux qui achetaient des cigarettes de la même marque ; à ceux-ci qui, au passage d'une femme habillée de rouge, se retournaient pour lorgner le léger déhanchement sous le tissu léger de la robe. Bien que dans ce dernier cas, sa ressemblance avec les autres fût davantage le fruit d'un désir d'imitation plutôt que la conformité d'un penchant naturel.

Un crieur de journaux, petit et difforme, vint à sa rencontre, une liasse de journaux sur le bras, tenant un exemplaire déployé et criant avec un visage congestionné par l'effort, une phrase incompréhensible où l'on pouvait toutefois reconnaître les mots : « Victoire » et « Espagne ». Marcel acheta le journal et lut avec attention la manchette qui couvrait tout l'en-tête : encore une fois les franquistes enregistraient une victoire dans la guerre d'Espagne. Il lut cette nouvelle avec une évidente satisfaction qu'il jugea immédiatement comme un signe de plus de son conformisme absolu. Depuis la parution des premiers journaux aux titres hypocrites : « Que se passe-t-il en Espagne ? », il avait vu naître la guerre espagnole ; elle s'était ensuite élargie, aggravée, était devenue un conflit non plus seulement militaire, mais idéologique. Et Marcel s'était peu à peu aperçu qu'il avait pris fait et cause pour les franquistes par un sentiment singulier entièrement dégagé de toute considération politique et morale (quoique ces considérations fussent souvent présentes à son esprit) ; comme un sportif enthousiaste prend parti pour une équipe de football plutôt que pour une autre. Dès le début, il avait désiré la victoire de Franco, sans acharnement, mais avec un sentiment tenace et profond comme si cette victoire devait lui apporter une confirmation de la rectitude de ses idées, une justification de ses goûts aussi bien dans le domaine politique que dans tous les autres. Peut-être aussi avait-il désiré et désirait-il encore la victoire de Franco par amour de la symétrie ; ainsi qu'en meublant sa propre maison on se préoccupe d'y assembler des meubles d'un même style. Cette symétrie, il lui semblait la retrouver dans les événements des dernières années, croissant progressivement en clarté et en importance : l'avènement du fascisme en Italie d'abord, puis en Allemagne, puis la guerre d'Éthiopie, puis celle d'Espagne. Cette progression lui plaisait sans qu'il pût dire pourquoi, peut-être parce qu'il était aisé d'y découvrir une logique plus qu'humaine et que, de savoir la reconnaître donnait une impression de sécurité et d'infaillibilité. D'autre part, pensa-t-il en repliant le journal et le mettant dans sa poche, dans sa conviction que la cause de Franco était juste n'intervenait aucune raison de politique ou de propagande. Cette conviction lui était venue de rien, comme elle aurait pu venir aux gens ignorants du commun ; elle était, comme on dit, dans l'air. Marcel était partisan de Franco au même titre que d'innombrables gens tout à fait ordinaires qui ne savaient à peu près rien de l'Espagne, lisaient à peine les manchettes des journaux et n'avaient aucune culture. Par sympathie, en somme, en donnant à ce terme le sens de spontané, illogique, irrationnel.

Franco ou un autre, d'ailleurs, peu importait pourvu qu'il représentât un lien, un point de contact, une communauté d'idées. Mais pour Marcel, le fait d'en tenir pour Franco démontrait en outre que cette participation sentimentale à la guerre d'Espagne était une chose fondée, juste. Qu'est la vérité, en effet, sinon ce qui est évident pour tout le monde, cru par tout le monde et considéré comme inattaquable ? Ainsi, de la sympathie spontanée à la conscience que cette sympathie était partagée de la même façon par des millions de personnes ; de cette conscience à la conviction d'être dans le vrai ; de la conviction d'être dans le vrai à l'action, la chaîne était ininterrompue, les anneaux bien soudés. Car, il pensait que la possession de la vérité non seulement permet l'action, mais l'impose. Comme s'il était besoin de se confirmer à soi-même et d'affirmer aux autres son propre conformisme dont le caractère devait être approfondi, renforcé et démontré continuellement.

Marcel était arrivé au terme de sa course. La grande porte du ministère s'ouvrait en retrait de la rue, derrière une double file d'autos et d'autobus en marche. Il attendit un moment, puis entra à la suite d'une grosse automobile noire qui pénétrait sous le haut porche. Il donna à l'huissier le nom du fonctionnaire auquel il désirait parler et s'assit dans le salon d'attente, presque content de faire antichambre avec les autres, comme les autres. Il n'y avait chez lui ni hâte ni impatience ; l'ordre et l'étiquette du ministère ne le rebutaient pas et lui plaisaient même comme les indices d'un ordre plus vaste, plus général, auquel il se pliait volontiers. Il se sentait très calme, froid, un peu triste peut-être, mais ceci n'était pas nouveau, cette mystérieuse tristesse semblant inséparable de son caractère. Triste, il l'était toujours, ou plutôt il manquait de gaieté. Il y a des lacs entourés de montagnes très hautes qui se reflètent dans leurs eaux et, les abritant des rayons du soleil, les rendent noirs et mélancoliques ; on sait bien que si la montagne disparaissait, l'eau serait riante sous le soleil, mais la montagne est là et le lac est triste. Marcel était triste comme un de ces lacs, mais on ne savait ce qui pouvait l'assombrir.

Le salon d'attente, une petite pièce contiguë à la conciergerie, était plein de gens hétéroclites, tout à fait différents de ceux qu'on se serait attendu à trouver dans l'antichambre d'un ministère célèbre comme celui-ci pour l'élégance et le genre mondain de ses fonctionnaires. Trois individus d'aspect crapuleux et sinistre, sans doute des policiers et agents en civil, fumaient et palabraient à voix basse à côté d'une jeune femme aux cheveux noirs, au visage outrageusement fardé, à la toilette voyante, une femme de mauvaise vie, selon toute apparence, et de bas étage. Puis un vieillard, vêtu de noir, proprement, sinon pauvrement, avec une barbe et des moustaches blanches : un professeur peut-être. Enfin une petite femme maigre, grisonnante, à l'expression inquiète et angoissée, sans doute une mère de famille. Puis lui-même.

À la dérobée, avec une vive répugnance, il observa ces gens. Décidément, les choses se passaient toujours ainsi : il pensait être normal, semblable à tous les autres quand il considérait la foule d'une manière abstraite, comme une grande armée dont il serait réconfortant de faire partie, dans laquelle tout serait commun, sentiments, idées, buts. Mais dès que, de cette masse, les individus se dégageaient, son illusion d'être normal s'évanouissait en face de leur diversité ; il ne se reconnaissait pas en eux et devant eux éprouvait à la fois aversion et détachement. Que pouvait-il y avoir de commun entre lui et ces trois individus louches et vulgaires ? Entre lui et cette femme de trottoir, ou ce vieillard décrépit, ou cette humble mère aux abois... Rien, sinon du dégoût, de la pitié...

— Clerici... — appela l'huissier. Il tressaillit et se leva. — Premier escalier à droite... — Sans se retourner Marcel se dirigea vers l'endroit désigné. Il monta un très large escalier à demi recouvert d'un tapis rouge et arriva au second étage sur un vaste palier sur lequel s'ouvraient trois portes à double battant. Il ouvrit celle du milieu et se trouva dans un salon plongé dans la pénombre. Il y avait une longue table massive avec une mappemonde au centre. Marcel fit le tour de la pièce, désaffectée sans doute comme l'indiquaient les volets fermés et les housses recouvrant les canapés alignés contre les murs. Il ouvrit l'une des nombreuses portes et suivit un corridor sombre et étroit entre deux rangées d'étagères vitrées. Au fond du corridor on entrevoyait une porte entrebâillée d'où filtrait un peu de lumière. Marcel s'approcha, hésita, puis tout doucement poussa la porte. Aucune curiosité ne le guidait, seulement le désir de trouver un huissier qui pût lui indiquer le bureau qu'il cherchait. Au coup d'œil qu'il jeta par l'entrebâillement, il s'aperçut que sa crainte de s'être trompé était bien fondée. Devant lui s'étendait une longue pièce étroite, éclairée doucement par une fenêtre voilée de jaune. Devant cette fenêtre, une table et assis à cette table, tournant le dos au jour, un homme jeune, corpulent, avec un visage large et lourd. Puis Marcel vit une femme debout contre la table, le dos tourné, vêtue d'une robe légère, blanche à grandes fleurs noires, un large chapeau de dentelle noire sur la tête. Elle était très grande, la taille mince, les épaules et les hanches larges, avec de longues jambes aux chevilles fines. Penchée vers la table, elle parlait presque bas à l'homme qui l'écoutait immobile, de profil, sans la regarder, les yeux fixés sur sa propre main qui, sur la table, jouait avec un crayon. Puis la femme vint à côté du fauteuil, tout contre l'homme, s'appuyant à la table, face à la fenêtre, dans une attitude plus abandonnée. Son grand chapeau noir incliné de côté empêchait Marcel de distinguer son visage. Elle parut hésiter, puis se courba et d'un geste gauche, son pied quittant le sol comme lorsqu'on se baisse pour boire à une fontaine, elle chercha de ses lèvres les lèvres de l'homme, qui se laissa embrasser sans bouger ni manifester que ce baiser lui fût agréable. La femme se renversait en arrière, son chapeau cachant à la fois son visage et celui de son compagnon ; puis elle vacilla et aurait perdu l'équilibre si l'homme ne l'avait retenue en lui entourant la taille de son bras. Maintenant, debout, elle cachait l'homme assis et lui caressait peut-être la tête. Le bras de l'homme desserra son étreinte autour de la taille et sa main épaisse et courte glissa sur la cuisse de la femme et y demeura ouverte, étalée, semblable avec ses larges doigts à un crabe ou une araignée monstrueuse posée sur une surface lisse et sphérique. Marcel repoussa doucement la porte.

Revenant sur ses pas, il retraversa le corridor et se retrouva dans le salon à la mappemonde. Ce qu'il avait vu confirmait la réputation de libertin du ministre, car l'homme assis à la table était bien le ministre et Marcel l'avait aussitôt reconnu. Mais malgré son penchant personnel pour la moralité, ses convictions profondes ne furent pas ébranlées par la constatation qu'il venait de faire. Marcel n'éprouvait aucune sympathie pour ce ministre mondain et coureur et le mélange de cette vie érotique avec la vie officielle lui paraissait inconvenante au plus haut point. Mais tout cela ne touchait en rien ses opinions politiques.

De même lorsqu'il apprenait de gens dignes de foi que des personnages importants avaient détourné des fonds, manquaient de compétence, ou trafiquaient de leur influence politique pour des buts personnels. Il enregistrait alors ces propos comme si les choses dites ne le regardaient pas puisqu'une fois pour toutes il avait fait son choix et n'entendait pas en changer. Il sentait aussi que ces choses ne l'étonnaient pas, car, dans une certaine mesure, il les avait escomptées depuis longtemps, avec sa précoce connaissance de ce qu'il y a de moins aimable chez l'être humain. Mais surtout, il savait bien qu'aucun rapport ne pouvait exister entre sa fidélité au régime et la moralité assez rigide qui réglait sa propre conduite. Les raisons de cette fidélité avaient des origines plus profondes que tout critère moral et ne pouvaient être ébranlées par un fait tel qu'un détournement, un délit quelconque ou une main palpant un flanc de femme dans un bureau officiel. Quelles étaient ces origines, il n'aurait su les préciser : entre elles et sa pensée s'interposait le voile pâle et opaque de son opiniâtre mélancolie.

Impassible, calme, patient, il ouvrit une autre porte du salon, entrevit un autre corridor, essaya une autre porte et se trouva enfin dans l'antichambre qu'il cherchait. Des gens étaient assis sur des canapés tout autour de la pièce ; des huissiers galonnés se tenaient debout près de l'entrée. Il communiqua à l'un d'eux le nom du fonctionnaire qu'il devait voir, puis alla s'asseoir. Pour tromper son attente, il ouvrit son journal. Les détails sur la victoire en Espagne remplissaient toutes les colonnes et il en fut agacé comme d'un excès de goût douteux. Il relut la dépêche qui, en caractères gras, annonçait la victoire, puis passa aux commentaires qu'il abandonna presque aussitôt car le style prétentieux et faussement militaire de l'envoyé spécial lui donnait sur les nerfs. S'il avait eu à écrire cet article, comment l'aurait-il écrit ? Il se surprit à penser que s'il n'avait dépendu que de lui, non seulement l'article sur l'Espagne, mais tous les aspects du régime, du moins important au plus considérable, auraient été totalement différents. En réalité, presque tout, dans le régime, lui déplaisait profondément ; mais il avait choisi une voie et devait y rester fidèle. De nouveau, il ouvrit le journal et lut vaguement quelques nouvelles en évitant les articles chauvins ou destinés à la propagande. Finalement, il leva les yeux et regarda autour de lui.

À ce moment, il ne restait dans le salon qu'un vieux monsieur à la tête ronde couverte de cheveux blancs, au visage rubicond empreint d'une expression à la fois effrontée, cupide et rusée. En costume clair, veste de sport, gros souliers à semelle de crêpe, cravate de couleur vive, il avait l'air d'être de la maison, marchant de long en large dans la pièce, interpellant avec désinvolture les huissiers obséquieux, immobiles à l'entrée et plaisantant avec une sorte d'impatience. Puis une des portes s'ouvrit et apparut un homme d'âge moyen, chauve, maigre malgré un ventre proéminent, avec un visage creux et jaune, des yeux enfoncés dans des orbites sombres, une expression vive, cynique et spirituelle sur ses traits aigus. Avec une exclamation joyeuse, l'homme aux cheveux blancs alla aussitôt à sa rencontre ; l'autre lui fit un salut cérémonieux et déférent. Le premier, d'un geste de confidence, prit l'homme au visage jaune non par le bras, mais par la taille, comme l'on fait pour une femme et, marchant ainsi à travers le salon, il se mit à lui parler à voix basse d'un sujet paraissant mystérieux et urgent. Marcel avait suivi la scène d'un œil indifférent, puis tout à coup il constata avec surprise que, sans raison, une haine forcenée montait en lui contre ce vieillard. Il n'ignorait pas qu'à tout moment, pour un motif quelconque, un accès de haine pouvait affleurer à la surface inerte de son apathie habituelle, aussi imprévu qu'un monstre émergeant d'une mer tranquille ; mais chaque fois il s'en étonnait comme d'un aspect inconnu de son caractère qui démentait les autres, les mettait en question et ébranlait sa sécurité. Ce vieil homme, par exemple, il sentait qu'il l'aurait tué ou fait tuer sans difficulté. Pourquoi ? Peut-être parce que le scepticisme, défaut qu'il exécrait entre tous, s'imprimait clairement sur ce visage rubicond ? Ou parce que cet homme portait un veston fendu dans le dos et que le vieillard en mettant la main dans sa poche, en soulevait un pan et découvrait le fond de son pantalon, trop large et pendant, ce qui lui donnait une allure déplaisante ? En tout cas, Marcel le détestait et avec une telle intensité qu'il préféra se replonger dans son journal. Quand, un long moment après, il releva les yeux, l'homme et son compagnon avaient disparu et le salon était désert.

Au bout d'un instant, un des huissiers vint lui murmurer que son tour était venu et Marcel le suivit. L'huissier ouvrit une porte et s'effaça pour le laisser passer. Marcel se trouva dans une vaste pièce au plafond et aux murs décorés de fresques, avec, dans le fond, une grande table jonchée de papiers. Derrière cette table était assis l'homme au visage jaune, entrevu dans le salon ; à côté de lui un autre personnage que Marcel connaissait bien : son supérieur immédiat au Service secret.

À l'entrée de Marcel l'homme au visage jaune, qui était l'un des secrétaires du ministre, se leva ; l'autre, au contraire, resta assis et salua d'un signe de tête. Ce dernier, un homme d'un certain âge, maigre, à l'allure militaire, au visage écarlate, comme taillé à coups de hache, avec des moustaches noires et hérissées qui semblaient postiches, formait avec le secrétaire un contraste complet. C'était le type de l'homme de confiance, rigide, honnête, habitué à servir sans discuter, plaçant ce qu'il considérait comme son devoir au-dessus de tout, même de sa conscience. Alors que le secrétaire était un homme tout différent, plus au goût du jour : ambitieux et sceptique, mondain, poussant le goût de l'intrigue jusqu'à la férocité, passant outre à toutes les bornes de la conscience comme à tout devoir professionnel. C'est au premier de ces hommes qu'allait naturellement la sympathie de Marcel et l'une de ses raisons était peut-être qu'il lui semblait retrouver dans ce visage rougeaud et marqué la même obscure mélancolie qui l'oppressait si souvent lui-même. Peut-être le colonel Baudino s'apercevait-il comme lui du contraste entre une fidélité rigide et les apparences trop souvent déplorables de la réalité quotidienne ? Mais peut-être Marcel s'illusionnait-il et prêtait-il par sympathie ses propres sentiments à son supérieur, dans l'espoir de n'être pas seul à les éprouver.

Le colonel dit sèchement sans regarder Marcel ni le secrétaire : — Voici M. Clerici, docteur en philosophie, dont j'ai eu à vous entretenir, il y a quelque temps. — Le secrétaire, avec une promptitude cérémonieuse dans laquelle entrait quelque ironie, se pencha au-dessus de la table, tendit la main à Marcel et l'invita à s'asseoir. Puis, s'asseyant à son tour, il prit un étui à cigarettes et l'offrit d'abord au colonel qui refusa, puis à Marcel qui accepta. Et après avoir lui-même allumé une cigarette, il dit :

— J'ai grand plaisir à vous connaître, Clerici... le colonel ne fait que chanter vos louanges... vous êtes, paraît-il, un as... comme on dit. — Il souligna le « comme on dit » d'un sourire et poursuivit :

— Nous avons examiné votre plan avec M. le Ministre et l'avons jugé tout à fait excellent... vous connaissez bien Quadri ?

— Oui — dit Marcel, — il était mon professeur à l'université.

— Et vous êtes sûr que Quadri ignore votre qualité de fonctionnaire ?

— Je le crois.

— Votre idée de simuler une conversion politique dans le but d'inspirer confiance pour entrer dans son organisation et même vous faire donner une mission en Italie est très bonne... le Ministre est d'avis que quelque chose de ce genre est à tenter sans retard... Quand penseriez-vous pouvoir partir, Clerici ?

— Dès que ce sera nécessaire.

— Très bien — dit le secrétaire, un peu surpris toutefois, comme s'il s'était attendu à une autre réponse : — très bien... cependant il y a un point qu'il nous faut éclaircir... vous vous apprêtez à accomplir une mission... nous dirons, délicate et dangereuse... nous avons pensé, le colonel et moi, que pour ne pas attirer l'attention, vous devriez trouver, imaginer, quelque prétexte plausible pour faire un séjour à Paris... je ne dis pas qu'ils sachent quelque chose ni n'aient la possibilité de découvrir quoi que ce soit... mais, après tout, les précautions ne sont jamais inutiles... d'autant plus que, comme vous le dites dans votre rapport, Quadri n'ignorait pas, il y a quelques années, vos sentiments de loyauté envers le régime...

— Si je n'avais eu ces sentiments — répliqua Marcel d'un ton bref, — il ne pourrait être question de conversion...

— C'est juste, très juste... mais on ne va pas exprès à Paris pour se présenter à Quadri et lui dire : me voici... il faut, au contraire, que vous donniez l'impression d'être à Paris pour des motifs privés, non politiques en somme... et que vous profitiez de l'occasion pour faire part à Quadri de votre crise spirituelle... il faut — conclut soudain le secrétaire en levant les yeux sur Marcel, — que votre mission soit doublée d'une raison personnelle, non officielle. — Et se tournant vers le colonel : — Qu'en pensez-vous, colonel ?

— C'est aussi mon avis — dit le colonel, les yeux toujours baissés. Et il ajouta après un instant : — Mais seul M. Clerici peut trouver le prétexte qui lui convient.

Marcel fit silencieusement un geste d'approbation. Il lui semblait n'avoir rien à répondre pour l'instant, car cette question de prétexte était à étudier à tête reposée. Il allait répondre : — Donnez-moi deux ou trois jours de réflexion — quand, tout à coup, presque malgré lui, ses lèvres prononcèrent : — Je me marie dans une semaine... ma mission pourrait se combiner avec mon voyage de noces.

Cette fois, la surprise du secrétaire fut manifeste et profonde, bien qu'aussitôt masquée par une expression de vive satisfaction. Le colonel, par contre, demeura tout à fait impassible, comme si Marcel n'avait rien dit.

— Très bien... parfait — s'exclama le secrétaire, un peu déconcerté pourtant, — vous vous mariez... on ne pouvait trouver meilleur prétexte... le classique voyage de noces à Paris...

— Oui — dit Marcel sans sourire, — le classique voyage de noces à Paris.

Craignant de l'avoir froissé, le secrétaire ajouta : — Je veux dire que Paris est vraiment l'endroit rêvé pour un voyage de noces... je ne suis malheureusement pas marié... mais si cela devait m'arriver, je crois que j'irais, moi aussi, à Paris...

Marcel se tut. C'était souvent sa façon de répondre aux gens qui lui étaient antipathiques. Le secrétaire, pour se ressaisir, se tourna vers le colonel : — Vous aviez raison, colonel, seul M. Clerici pouvait trouver semblable prétexte... l'eussions-nous trouvé nous-mêmes que nous n'aurions pu le lui suggérer...

Cette phrase, prononcée sur un ton ambigu et léger, était, pensa Marcel, à double sens ; quoiqu'un peu ironique, elle pouvait être louangeuse, signifier : « diable, quel fanatisme ! », mais pouvait être aussi l'expression d'un étonnement méprisant : « Quelle servilité... il ne respecte même pas son mariage ! » Il y avait des deux sans doute, car, pour le secrétaire lui-même, les limites entre fanatisme et servilité restaient visiblement imprécises ; c'étaient là deux moyens dont il se servait, en toute occasion, pour atteindre toujours les mêmes buts. Marcel remarqua avec satisfaction que le colonel refusait au secrétaire le sourire que celui-ci semblait quêter par sa phrase à double sens. Il y eut un moment de silence. Marcel regardait le secrétaire droit dans les yeux, avec une immobilité et une impénétrabilité qu'il savait et voulait déconcertantes. En effet, l'autre évita son regard et tout à coup, s'appuyant des deux mains à la table, il se leva :

— Bon... alors, colonel, vous vous mettrez d'accord avec M. Clerici pour les modalités de sa mission, — puis il continua en se tournant vers Marcel : — Quant à vous, Clerici, sachez que vous avez tout l'appui de M. le Ministre et le mien... je dois dire même — ajouta-t-il d'un ton léger, comme au hasard, — que M. le Ministre a manifesté le désir de vous connaître personnellement.

Cette fois encore, Marcel resta bouche close et se borna à se lever et à s'incliner légèrement avec déférence. Le secrétaire, qui s'était attendu sans doute à des paroles de gratitude, eut un nouveau mouvement de surprise, aussitôt réprimé : — Restez, Clerici... j'ai l'ordre de M. le Ministre de vous conduire directement auprès de lui.

Le colonel se leva et dit : — Clerici, vous savez où me trouver... — puis il tendit la main au secrétaire ; mais celui-ci voulut à tout prix l'accompagner jusqu'à la porte, d'un air cérémonieux, empressé et obséquieux. Marcel les vit se serrer la main, puis le colonel s'éclipsa et le secrétaire se tourna vers lui :

— Venez, Clerici... M. le Ministre est extrêmement occupé, néanmoins il tient absolument à vous voir et à vous manifester sa satisfaction... c'est la première fois, n'est-ce pas, que vous lui êtes présenté ? — Ces paroles furent prononcées en traversant une petite antichambre contiguë au bureau du secrétaire. Celui-ci ouvrit une porte et disparut en faisant signe à Marcel de l'attendre, puis presque aussitôt reparut et l'invita à le suivre.

Marcel revit en entrant la même pièce longue et étroite qu'il avait entrevue peu auparavant par la fente de la porte ; seulement cette pièce se présentait maintenant dans sa largeur, avec la table en face de lui. Derrière la table était assis l'homme trapu au visage large et lourd qu'il avait vu se laisser embrasser par la femme au grand chapeau noir. Il remarqua que la table était débarrassée de tout papier, brillante à s'y mirer, avec un grand encrier de bronze et un sous-main de cuir sombre. — Excellence, voici M. Clerici — dit le secrétaire.

Le ministre se leva en tendant la main à Marcel avec une cordialité empressée, plus marquée encore que celle du secrétaire, mais sans aucune aménité et même décidément autoritaire. — Comment allez-vous, Clerici ? — Il parlait en martelant les mots avec lenteur, impérieusement, comme s'ils étaient chargés d'un sens particulier. — On m'a parlé de vous en termes élogieux... le régime a besoin d'hommes comme vous !

Le ministre s'était rassis, avait sorti son mouchoir de sa poche et se mouchait tout en regardant certains papiers que lui soumettait le secrétaire. Par discrétion, Marcel se retira le plus loin qu'il put, dans un coin de la pièce. Le ministre regardait les papiers tandis que le secrétaire lui parlait à l'oreille ; puis il jeta un coup d'œil sur son mouchoir et

Marcel vit que ce mouchoir de linon blanc était taché de rouge. Il se rappela alors qu'en entrant il avait remarqué que la bouche du ministre était d'un incarnat plus accentué que nature : le rouge à lèvres de la femme au chapeau noir. Tout en continuant à examiner les papiers que lui montrait le secrétaire, le ministre, sans se démonter ni se préoccuper d'être observé, se frotta vigoureusement les lèvres avec son mouchoir, le regardant de temps en temps pour voir si le fard résistait encore. Enfin l'examen des papiers et celui du mouchoir prirent fin en même temps, le ministre se leva et tendit de nouveau la main à Marcel : — Au revoir, Clerici... ainsi qu'a déjà dû vous le dire mon secrétaire, la mission que vous vous préparez à accomplir a mon appui, inconditionnel, total...

Marcel s'inclina, serra la main épaisse et courte et suivit le secrétaire en dehors de la pièce.

Revenus dans le bureau du secrétaire, celui-ci posa sur la table les papiers examinés par le ministre, puis il accompagna Marcel à la porte : — Alors, Clerici, bonne chance ! — il ajouta dans un sourire : — mes meilleurs vœux pour votre mariage ! — Marcel remercia par un signe de tête, une inclination et une phrase indistincte. Avec un dernier sourire, le secrétaire lui serra la main, puis la porte se referma.

# II

Il était tard et dès qu'il fut dehors Marcel pressa le pas. À l'arrêt de l'autobus, il prit la queue au milieu de la foule affamée et nerveuse de midi et attendit son tour pour monter dans le lourd véhicule déjà bondé. Il fit une partie du parcours sur le marchepied, le corps à demi en dehors, puis à grand-peine réussit à se faufiler sur la plate-forme où il demeura, serré, pressé par les autres voyageurs, tandis que l'autobus grimpait en cahotant et ronflant par les rues en pente, du centre de la ville vers la périphérie. L'incommodité de ce transport ne l'irritait pas cependant et lui paraissait même utile puisque partagée par tant d'autres et contribuant à le mettre sur le même pied que tous. D'autre part, pour désagréables et incommodes qu'ils fussent, les contacts avec la foule plaisaient à Marcel et lui paraissaient préférables à ceux qu'il avait avec les individus. Tandis qu'il se haussait sur la pointe des pieds sur la plate-forme pour avoir un peu plus d'air, il pensa que la foule lui donnait le sentiment réconfortant d'une communion aux mille aspects allant de la bousculade des autobus à l'enthousiasme patriotique des réunions politiques. Des individus, au contraire, ne lui venaient que des doutes sur lui-même et sur les autres, comme il l'avait éprouvé ce matin durant sa visite au ministère.

Pourquoi, par exemple, aussitôt après avoir offert de combiner sa mission avec son voyage de noces, avait-il éprouvé la sensation pénible d'avoir accompli un geste de servilité gratuite ou de fanatisme aveugle ? Parce que cette offre, il l'avait faite à un homme sceptique, intrigant et corrompu, à cet indigne et odieux secrétaire, qui, par sa seule présence, lui avait inspiré de la honte pour un acte profondément spontané et désintéressé pourtant. Et maintenant, tout en se faisant cahoter par l'autobus d'un arrêt à l'autre, il se remontait le moral en se disant qu'il n'aurait ressenti aucune honte s'il ne s'était trouvé en face d'un homme pour lequel n'existait ni fidélité, ni dévouement, ni sacrifice, mais uniquement calcul, prudence et ambition. En réalité, son offre provenait non d'une spéculation de l'esprit, mais bien des profondeurs ignorées de son âme et c'était pour lui un signe certain qu'il s'intégrait véritablement dans la vie politique et sociale. Un autre que lui, le secrétaire, par exemple, n'aurait fait une offre semblable qu'après de mûres et machiavéliques réflexions. Quant à l'inconvénient de faire coïncider sa mission avec son voyage de noces, inutile pour Marcel de perdre son temps à y songer. Il était ce qu'il était et ses actes, normalement, devaient être conformes à sa nature.

Tout occupé par ses pensées, il descendit de l'autobus dans une rue d'un quartier habité par des fonctionnaires. Les grands immeubles décrépis où logeaient les employés de l'État ouvraient sur des trottoirs plantés de lauriers-roses leurs larges porches par lesquels on entrevoyait de vastes cours nues et mornes. Ces porches alternaient avec de modestes boutiques que Marcel connaissait déjà bien : bureau de tabac, boulangerie, épicerie, boucherie, pharmacie. Il était midi et jusque dans ces bâtisses anonymes on sentait, à certains signes, cette légère et éphémère gaieté propre à la suspension du travail et à la réunion familiale : odeurs de cuisine venant des fenêtres entrouvertes des rez-de-chaussée ; hâte des hommes qui, en tenue négligée, rentraient chez eux presque en courant ; voix de la radio, airs de phonographes... Dans le retrait d'une maison un petit jardin clos dont la grille s'ornait de rosiers grimpants envoya au passage à Marcel une bouffée d'un parfum pénétrant et poussiéreux. Marcel pressa le pas et, arrivé au numéro 19, il entra en même temps que deux ou trois employés ; satisfait d'imiter leur hâte, il s'achemina vers l'escalier.

Il monta lentement les larges rampes où une ombre blême s'alternait avec l'éclatante lumière venant des fenêtres des paliers. Mais, arrivé au second étage, il se rappela qu'il avait oublié quelque chose : les fleurs qu'il ne manquait pas d'apporter à sa fiancée chaque fois qu'il était invité à déjeuner chez elle. Content de s'en être souvenu à temps, il redescendit rapidement, et dans la rue alla directement au coin de la maison où une femme assise sur un tabouret vendait des fleurs de la saison. Il choisit hâtivement une demi-douzaine de roses, les plus belles de l'étalage, rouge sombre avec de longues queues bien droites et, les portant à ses narines pour en respirer le parfum, il monta, cette fois, jusqu'au dernier étage de la maison. Sur le palier, une seule porte ; un autre petit escalier montait plus haut et conduisait à la terrasse. En sonnant Marcel pensa : « Espérons que ce n'est pas sa mère qui va m'ouvrir. » Sa future belle-mère lui témoignait en effet une affection presque exagérée qui le gênait profondément. Un instant après la porte s'ouvrit et Marcel aperçut, avec soulagement, dans l'ombre de l'antichambre, la silhouette de la toute jeune bonne, accoutrée d'un tablier blanc trop grand pour elle, son visage pâle couronné d'un double rang de tresses. Elle referma la porte non sans se pencher pour jeter un coup d'œil curieux sur le palier, et Marcel, respirant à plein nez la puissante odeur de cuisine qui emplissait l'air, passa dans le salon.

La fenêtre y était à demi fermée pour empêcher la chaleur et le soleil, mais dans l'ombre douce on distinguait la pièce encombrée de meubles sombres, en imitation Renaissance. C'étaient des meubles lourds, sévères, chargés de sculptures, et qui faisaient un contraste étrange avec les bibelots prétentieux et de mauvais goût disséminés sur les consoles et les tables : une femme nue à genoux sur le rebord d'une coupe, un marin de faïence bleue jouant de l'accordéon, un groupe de chiens noirs et blancs, deux ou trois lampes en forme de flacons ou de fleurs. Par-ci, par-là, de nombreux cendriers de métal et de porcelaine qui, à l'origine, avaient contenu les dragées de mariage des amies et cousines de la fiancée. Les murs étaient tendus d'une imitation de damas rouge ; des paysages et des natures mortes encadrées de noir y étaient suspendus. Marcel s'assit sur le divan, déjà recouvert de sa housse d'été, et regarda autour de lui avec satisfaction.

C'était vraiment un intérieur bourgeois — de la bourgeoisie la plus conventionnelle et la plus modeste — et semblable (une fois de plus il ne pouvait s'empêcher de le remarquer) à tous ceux de la maison et du quartier. Et ce qui lui plaisait particulièrement c'était peut-être de se trouver devant quelque chose de tout à fait banal, commun, et par cela même parfaitement rassurant. Car la vulgarité de cet intérieur éveillait en lui un sentiment presque abject de satisfaction. Dans la belle maison où il avait grandi régnait le bon goût et il se rendait compte que ce qui l'environnait maintenant était d'une laideur sans remède. Mais précisément il avait besoin de cette laideur anonyme comme d'un trait de plus le rapprochant de ses semblables. La modicité de leurs moyens les obligeraient, Julie et lui, au moins pendant les premières années de leur union, à habiter cette maison ; et il en bénissait presque la médiocrité. Ainsi bientôt ceci serait son salon ; la chambre à coucher modern style dans laquelle, trente ans auparavant, avaient dormi sa future belle-mère et son défunt mari serait leur chambre à coucher ; et la salle à manger où toute leur vie Julie et ses parents avaient pris leurs repas serait sa salle à manger. Le père de Julie avait été un fonctionnaire important dans un ministère et cet appartement, installé dans le goût de son jeune temps, était une sorte de temple pathétiquement élevé en l'honneur des divinités jumelles de la respectabilité et du conformisme. Bientôt, pensa Marcel, avec un plaisir presque impatient et en même temps mélancolique, j'aurais droit, moi aussi, à cette respectabilité et à ce conformisme.

La porte s'ouvrit et Julie entra avec impétuosité, parlant à quelqu'un qui était dans le corridor, la petite bonne sans doute. Puis ayant dit ce qu'elle avait à dire, elle ferma la porte et vint vivement au-devant de son fiancé.

Julie était, à vingt ans, plantureuse comme une femme de trente ; ses formes trop abondantes manquaient de finesse et de distinction, mais sa fraîcheur et sa santé révélaient à la fois sa jeunesse et on ne savait quelle exubérance charnelle. Elle avait un teint très clair, de grands yeux lumineux, sombres et languissants, d'épais cheveux châtains tout ondulés, une bouche en fleur, très rouge. En la voyant venir à lui, vêtue d'un tailleur léger, de coupe masculine, dans lequel ses formes épanouies paraissaient comprimées, Marcel pensa avec un regain de satisfaction qu'il épousait une fille vraiment normale, tout à fait dans la moyenne, assortie au style même de ce salon qui lui donnait, un instant auparavant, une telle impression de sécurité. Et une impression analogue, presque réfrigérante, l'envahit en entendant la voix ordinaire, traînante, qui, avec son accent provincial, disait : — Quelles belles roses ! Mais pourquoi... je t'ai déjà dit qu'il ne fallait pas te croire obligé... ce n'est pas la première fois que tu viens déjeuner chez nous ! — Là-dessus elle s'en fut prendre un vase bleu posé sur une colonne de marbre jaune, dans un coin de la pièce, et y disposa les roses.

— Cela me fait plaisir de t'apporter des fleurs — dit Marcel.

Julie soupira de contentement et se laissa tomber sur le divan, à côté de lui. Marcel la regarda et remarqua qu'à l'impétueuse désinvolture de son entrée avait succédé une contrainte subite, signe indubitable d'un trouble envahissant. Puis, tout à coup, elle se tourna vers lui et, lui jetant les bras autour du cou, elle murmura : — Embrasse-moi !

Marcel la prit par la taille et la baisa sur la bouche. Julie était sensuelle et dans ces baisers qu'elle était toujours la première à réclamer de Marcel, plus réservé, il y avait toujours un moment où sa sensualité s'éveillait, se manifestait, modifiant le caractère chaste, concerté, de leurs rapports de fiancés. Cette fois encore, leurs lèvres allaient se disjoindre, quand elle eut comme un sursaut de désir lascif et passant brusquement ses bras autour du cou de Marcel elle colla fortement sa bouche contre la sienne. Il sentit la langue de Julie s'insinuer entre ses lèvres, frémir sur sa langue, en caresses rapides et savantes. En même temps, Julie lui avait saisi la main, la guidait vers sa poitrine et la posait sur son sein gauche. Son souffle était ardent et le bruit de sa respiration avait quelque chose d'animal, de primitif, d'insatiable.

Marcel n'était pas amoureux de sa fiancée ; mais Julie lui plaisait et la sensualité de ces étreintes le troublait toujours. Toutefois il se sentait peu enclin à répondre à ces transports ; dans ses rapports avec sa fiancée, il tenait à ne pas dépasser les bornes traditionnelles, comme si un surcroît d'intimité eût amené de nouveau dans sa vie ce désordre et ces anomalies qu'il s'était si longtemps efforcé de chasser. Aussi ne tarda-t-il pas à écarter sa main du sein de la jeune fille et à la repousser doucement.

— Oh ! que tu es froid ! — dit Julie en se reculant et le regardant avec un sourire, — vraiment, je pourrais penser parfois que tu ne m'aimes pas...

— Tu sais bien que je t'aime — dit Marcel.

Elle poursuivit avec volubilité : — Je suis si contente... je n'ai jamais été si heureuse... à propos, sais-tu que maman a encore insisté ce matin pour que nous prenions sa chambre à coucher... elle s'installera dans la petite chambre au fond du corridor... qu'en dis-tu ? Devons-nous accepter ?

— Je crois — dit Marcel, — que nous la fâcherions en refusant.

— C'est ce que je pense aussi... figure-toi que quand j'étais petite, je rêvais de coucher un jour dans une chambre comme celle-là... maintenant je me demande si elle me plaît autant... et toi qu'en dis-tu ? — ajouta-t-elle sur le ton dubitatif et à la fois satisfait de la personne qui craint le jugement d'autrui sur son propre goût et espère une approbation. Marcel se hâta de répondre : — Elle me plaît beaucoup... je la trouve très belle. — Et il lut sur le visage de Julie un contentement visible.

Remplie de joie, elle lui décocha sur la joue un rapide baiser et continua : — Ce matin, j'ai rencontré Mme Persico... et je l'ai invitée à notre réception... elle ne savait pas que je me mariais !... Elle m'a posé un tas de questions et quand je lui ai dit qui tu étais, elle m'a déclaré qu'elle connaissait ta mère... pour l'avoir rencontrée il y a quelques années, au bord de la mer.

Marcel ne dit rien. Parler de sa mère, avec laquelle il ne vivait plus depuis longtemps déjà et qu'il voyait rarement, lui était toujours désagréable. Heureusement, sans se rendre compte de son embarras, Julie, volubile, changea de nouveau de sujet : — À propos de la réception... nous avons dressé la liste des invités... veux-tu la voir ?

— Oui, montre-la-moi...

Elle tira une feuille de papier de sa poche et la lui tendit. Marcel y jeta les yeux. C'était une longue liste de personnes groupées par familles. Les hommes y étaient indiqués non seulement avec leur nom et prénom mais encore avec leur titre professionnel : docteur, avocat, ingénieur, professeur et leur titre honorifique quand ils en avaient : commandeur, officier, chevalier. En face de chaque famille Julie avait pour plus de précision inscrit le nombre de personnes qui la composaient. C'étaient presque tous des noms inconnus, pourtant Marcel avait l'impression qu'ils lui étaient depuis longtemps familiers : tous gens de la petite et moyenne bourgeoisie, fonctionnaires ou appartenant à des professions libérales ; habitant tous, sans doute, des maisons dans le genre de celle-ci, avec un salon, des meubles, comme ceux-ci ; et qui avaient des filles à marier, toutes pareilles à Julie, qu'épouseraient des jeunes gens munis de diplômes ou des employés semblables — il l'espérait du moins — à lui-même. Il examina la longue liste, s'arrêtant aux noms les plus caractéristiques et les plus communs avec une complaisance profonde bien qu'atténuée par son habituelle, froide et inerte mélancolie.

Mais ayant posé quelques questions sur les personnes inscrites il se rendit compte de leur inutilité. Julie, l'eût-elle informé minutieusement du caractère et de la vie de ces gens, que ces informations n'auraient pas dépassé les limites assez étroites de son jugement et de son intelligence. Cependant il éprouva une satisfaction presque voluptueuse, quoique sans joie, en pensant que grâce à son mariage il allait faire partie de cette société si banale. Une question pourtant lui brûlait les lèvres et, après une courte hésitation, il se décida à la formuler :

— Dis-moi, est-ce que je ressemble à tes invités ?

— Que veux-tu dire ?... physiquement ?

— Non... je voulais savoir si, d'après toi... j'ai des points de ressemblance avec eux... dans les manières, la physionomie, l'allure... bref si je suis pareil à eux ?

— Pour moi, tu es mieux qu'eux tous — répondit impétueusement Julie, — mais, par ailleurs, oui, tu es comme eux : tu es distingué, fin, sérieux... enfin, on voit que tu es un homme comme il faut, comme eux... mais pourquoi me poses-tu cette question ?

— Pour savoir...

— Tu es bizarre ! — dit-elle en le regardant avec une certaine curiosité, — chacun veut être différent des autres... et toi, au contraire, tu tiens à être comme tout le monde.

Marcel ne répondit pas et lui rendit la liste en disant du bout des lèvres : — De toute façon, je ne connais personne parmi eux.

— Crois-tu donc que de mon côté je les connaisse tous ? — dit Julie gaiement, — il y en a beaucoup dont maman seule sait qui ils sont... d'ailleurs, une réception cela passe vite... une petite heure et tu ne les verras jamais plus.

— Mais cela ne me déplaît pas de les voir — dit Marcel.

— Je disais cela en l'air... maintenant, écoute le menu de l'hôtel et dis-moi s'il te va. — Julie tira de sa poche un autre papier et lut à haute voix :

*Consommé froid*
*Filets de soles meunière*
*Poularde au riz, sauce suprême*
*Salade de saison*
*Fromages assortis*

*Glace diplomate*
*Fruits*
*Café et liqueurs.*

— Qu'en penses-tu ? — demanda-t-elle, du même ton dubitatif et satisfait qu'elle avait eu pour parler de la chambre à coucher de sa mère, — cela te semble-t-il bien ? Crois-tu que ce sera suffisant ?

— Cela me paraît excellent et copieux — dit Marcel.

Julie continua : — Pour le *champagne*, nous avons choisi du *champagne* italien... il est moins bon que le français... mais pour porter un toast il fera tout aussi bien l'affaire...

Elle se tut un moment, puis ajouta avec la même volubilité : — Sais-tu ce que m'a dit Don Lattanzi ? Il voudrait que nous communiions avant de nous marier et si tu veux communier, il faudra te confesser... sans cela, il ne nous mariera pas...

Un instant, Marcel, surpris, ne sut que dire. Il n'était pas croyant et il y avait bien dix ans qu'il n'était entré dans une église. En outre il avait toujours pensé qu'il nourrissait une nette antipathie pour tout ce qui était ecclésiastique. Maintenant, au contraire, il s'apercevait avec étonnement qu'au lieu de le heurter cette idée de la confession et de la communion lui plaisait et l'attirait un peu comme lui plaisaient et l'attiraient la réception du jour de ses noces, ces invités inconnus, le mariage avec Julie et Julie elle-même, si ordinaire et pareille à toutes les autres jeunes filles. C'était, pensait-il, un anneau de plus dans cette chaîne de conformisme par laquelle il voulait s'ancrer dans les sables mouvants de la vie. Et, au surplus, cet anneau était d'un métal plus précieux et plus résistant que les autres, puisque c'était la religion. Il fut presque surpris de n'y avoir pas songé plus tôt et attribua cet oubli au caractère commode et pacifique de ce catholicisme dans lequel il était né et auquel il lui avait toujours semblé appartenir tout en ne pratiquant pas. Il dit toutefois, curieux d'entendre la réponse de Julie : — Mais je ne suis pas croyant !

— Et qui est croyant ? — répliqua-t-elle tranquillement, — penses-tu que quatre-vingt-dix pour cent de ceux qui fréquentent les églises aient la foi ? Et les prêtres eux-mêmes ?

— Mais toi, es-tu croyante ?

Julie fit un geste en l'air : — Comme ça... jusqu'à un certain point... De temps à autre, je le dis à Don Lattanzi : ne m'embobinez pas avec toutes vos histoires de curés... j'y crois et je n'y crois pas, ou plutôt — ajouta-t-elle, comme prise d'un scrupule, — nous dirons que j'ai une religion à moi... différente de celle des prêtres...

« Une religion à soi... qu'est-ce que cela peut vouloir dire ? » pensa Marcel ; mais sachant par expérience que Julie parlait trop souvent sans savoir ce qu'elle disait, il n'insista pas. Il dit au contraire : — Mon cas est plus radical... je n'ai pas la foi et n'ai aucune religion.

Julie eut un geste léger et indifférent : — Mais, qu'est-ce que cela peut te faire ?... Va te confesser tout de même... Ils y tiennent tant et quant à toi, il ne t'en coûtera rien...

— D'accord, mais je serai obligé de mentir...

— Quant à cela... et puis ce sera un mensonge pour le bon motif... Sais-tu ce que dit Don Lattanzi ? Qu'il faut faire certaines choses comme si l'on y croyait, même si l'on n'y croit pas... la foi vient ensuite.

Marcel se tut un moment puis déclara : — C'est bon... je me confesserai et ferai la communion. — Et en disant ces mots, il éprouva de nouveau ce frisson de délices un peu obscur que lui avait inspiré la liste des invités. — Donc — continua-t-il, — j'irai me confesser à Don Lattanzi.

— Il n'est pas nécessaire que ce soit lui — dit Julie, —

tu peux choisir n'importe quelle église et n'importe quel confesseur.

— Et pour la communion ?

— Don Lattanzi te la donnera le jour de notre mariage... nous la recevrons ensemble... Depuis combien de temps ne t'es-tu pas confessé ?

— Mais... je crois... jamais depuis ma première communion — dit Marcel, un peu gêné, — jamais...

— Pense donc ! — s'écria-t-elle gaiement, — tu vas en avoir à dire, des péchés !

— Et si on ne me donne pas l'absolution ?

— On te la donnera sûrement — répondit-elle affectueusement en lui caressant le visage, — et puis quels péchés veux-tu bien avoir ?... Tu es sage... tu as bon caractère, tu n'as jamais fait de mal à personne... tu seras absous tout de suite.

— C'est compliqué de se marier — dit Marcel vaguement.

— Eh bien, moi, au contraire, ces complications et ces préparatifs me plaisent... après tout, nous devons rester unis toute la vie, n'est-ce pas ?... Et, à propos, pour notre voyage de noces, que décidons-nous ?

Pour la première fois, Marcel ressentit, en même temps que son ordinaire affection indulgente et lucide, un sentiment de pitié pour Julie. Il comprit qu'il était encore temps de faire marche arrière, de renoncer à Paris où devait s'effectuer la mission et d'aller passer sa lune de miel ailleurs. Il dirait au ministère qu'il ne pouvait se charger de l'affaire. Mais, en même temps, il vit que la chose était impossible. Sur la voie de la norme définitive, cette mission était le pas le plus sûr, le plus compromettant, le plus décisif. Comme les pas nécessaires, mais moins importants, à son avis, de son mariage avec Julie, de la réception, de la cérémonie religieuse, de la confession et de la communion.

Il ne s'arrêta pas à analyser cette réflexion dont le fond sombre et presque sinistre ne lui échappait pas et il répondit rapidement : — Finalement, j'ai pensé que nous pourrions aller à Paris.

Julie battit des mains, ivre de joie : — Ah ! quel bonheur ! Paris !... c'était mon rêve ! — Elle lui jeta les bras autour du cou et l'embrassa avec emportement. — Si tu savais comme je suis contente... je ne voulais pas te dire que j'avais tant envie d'aller à Paris... Je craignais que ce ne fût trop cher...

— Tout compte fait, ce ne sera pas plus cher qu'ailleurs — dit Marcel, — ne te préoccupe pas de la question matérielle... pour une fois, nous nous débrouillerons.

Julie était ravie : — que je suis contente ! — répétait-elle. Elle se serra de toutes ses forces contre Marcel et lui murmura : — Tu m'aimes ? Pourquoi ne m'embrasses-tu pas ? — et une fois de plus elle lui passa le bras autour du cou et colla sa bouche à la sienne, dans un baiser d'une ardeur décuplée par la gratitude. Elle soupirait, son corps avait de longs frémissements et sa langue, qui avait pris possession de la bouche de Marcel, s'y agitait spasmodiquement. Marcel sentit le trouble l'envahir : « Si je voulais » pensa-t-il, « je pourrais la prendre à l'instant, sur ce divan même », et une fois de plus il mesura la fragilité de ce qu'il appelait le normal. Enfin ils se séparèrent et il dit en souriant : — Heureusement que nous nous marions bientôt... autrement, je craindrais qu'un de ces jours nous ne devenions amants...

Julie, le visage encore tout enflammé par les baisers, répondit en haussant les épaules avec une impudence ingénue et exaltée : — Je ne demanderais pas mieux... je t'aime tant !

— Vraiment ? — demanda Marcel.

— Oui... et même sans plus attendre — ajouta-t-elle hardiment, — ici... tout de suite. — Elle avait pris la main de Marcel et la baisait lentement en le regardant en dessous avec des yeux brillants et émus. Puis elle s'écarta brusquement. La porte s'ouvrit et la mère de Julie entra.

Celle-ci, pensa Marcel en la regardant s'approcher, faisait également partie des personnages qu'il avait fait entrer dans sa vie en cherchant à se libérer de lui-même par le conformisme. Il ne pouvait rien y avoir de commun entre lui et cette femme sentimentale, toujours débordante d'une larmoyante tendresse, rien sinon son désir de se lier étroitement et profondément à une société humaine solide et stable. Délia Ginami, la mère de Julie, était une femme corpulente chez laquelle l'affaissement de l'âge mûr se manifestait non seulement dans le corps, affligé d'une graisse flasque et molle, mais dans l'âme, encline aux faiblesses d'une bonté tout animale et minaudière. Quand elle marchait, à chaque pas, ses formes semblaient, sous ses robes flottantes, s'en aller à la débandade et perdre leur consistance. Pour un rien, une émotion convulsive semblait s'emparer d'elle ; elle perdait contenance, ses yeux d'un bleu délavé se remplissaient de larmes et elle joignait les mains en une attitude extatique. Depuis quelque temps, l'imminence du mariage de sa fille avait plongé Mme Ginami dans un état de perpétuel attendrissement ; elle ne faisait que pleurer — de joie, expliquait-elle, — à tout moment elle éprouvait le besoin d'embrasser Julie ou son futur gendre auquel, d'après ses dires, elle s'était attachée comme à un fils. Marcel, que ces effusions gênaient beaucoup, comprenait cependant qu'elles n'étaient qu'un aspect de la réalité dans laquelle il voulait prendre place. Comme telles il les supportait et les évaluait avec la même satisfaction un peu sombre que lui inspiraient la laideur du mobilier, les discours de Julie, les réjouissances des noces et les obligations rituelles de Don Lattanzi.

Cette fois, pourtant, Mme Ginami ne paraissait pas attendrie, mais indignée. Elle agitait un papier dans sa main et dit après avoir embrassé Marcel qui s'était levé : — Une lettre anonyme !... mais avant toute chose, passons à côté... le déjeuner est prêt...

— Une lettre anonyme ? — s'écria Julie en se précipitant derrière sa mère.

Marcel entra à son tour dans la salle à manger en cherchant à cacher son visage dans son mouchoir. L'annonce de la lettre anonyme l'avait bouleversé et il ne voulait pas le laisser voir aux deux femmes. Il avait aussitôt pensé : « Quelqu'un a écrit au sujet de Lino... » À cette pensée, le sang avait quitté ses joues, le souffle lui avait manqué, un saisissement, un sentiment de honte et de peur, l'avait assailli, inexplicable, inattendu, foudroyant, jamais ressenti depuis le début de son adolescence, alors que le souvenir de Lino le brûlait encore. Cela avait été plus fort que lui ; et toute sa maîtrise de lui-même avait été submergée en un instant, comme est emporté par une foule prise de panique le mince cordon de police qui devrait la contenir. Il se mordit les lèvres jusqu'au sang tandis qu'il s'approchait de la table. Donc, il s'était trompé lorsqu'en recherchant la nouvelle du crime, à la bibliothèque, il s'était convaincu que l'ancienne blessure était entièrement cicatrisée ; non seulement elle ne l'était pas, mais elle était encore plus profonde qu'il ne l'avait cru. Par bonheur, sa place, à table, était à contre-jour, le dos à la fenêtre. Silencieux, rigide, il s'assit au bout de la table entre Julie, à sa droite, et sa mère, à gauche.

La lettre anonyme reposait sur la nappe, près de l'assiette de Mme Ginami. Entre-temps, la petite bonne était entrée, portant des deux mains un abondant plat de pâtes. Marcel enfonça la fourchette du plat dans la masse rose et onctueuse et déposa sur son assiette une petite quantité de spaghetti. Aussitôt, les deux femmes protestèrent : — C'est trop peu... tu ne manges rien... prends-en encore. — Mme Ginami ajouta : — Quand on travaille, il faut se nourrir ; — et Julie, impulsivement, prit d'autres spaghetti dans le plat et les mit dans l'assiette de son fiancé. — Je n'ai pas faim — dit Marcel d'une voix qui lui parut absurdement éteinte et angoissée. — L'appétit vient en mangeant — répondit Julie sentencieusement, en se servant elle-même. La bonne sortit en emportant le plat presque vide et la mère se hâta de dire : — Je ne voulais pas vous montrer cette lettre... je pensais que cela n'en valait pas la peine... tout de même, quel monde que celui où nous vivons !

Marcel ne dit rien, baissa son visage sur son assiette et se mit à manger ses spaghetti. Son esprit avait beau lui démontrer qu'il était impossible que cette lettre concernât l'histoire de Lino, ses craintes étaient incoercibles, plus fortes que tout raisonnement.

— Mais, à la fin, pouvons-nous savoir ce qu'on t'écrit ? — demanda Julie.

— Avant tout — répondit la mère, — je tiens à dire à Marcel qu'en ce qui me concerne, même si cette lettre contenait mille choses pires, mon affection pour lui demeurerait immuable... Vous êtes un fils pour moi, Marcel, et l'amour d'une mère pour un fils ne peut être touché par aucune insinuation... — Ses yeux se remplirent de larmes ; elle répéta : — un vrai fils ! — puis, s'emparant de la main de Marcel, elle la porta à son cœur en ajoutant : — Cher Marcel...

Ne sachant que faire ni que dire, ce dernier resta immobile et muet, attendant la fin de ces effusions. Mme Ginami le regarda avec des yeux attendris : — Il faut pardonner à une vieille femme comme moi, Marcel.

— Quelle absurdité, maman, tu n'es pas vieille — dit Julie, trop habituée aux sensibleries maternelles pour leur accorder quelque valeur ou s'en étonner.

— Si, si, je suis vieille, je n'ai plus que quelques années à vivre — répondit la mère. Cette mort prochaine était un de ses arguments préférés par lesquels elle s'émouvait elle-même et pensait émouvoir les autres. — Je ne tarderai pas à mourir et c'est pourquoi je suis si, si heureuse de laisser ma fille à un homme aussi bon que vous, Marcel.

Marcel, contraint de garder sa main contre le cœur de sa future belle-mère, se trouvait de ce fait dans une position incommode, le bras tendu au-dessus de ses spaghetti, et il ne put réprimer un léger mouvement d'impatience. Mme Ginami s'en aperçut, mais crut à une protestation en face d'éloges exagérés. — Si... — appuya-t-elle, — si, vous êtes bon... tellement bon... quelquefois je le dis à Julie : tu as de la chance d'avoir trouvé un homme aussi bon... je sais bien, Marcel, que la bonté n'est plus à la mode aujourd'hui... mais laissez-le dire à une femme qui a bien des années de plus que vous : seule la bonté compte dans le monde... et, par bonheur, vous êtes bon, si, si bon !

Marcel fronça les sourcils sans répondre. — Mais laisse-le manger, le pauvre — s'écria Julie, — ne vois-tu pas que tu lui fais tremper sa manche dans la sauce !

Mme Ginami laissa la main de Marcel et dit en prenant la lettre : — C'est une lettre tapée à la machine... timbrée de Rome... je ne serais pas étonnée, Marcel, qu'elle provînt d'un de vos collègues de bureau...

— Mais, maman, peut-on savoir une fois pour toutes ce qu'elle dit ?

— La voici — dit la mère en tendant la lettre à sa fille, — lis-la, mais pas à haute voix... ce sont de vilaines choses que je n'aime pas entendre... quand tu l'auras lue, tu la passeras à Marcel.

Non sans anxiété, Marcel vit sa fiancée lire la lettre. Puis, avec une moue de mépris, Julie prononça : — Quelle saleté ! — et la lui tendit. La lettre, tapée sur du papier de format commercial, ne contenait que quelques lignes dactylographiées, d'une encre très pâle, sans doute à cause d'un ruban usé. — Madame, en permettant à votre fille d'épouser M. Clerici, vous commettez plus qu'une erreur, vous commettez un crime. Le père de M. Clerici est enfermé depuis des années dans un asile d'aliénés, étant atteint d'une folie d'origine syphilitique. Vous n'ignorez pas que cette maladie est héréditaire. Vous êtes encore à temps : empêchez ce mariage. Un ami.

« C'est donc tout cela ! » pensa Marcel, presque déçu. Il crut comprendre que sa déception était plus forte que son soulagement ; comme s'il avait espéré qu'on apprît la tragédie de son enfance, afin d'être libéré en partie de ce fardeau. Toutefois une phrase le frappait : « Vous n'ignorez pas que cette maladie est héréditaire. » Il savait fort bien que la syphilis n'était pas à l'origine de la maladie de son père et qu'il ne courait pas le danger de devenir fou comme lui. Et cependant cette phrase, dans sa malignité menaçante, lui parut faire allusion à une autre folie pouvant bien, celle-ci, être héréditaire. Cette pensée, aussitôt refrénée, ne fit qu'effleurer son esprit. Puis il restitua la lettre à la mère de Julie en disant tranquillement : — Rien de cela n'est vrai.

— Mais je sais bien qu'il n'y a rien de vrai — répondit la brave femme, presque offensée. Elle ajouta au bout d'un instant : — Je sais aussi que ma fille épouse un homme bon, intelligent, honnête, sérieux et... beau garçon — conclut-elle avec une espèce de coquetterie.

— Surtout, un beau garçon ; tu peux le dire bien fort — affirma Julie, — et c'est pour cette raison que celui qui a écrit cette lettre insinue qu'il est taré... en le voyant aussi beau, il crève de jalousie... le crétin !

« Que diraient-elles » ne put s'empêcher de penser Marcel, « si elles savaient qu'à treize ans j'ai failli avoir des rapports sexuels avec un homme et que je l'ai tué. » Il s'aperçut qu'une fois passée la crainte éveillée par la lettre, son habituelle apathie mélancolique et raisonneuse était revenue. « Probablement », pensa-t-il encore en regardant sa fiancée et Mme Ginami, « cela ne leur ferait ni chaud ni froid... les gens normaux ont "la peau dure" » ; et il comprit qu'une fois de plus il enviait aux deux femmes cette « peau dure ».

Il dit précipitamment : — Je dois justement aujourd'hui rendre visite à mon père.

— Tu y vas avec ta mère ?

— Oui.

Les pâtes étaient finies ; la petite bonne changea les assiettes et déposa sur la table un plat de viande garnie de légumes. Dès qu'elle fut sortie, la mère reprit la lettre et l'examinant : — Je voudrais bien savoir qui a écrit cela.

— Maman — dit tout à coup Julie avec un sérieux inhabituel et tendu, — donne-moi cette lettre.

Elle prit l'enveloppe, la regarda avec attention, puis en sortit la feuille de papier, la scruta en fronçant les sourcils et finalement s'écria d'une voix aiguë et indignée : — Je sais qui a écrit cette lettre... il ne peut y avoir de doutes... ah ! il est infâme !

— Mais, qui est-ce ?

— Un malheureux — répondit Julie en baissant les yeux.

Marcel ne dit rien. Julie travaillait comme secrétaire chez un avocat, la lettre avait probablement été écrite par un de ses nombreux collègues, pensa-t-il. — Quelque envieux, certainement — dit la mère, — Marcel a, à trente ans, une position que lui envieraient beaucoup d'hommes faits.

Pour la forme, mais sans curiosité, Marcel demanda à sa fiancée : — Si tu sais le nom de celui qui a écrit cette lettre, pourquoi ne le dis-tu pas ?

— Je ne peux pas — répondit-elle plus pensive maintenant qu'indignée, — mais je te l'ai dit : c'est un malheureux ! — Elle rendit la lettre à sa mère puis se servit du plat que lui tendait la petite bonne. La mère reprit sur un ton d'incrédulité sincère : — Je ne puis croire qu'il y ait quelqu'un d'assez méchant pour pouvoir écrire des choses semblables contre un homme comme Marcel.

— Tout le monde ne l'aime pas comme nous deux, maman — dit Julie.

— Mais qui — demanda la mère avec emphase, — qui pourrait ne pas aimer notre Marcel ?

— Sais-tu ce que maman dit de toi ? — demanda Julie qui paraissait avoir retrouvé sa gaieté et sa volubilité coutumières, — elle dit que tu n'es pas un homme, mais un ange... un de ces jours, bien sûr, au lieu d'entrer chez nous par la porte... tu entreras par la fenêtre, grâce à tes ailes. — Elle étouffa un éclat de rire et ajouta : — Quand tu vas aller te confesser, cela fera plaisir au prêtre de savoir que tu es un ange... ce n'est pas tous les jours qu'on entend la confession d'un ange !

— La voilà qui se paie ma tête, comme d'habitude — dit la mère, — mais je n'exagère absolument pas... Pour moi, Marcel est un ange. — Elle regarda son futur gendre avec une tendresse onctueuse, intense, et ses yeux s'emplirent aussitôt de larmes. Après quelques secondes, elle ajouta : — Je n'ai connu dans ma vie qu'un homme aussi bon que Marcel... et c'était ton père, Julie.

Elle se leva brusquement et sortit.

— Pense donc, il y a déjà six ans... — dit Julie en regardant la porte, — et c'est encore comme le premier jour...

Marcel garda le silence. Il avait allumé une cigarette et fumait, le front baissé. Julie lui prit la main : — À quoi penses-tu ? — demanda-t-elle sur un ton presque suppliant.

Elle lui demandait souvent ce qu'il pensait, curieuse et parfois alarmée de l'expression grave et fermée de son visage. Marcel répondit : — Je pensais à ta mère... ses éloges me gênent... elle ne me connaît pas assez pour me juger...

Julie lui serra la main : — Ce n'est pas par compliment, tu sais... même quand tu n'es pas là, elle me dit souvent : comme Marcel est bon !

— Mais comment peut-elle le savoir ?

— Ce sont des choses qui se voient. — Julie se leva et vint se mettre debout à côté de son fiancé, pressant sa hanche ronde contre l'épaule de Marcel et lui passant la main dans les cheveux : — Pourquoi poses-tu cette question ? Tu ne voudrais pas qu'on pense que tu es bon ?

— Je ne dis pas cela — répondit Marcel, — je dis que ce n'est peut-être pas vrai...

Elle secoua la tête : — Ton défaut, vois-tu, c'est d'être trop modeste... Je ne suis pas comme maman qui voit le bien partout... pour moi, il y a les bons et les mauvais... eh bien ! à mon avis, tu es l'un des êtres les meilleurs que j'aie rencontrés... et je ne le dis pas parce que nous sommes fiancés et que je t'aime, mais parce que c'est la vérité.

— Et en quoi consiste ma bonté ?

— Je te l'ai dit : ce sont des choses qui se voient... pourquoi dit-on qu'une femme est belle ? Parce que cela se voit... ainsi voit-on que tu es bon.

— C'est possible — dit Marcel en baissant la tête. Le jugement des deux femmes à son égard n'était pas nouveau pour lui, mais le déconcertait toujours profondément. En quoi consistait la bonté qu'elles lui prêtaient ? Et puis était-il vraiment bon ? Ou Julie et sa mère n'appelaientelles bonté chez lui que ce qu'il avait précisément d'anormal, son détachement, son absence de la vie commune ? Les hommes normaux ne sont pas bons, pensa-t-il, car, consciemment ou non, il leur faut payer cher leur conformisme, par des complicités de tout genre, et toutes négatives, d'insensibilité, de stupidité, de lâcheté, quand ce n'est pas de crime.

Il fut tiré de ses réflexions par la voix de Julie qui disait :

— Sais-tu que ma robe est arrivée... je vais te la montrer... attends-moi ici...

Elle sortit en coup de vent et Marcel, quittant la table, s'en alla ouvrir la fenêtre. La pièce donnait sur la rue, ou plutôt, comme l'appartement était au dernier étage, sur la corniche très saillante de l'immeuble, qui empêchait de rien voir en dessous. Mais, au-delà, on apercevait l'étage supérieur de la maison d'en face : une rangée de fenêtres aux volets ouverts, à travers lesquelles on pouvait distinguer l'intérieur des pièces. C'était un appartement tout à fait analogue à celui des Ginami : une chambre à coucher dont les lits paraissaient encore défaits ; un « bon » salon avec les habituels meubles sombres, d'un faux style ; une salle à manger où, en ce moment, on apercevait trois personnes assises, deux hommes et une femme. Ces pièces d'en face n'étaient pas éloignées, la rue étant étroite, aussi Marcel pouvait-il voir distinctement les trois commensaux de la salle à manger : un homme âgé, gros et court, avec une grande chevelure blanche ; un homme plus jeune, maigre et brun ; et une femme blonde, mûre, plutôt opulente. Ils mangeaient tranquillement, sur une table semblable à celle où lui-même venait de s'asseoir, sous un lustre peu différent de celui de la pièce où il se trouvait. Cependant, quoiqu'il les vît de si près qu'il avait l'illusion de pouvoir entendre leurs paroles, ils lui semblaient infiniment lointains, peut-être à cause de l'impression d'abîme que donnait la saillie de la corniche. Dans l'esprit de Marcel, une comparaison s'établit entre ces gens d'en face et le conformisme auquel il aspirait : il les voyait ; il aurait pu, en haussant à peine la voix, parler aux trois commensaux, et pourtant il était en dehors d'eux, non seulement matériellement, mais moralement. Pour Julie, au contraire, cet éloignement et cette extranéité n'existaient pas, étaient un fait purement physique. Elle habitait cet appartement, y avait toujours vécu, et si son fiancé le lui avait demandé, elle lui aurait aussitôt donné avec indifférence toutes les informations qu'elle possédait sur les gens d'en face, comme elle l'avait fait pour les personnes invitées à son mariage. Indifférence plus proche de la distraction que de l'accoutumance. En réalité, elle ne donnait aucun nom au normal, parce qu'elle en faisait elle-même partie jusqu'à la racine de ses cheveux. De même peut-on penser que, s'ils parlaient, les animaux ne donneraient aucun nom à la nature à laquelle ils appartiennent intégralement. Mais lui, il était en dehors, et le normal, pour lui, s'appelait justement le « normal » parce qu'il en était exclu et que, par opposition, il se sentait davantage anormal. Pour être pareil à Julie, il fallait être né ainsi, ou alors...

Derrière lui la porte s'ouvrit et il se retourna. Julie était devant ses yeux, en robe de mariée de soie blanche, tenant des deux mains, pour le faire admirer, l'immense voile qui enveloppait sa tête et toute sa personne. Elle dit, exultante :
— N'est-ce pas joli ?... Regarde... — et toujours tenant son voile entre ses mains, elle tourna entre la fenêtre et la table pour que son fiancé pût admirer la belle robe sur toutes ses coutures. C'était une robe de mariée semblable à toutes les robes de mariées, pensa Marcel ; mais il lui plut que Julie s'en contentât comme s'en seraient contentées des milliers et des milliers d'autres femmes. Les formes rondes et épanouies de Julie étaient assez gauchement mises en évidence par la blanche soie brillante. Elle s'approcha tout à coup

de Marcel et lui dit, laissant retomber son voile et lui tendant son visage : — Embrasse-moi... mais sans me toucher, pour ne pas froisser ma robe. — À ce moment Julie tournait le dos à la fenêtre que regardait Marcel. Comme il se penchait pour effleurer de ses lèvres les lèvres de Julie, il vit, dans la salle à manger d'en face, l'homme aux cheveux blancs se lever et quitter la pièce et aussitôt, presque automatiquement, les deux autres se lever ensemble de table et s'embrasser debout l'un contre l'autre. Ce spectacle lui fit plaisir ; après tout il agissait lui-même comme ceux dont il s'était senti séparé par une incalculable distance. Au même moment, Julie eut une exclamation impatiente : — Au diable, cette robe ! — et, sans se détacher de Marcel, d'une main, elle rapprocha les deux volets. Puis dans un puissant élan de tout son corps, elle jeta ses bras autour du cou de son fiancé. Ils s'embrassèrent dans la pénombre, gênés par le voile. Et tandis que la jeune fille l'étreignait convulsivement, soupirait et l'embrassait, Marcel pensait qu'elle agissait en toute innocence sans entrevoir de contradiction entre cet embrassement et sa robe nuptiale. Une preuve de plus qu'aux personnes normales il était permis de prendre les plus grandes libertés avec la règle. Finalement, à bout de souffle, ils se séparèrent et Julie murmura : — Ne soyons pas impatients... encore quelques jours et tu pourras m'embrasser même en pleine rue.

— Il faut que je m'en aille — dit-il en s'essuyant les lèvres avec son mouchoir.

— Je t'accompagne.

Ils sortirent à tâtons de la salle à manger et passèrent dans le vestibule. — Nous nous verrons ce soir, après dîner — dit Julie. Attendrie, troublée, elle le regardait du seuil en s'appuyant au chambranle. Dans l'étreinte, son voile s'était déplacé sur sa tête et pendait en désordre de côté. Marcel s'approcha d'elle et remit doucement le voile en place. — Comme cela, c'est bien — fit-il. À ce moment, on entendit un bruit de voix sur le palier de l'étage en dessous. Julie, confuse, fit un pas en arrière, lui envoya un baiser du bout des doigts et referma rapidement la porte.

# III

L'idée de la confession préoccupait Marcel. Il n'était pas religieux quant à la pratique formelle des rites ; il n'était pas même sûr d'être naturellement enclin au sentiment religieux. Cependant, il aurait volontiers envisagé la confession requise par Don Lattanzi comme un de ces actes conventionnels auxquels il devait se soumettre pour s'ancrer définitivement dans le conformisme, si cette confession n'avait impliqué la révélation de deux choses que, pour des raisons différentes, il jugeait justement inavouables : la tragédie de son enfance et sa mission à Paris. Obscurément il sentait qu'un lien subtil unissait ces deux choses ; mais il n'aurait su dire clairement en quoi consistait ce lien. D'autre part, il se rendait compte que dans son désir de se soumettre à une norme quelconque, il n'avait pas choisi celle de la religion chrétienne qui défend de tuer, mais bien une autre, toute différente, politique celle-là et de fondation récente, à laquelle le sang ne répugnait pas.

En somme, il ne reconnaissait pas au christianisme,

représenté par l'Église et ses centaines de papes, ses innombrables temples, ses saints et ses martyrs, le pouvoir de le rendre à cette communauté humaine dont le meurtre de Lino l'avait exclu. Ce pouvoir, il l'accordait implicitement, au contraire, au gros ministre trapu, à la bouche fardée de rouge, à son cynique secrétaire, à ses supérieurs du Service secret. Tout ceci dans l'esprit de Marcel était plus vague intuition que raisonnement. Et sa mélancolie s'en trouvait accrue, comme lorsque, en face d'issues toutes fermées, on ne voit plus qu'une seule voie possible et que cette voie vous est contraire.

Mais il lui fallait se décider, pensa-t-il en montant sur le tram qui menait à Sainte-Marie Majeure, il fallait choisir : ou faire une confession complète, suivant les prescriptions de l'Église, ou se borner à une confession partielle, purement formelle, pour faire plaisir à Julie. Bien qu'il ne fût ni pratiquant ni croyant, il inclinait à la première solution ; comme s'il espérait, par cette confession, sinon changer son propre destin, du moins s'affirmer une fois de plus. Durant le trajet en tram, il débattait ce problème avec son habituelle gravité, un peu éteinte et conventionnelle.

En ce qui concernait Lino, il se sentait à peu près tranquille : il saurait raconter le fait comme il était réellement arrivé et le prêtre, après l'examen et les recommandations d'usage, ne pourrait que l'absoudre. Mais pour la mission qui, il le savait, comportait la tromperie, la trahison et peut-être aussi, en dernière instance, la mort d'un homme, il sentait bien que la question était toute différente. L'important en ce qui touchait cette mission, n'était pas tant de la voir approuver que d'en parler. Il n'était pas certain de pouvoir le faire, car, en parler signifierait abandonner une norme pour une autre, soumettre au jugement chrétien quelque chose que jusqu'ici il avait considéré comme tout à fait indépendant ; manquer à un implicite engagement de silence et de secret, mettre enfin en cause tout l'édifice péniblement échafaudé de son intégration dans le normal ? L'épreuve valait la peine d'être tentée, ne serait-ce que pour se convaincre une fois de plus et définitivement de la solidité de cet édifice.

Il s'aperçut toutefois qu'il considérait ces alternatives sans grande émotion, d'une âme froide et insensible de spectateur, comme si, en réalité, il avait déjà fait son choix et qu'il escomptât déjà par avance tout ce qui devait arriver dans l'avenir. Il était si peu déchiré par le doute qu'en entrant dans la vaste église emplie d'ombre, de silence et de fraîcheur reposants après la lumière, le tapage et la chaleur de la rue, il oublia presque sa confession et se mit à arpenter les dalles désertes, d'une nef à l'autre, en touriste qui a le temps. Il avait toujours aimé les églises ; elles lui paraissaient être des îlots de stabilité dans un monde flottant ; des édifices où jadis s'était exprimé de façon splendide et puissante ce qu'il cherchait précisément aujourd'hui : un ordre, une norme, une règle. Il lui arrivait assez souvent d'entrer dans l'une de ces églises, si nombreuses à Rome, et de s'asseoir sur un banc, sans prier, contemplant cette chose avec laquelle, dans des circonstances différentes, il aurait pu s'accorder. Ce qui le séduisait dans les églises n'était pas la solution qu'elles proposaient et qu'il ne pouvait accepter, mais bien un résultat qu'il était obligé d'apprécier et d'admirer. Il les aimait toutes ; plus elles étaient imposantes, magnifiques, profanes, pour tout dire, plus elles lui plaisaient. Celles dans lesquelles la religion s'extériorisait en une majesté et une ordonnance tout officielles et mondaines lui paraissaient marquer le passage entre une foi religieuse naïve et une société désormais évoluée, mais qui n'aurait pu exister sans cette lointaine croyance.

À cette heure, l'église était déserte, Marcel s'approcha de l'immense confessionnal, tout en bois sombre sculpté, et eut le temps d'entrevoir le prêtre qui y était assis, fermer le petit rideau pour se dérober aux regards ; mais il ne vit pas son visage. D'un geste habituel, avant de s'agenouiller, il tira son pantalon au-dessus du genou pour ne pas le froisser ; puis dit à voix basse : — Je désirerais me confesser.

De l'autre côté, la voix du prêtre assourdie mais franche et expéditive répondit qu'il pouvait s'exécuter. C'était une grosse voix cadencée de basse profonde, d'homme mûr, avec un fort accent méridional. Malgré lui, Marcel évoqua une figure de moine à la face noircie de barbe, aux sourcils épais, au gros nez, aux oreilles et aux narines poilues. Un homme, pensa-t-il, fait de la même matière lourde et massive que le confessionnal, sans doutes et sans subtilités. Comme il l'avait prévu, le prêtre lui demanda depuis combien de temps il s'était confessé, et il répondit que cela remontait à son enfance et qu'il se décidait maintenant parce qu'il allait se marier. Après un instant de silence, la voix du prêtre dit, derrière le grillage, d'un ton un peu indifférent : — Votre conduite est blâmable, mon fils... quel âge avez-vous ? — Trente ans — dit Marcel.

— Vous avez vécu trente ans dans le péché — dit le prêtre sur le ton d'un comptable annonçant le passif d'un bilan. Il reprit : — Vous avez vécu trente ans comme une bête et non comme une créature humaine. — Marcel se mordit les lèvres. L'autorité du confesseur exprimant avec cette promptitude et cette familiarité un jugement sur son cas avant de le connaître dans les détails lui parut inacceptable et irritante. Non que le prêtre, probablement un brave homme qui s'acquittait scrupuleusement de son office, lui déplût, pas plus que le lieu ni le rite. Mais alors qu'au ministère, où tout lui avait déplu, l'autorité lui avait semblé évidente et incontestable, ici, il éprouvait un désir instinctif de se rebeller. Il dit cependant avec effort : — J'ai commis tous les péchés... même les plus graves.

— Tous ?

Il pensa : maintenant je vais dire que j'ai tué et je vais voir l'effet que cela me fera de le dire. Il eut une hésitation, puis d'un léger effort parvint à prononcer d'une voix claire et ferme : — Oui, tous... j'ai même tué.

Le prêtre eut une exclamation ; puis avec vivacité, mais sans indignation ni surprise : — Vous avez tué et n'avez pas senti le besoin de vous confesser.

Marcel pensa que ces paroles étaient exactement celles qu'il attendait du prêtre ; aucune horreur, aucun étonnement, seulement un mépris professionnel parce qu'un péché aussi grave n'avait pas été confessé à temps. Et il en fut reconnaissant au prêtre, comme il l'aurait été à un commissaire de police qui, en face du même aveu, se fût hâté, sans se perdre en commentaires, de le déclarer en état d'arrestation. Chacun, pensa-t-il, doit jouer son rôle et c'est grâce à cela que le monde peut durer. Cependant, une fois encore il s'apercevait qu'en révélant sa propre tragédie, il n'éprouvait aucun sentiment particulier. Et il s'étonna de cette indifférence qui contrastait avec le trouble profond ressenti un peu auparavant à l'annonce de la lettre anonyme. Il dit d'une voix calme : — J'ai tué quand j'avais treize ans... pour me défendre... et presque sans le vouloir.

— Racontez comment cela s'est passé.

Il modifia un peu la position de ses genoux endoloris puis poursuivit : — Un matin à la sortie du lycée, un homme m'accosta sous un prétexte quelconque... j'avais alors un grand désir de posséder un revolver... pas un jouet, un véritable revolver... il promit de m'en donner un et grâce à cette promesse obtint de me faire monter dans sa voiture... Il était le chauffeur d'une dame étrangère et avait tout le jour l'auto à sa disposition, sa patronne étant en voyage... j'ignorais alors tout de la vie et quand il me fit certaines propositions je ne compris même pas de quoi il s'agissait.

— Quelles propositions ?

— D'amour — dit Marcel sèchement ; — je ne savais pas ce qu'était l'amour, pas plus l'amour normal que l'amour anormal... je montais donc dans l'auto et il m'emmena dans la villa de sa patronne.

— Et là que se passa-t-il ?

— Rien ou presque rien... après une vague tentative, il fut pris de remords et me fit promettre de ne plus l'écouter, à partir de ce moment, même s'il m'invitait de nouveau à monter dans sa voiture.

— Que voulez-vous dire avec « presque rien » ?... Il vous embrassa ?

— Non — dit Marcel un peu surpris, — il me prit seulement par la taille, un instant, dans le corridor.

— Continuez...

— Il avait bien pensé, cependant, qu'il n'aurait pas la force de m'oublier... et, en effet, le jour suivant il m'attendit de nouveau à la sortie du lycée... il renouvela sa promesse du revolver et, comme j'avais un vif désir de l'objet, j'acceptais de monter dans sa voiture après m'être fait un peu prier.

— Et où vous conduisit-il ?

— Comme l'autre fois, à la villa, dans sa chambre.

— Et alors, comment se comporta-t-il ?

— Il était tout changé, — dit Marcel, — il semblait hors de lui... il me déclara qu'il ne me donnerait pas le revolver et que, de gré ou de force, je serais obligé de faire ce qu'il voulait... En parlant ainsi il tenait le revolver à la main... puis il me prit par le bras et me jeta sur le lit de telle façon que ma tête frappa contre le mur... le revolver était tombé sur le lit et lui s'était mis à genoux contre moi, m'étreignant les jambes... je pris le revolver, me levai, fis quelques pas en arrière et alors il me cria en ouvrant les bras — tue-moi, tue-moi comme un chien... — je tirai et il tomba sur le lit...

je m'enfuis et ne sus plus rien... tout ceci arriva il y a bien des années... ces jours-ci je suis allé me renseigner dans les journaux de cette époque et j'ai découvert que l'homme était mort, le soir même, à l'hôpital.

Marcel avait fait son récit sans hâte, cherchant soigneusement ses mots et les prononçant avec précision. Tandis qu'il parlait il s'apercevait qu'il était insensible, comme toujours ; rien en dehors de cette impression de tristesse glacée et distante qui lui était habituelle quoi qu'il fît ou dît. Le prêtre demanda sans ajouter aucun commentaire au récit :

— Êtes-vous sûr d'avoir dit toute la vérité ?

— Oui certainement — répondit Marcel surpris.

— Vous savez — poursuivit le prêtre avec une véhémence soudaine, — que si vous taisez ou déformez la vérité ou une partie de la vérité, votre confession n'est pas valable et qu'en outre vous commettez un grave sacrilège... qu'arriva-t-il réellement entre vous et cet homme, la seconde fois ?

— Mais... ce que je vous ai dit.

— N'y eut-il entre vous aucun rapport charnel ? N'usa-t-il pas de violence ?

Ainsi, ne put s'empêcher de penser Marcel, le meurtre était moins important que le péché de sodomie. Il affirma :

— Il n'y eut pas autre chose que ce que j'ai dit.

— On dirait — continua le prêtre inflexible, — que vous avez tué cet homme pour vous venger de quelque chose qu'il vous avait fait...

— Il ne m'avait absolument rien fait.

Il y eut un bref silence dans lequel Marcel crut sentir une incrédulité mal dissimulée. — Et ensuite — demanda brusquement le prêtre d'une façon tout à fait inattendue : — Vous n'avez jamais eu de rapports avec des hommes ?

— Non... ma vie sexuelle a été et est toujours parfaitement normale.

— Qu'entendez-vous par vie sexuelle normale ?

— Je suis un homme, semblable sur ce point à tous les autres. J'ai pour la première fois connu la femme à dix-sept ans, dans une maison de tolérance... et par la suite je n'ai jamais eu de rapports qu'avec des femmes.

— Et vous appelez cela une vie sexuelle normale ?

— Oui, pourquoi ?

— Mais cette vie aussi est anormale... — dit le prêtre sur un ton de triomphe, — c'est aussi un péché... ne vous l'a-t-on jamais dit, mon pauvre enfant ?... Ce qui est normal, c'est de se marier et d'avoir des rapports avec sa propre femme en vue de la procréation.

— C'est précisément ce que je vais faire — dit Marcel.

— C'est bien, mais cela ne suffit pas... vous ne pouvez vous approcher de l'autel avec des mains souillées de sang.

« Enfin ! » s'exclama mentalement Marcel qui, un moment, avait presque cru que le prêtre oubliait l'objet principal de sa confession. Il dit le plus humblement qu'il put : — Que dois-je faire ?

— Vous repentir — dit le prêtre, — ce n'est que par un repentir sincère et profond que vous pouvez expier le mal que vous avez commis.

— Je me suis repenti — dit Marcel d'un ton réfléchi, — si se repentir signifie désirer vivement n'avoir jamais fait certaines choses, oui certainement, je me suis repenti. — Il aurait voulu ajouter : — Mais ce remords n'a pas suffi... ne pouvait me suffire... — Pourtant il se retint.

Le prêtre dit précipitamment : — Mon devoir est de vous avertir que, si ce que vous venez de me dire est faux, mon absolution n'a aucune valeur... vous savez ce qui vous attend si vous me trompez ?

— Quoi donc ?

— La damnation.

Le prêtre prononça ces paroles avec une satisfaction particulière. Marcel rechercha dans son imagination ce que lui rappelait ce mot et il ne trouva rien ; pas même la vieille image des flammes de l'enfer. Mais il eut en même temps l'intuition que ce terme avait une signification plus grave encore que celle qu'entendait le prêtre. Et il eut un frisson intérieur comme s'il avait compris qu'il y avait une damnation, malgré le repentir, et qu'il n'était pas au pouvoir du prêtre de l'en libérer.

— Je me suis vraiment repenti — répéta-t-il avec amertume.

— Vous n'avez rien d'autre à me dire ?

Avant de répondre, Marcel se tut un instant. Le moment était donc arrivé de parler de sa mission, laquelle comportait, à sa connaissance, des actes condamnables et même déjà condamnés d'avance par les principes chrétiens. Ce moment il l'avait prévu et avec raison il avait attribué la plus grande importance au fait de savoir s'il serait capable ou non de révéler sa mission. Comme il allait desserrer les lèvres pour parler, il s'aperçut avec la sensation calme et résignée d'une découverte pressentie, qu'il était en proie à une insurmontable répugnance. Ce n'était pas dégoût moral, ni honte, ni en somme aucun sentiment de culpabilité, mais quelque chose de très différent qui n'avait rien à voir avec la faute. Comme une inhibition absolue, provoquée par une complicité et une fidélité profonde. Il ne devait pas parler de la mission, c'était tout ; ce lui était intimé par cette même conscience qui était demeurée muette et insensible quand il avait dit au prêtre : j'ai tué. Pris d'une dernière hésitation, il tenta une fois encore de parler, mais avec l'automatisme d'une serrure qui joue lorsqu'on en tourne la clé, il sentit cette répugnance lui paralyser la langue, le rendre muet.

Ainsi, de nouveau et avec une évidence accrue, lui était affirmée la force de l'autorité représentée là-bas au ministère, par le peu estimable ministre et son non moins méprisable secrétaire. Autorité mystérieuse comme toutes les autorités, qui enfonçait ses racines au plus profond de son âme alors que l'Église, au pouvoir apparemment plus autorisé, n'atteignait que la surface de son être. Il dit, manquant de franchise pour la première fois : — Dois-je révéler à ma fiancée, avant notre mariage, tout ce que je viens de vous raconter ?

— Vous ne lui en avez jamais parlé ?

— Non ce serait la première fois.

— Je n'en vois pas la nécessité — dit le prêtre, — vous la troubleriez inutilement et mettriez en danger la paix de votre foyer.

— Vous avez raison — dit Marcel.

Il y eut un nouveau silence. Puis le prêtre dit sur un ton décisif comme si sa question était la dernière : — Dites-moi, mon fils, avez-vous jamais fait partie ou faites-vous partie de quelque groupement ou secte subversive ?

Marcel, qui ne s'y attendait pas, resta sans voix, déconcerté. Évidemment, pensa-t-il, le prêtre posait cette question par ordre supérieur, pour s'informer des tendances politiques de ses fidèles. La question était cependant significative. Alors que Marcel s'approchait des sacrements par pure forme, comme aux cérémonies extérieures d'une société dont il voulait faire partie, le prêtre lui demandait justement de ne pas s'élever contre cette société. Plutôt ceci que de ne pas s'élever contre soi-même. Il aurait voulu répondre : « Non, je fais partie d'une organisation qui fait la chasse aux extrémistes. » Mais il réprima cette tentation de faire de l'humour et dit simplement : — À la vérité, je suis fonctionnaire de l'État.

La réponse dut satisfaire le prêtre car, après une légère pause, il reprit paisiblement : — Maintenant, vous allez me promettre de prier, mais non pas pendant quelques jours, quelques mois ou quelques années... toute votre vie... prier pour votre âme et celle de cet homme... et vous ferez prier votre femme et vos enfants... si vous en avez... seule la prière peut attirer la bénédiction de Dieu sur vous et vous obtenir Sa miséricorde... vous avez compris ?... Et maintenant, recueillez-vous et priez avec moi...

Marcel inclina machinalement son visage et entendit, de l'autre côté du grillage la voix basse et précipitée du prêtre qui récitait une prière en latin. Puis, haussant le ton, et toujours en latin, le prêtre prononça la formule de l'absolution et Marcel se leva.

Comme il passait devant le confessionnal, le petit rideau se leva et le prêtre lui fit signe de s'arrêter. Il était étonnamment semblable à l'image que Marcel s'était faite de lui : un peu gras, chauve, avec un grand front arrondi, d'épais sourcils, des yeux bruns, ronds, graves sans être intelligents, une bouche charnue aux lèvres tuméfiées. Un curé de campagne, pensa Marcel, un frère quêteur. En silence le prêtre lui tendait une brochure dont la couverture était ornée d'une image en couleurs : la vie de saint Ignace de Loyola, à l'usage de la jeunesse catholique. — Merci — dit Marcel jetant un coup d'œil sur la brochure. Le prêtre fit signe qu'il n'y avait pas de quoi et rabaissa le rideau. Marcel se dirigea vers le grand portail. Mais sur le point de sortir, il embrassa du regard toute l'église avec sa double rangée de colonnes, sa voûte à caissons, son dallage désert, son autel, et il lui sembla dire adieu pour toujours à l'image antique et survivante d'un monde selon ses rêves mais qu'il savait incompatible avec l'actuelle réalité. Puis il souleva la tenture matelassée de l'entrée et sortit dans l'éclatante lumière du ciel sans nuages, en face de la place encombrée de trams au bruit de ferraille, banalement entourée d'immeubles anonymes et de boutiques de tous genres.

# IV

En descendant de l'autobus, dans le quartier où habitait sa mère, Marcel s'aperçut immédiatement qu'un homme le suivait à distance. Tout en marchant sans hâte sur la route déserte, le long des jardinets clos de murs, il le regarda à la dérobée. C'était un homme d'une stature moyenne, assez fort, avec un visage carré, un air honnête et plein de bonhomie, mais aussi quelque chose de rusé et de sournois, assez propre aux paysans. Il était vêtu d'un complet léger dont la couleur passée tenait le milieu entre le marron et le violet et portait un chapeau clair, d'un gris faux, relevé devant à la mode paysanne. L'eût-il rencontré dans un village, un jour de marché, Marcel l'aurait pris pour un fermier. L'homme avait voyagé dans le même autobus, était descendu au même arrêt et le suivait maintenant sur le trottoir en face, sans trop se soucier de montrer qu'il réglait son pas sur celui de Marcel et ne le quittait pas des yeux. Mais son regard paraissait incertain ; comme si l'homme n'était pas absolument sûr de l'identité de Marcel et voulait étudier sa physionomie avant de l'aborder.

Ensemble, ils remontèrent ainsi en silence la route en pente, dans la chaleur de ce début d'après-midi. Dans les jardins, derrière les grilles fermées, on ne voyait personne ; personne non plus sur la route, aussi loin qu'allait le regard, sous le dôme vert formé par le feuillage échevelé et retombant des poivriers. Cette solitude et ce silence parurent soudain à Marcel fort propices à une manœuvre inopinée, à une agression ; ce n'était sans doute pas par hasard qu'on le suivait dans pareil lieu, à pareille heure. Brusquement, prenant son parti, il quitta le trottoir et traversa la route pour aller au-devant de l'homme. — C'est sans doute moi que vous cherchez ? — demanda-t-il quand il fut tout proche de celui-ci.

L'autre s'était arrêté et parut embarrassé par la question : — Excusez-moi — dit-il à mi-voix, — je ne vous ai suivi que parce que nous allons tous deux au même endroit... autrement, je ne me serais pas permis... excusez-moi, vous êtes bien monsieur Clerici ?

— Parfaitement — dit Marcel, — et qui êtes-vous ?

— Orlando ; agent en service spécial — dit l'homme ébauchant un salut vaguement militaire, — c'est le colonel Baudino qui m'envoie... il m'avait donné une double adresse : celle de la pension où vous habitez et celle-ci... comme je ne vous ai pas trouvé à la pension, je suis venu vous chercher ici et, par hasard, vous étiez dans le même autobus que moi... il s'agit d'une affaire urgente.

— Venez donc — dit Marcel simplement en se dirigeant vers la villa de sa mère. Il tira la clé de sa poche, ouvrit la grille et invita l'homme à entrer. L'agent obéit en ôtant respectueusement son chapeau et découvrant une tête comme une boule avec de rares cheveux noirs et juste au milieu du crâne une plaque de calvitie blanche et ronde comme une tonsure. Marcel le précéda dans l'allée et alla vers le fond du jardin où, sous une pergola, se trouvaient une table et deux chaises de fer. Tout en marchant devant l'agent, il était frappé une fois de plus par l'aspect négligé et broussailleux du jardin. Le gravier blanc et propre sur lequel, enfant, il s'amusait à courir, avait depuis des années disparu, enterré ou dispersé ; le tracé de l'allée, envahi par la mauvaise herbe, ne se distinguait plus que par les vestiges de deux petites bordures de buis, inégales, interrompues mais encore reconnaissables. Derrière ces bordures les plates-bandes étaient recouvertes de chiendent vigoureux ; les rosiers et autres plantes à fleurs étaient remplacés par des arbustes en désordre mêlés à un inextricable fouillis de ronces. Çà et là, à l'ombre des arbres, on voyait des tas d'immondices : caisses d'emballage défoncées, bouteilles brisées et autres objets hétéroclites qui sont d'habitude relégués au grenier. Choqué, il détourna les yeux en se demandant dans un étonnement désolé : « Pourquoi ne remettent-ils pas tout cela en ordre ? Il faudrait si peu d'effort... pourquoi ? » Plus loin l'allée passait entre la villa et le mur de clôture, ce même mur tapissé de lierre, à travers lequel il communiquait autrefois avec son ami Robert. Il précéda l'agent sous la pergola et s'assit sur un des sièges de fer en l'invitant à s'asseoir à son tour. Mais l'autre demeura respectueusement debout. — Monsieur — dit-il hâtivement, — il s'agit de peu de chose... je suis chargé de vous dire de la part du colonel qu'en allant à Paris il faudra vous arrêter à S. — ici, l'agent nomma une ville toute proche de la frontière, — et demander le signor Gabrio, au numéro trois de la rue des Glycines.

« Un changement de programme », pensa Marcel, sachant qu'il était caractéristique du Service secret de changer ses dispositions au dernier moment, dans le but de multiplier les responsabilités et d'embrouiller les pistes.

— Qu'y a-t-il rue des Glycines ? — demanda-t-il pourtant. — un appartement privé ?

— À dire vrai, non, Monsieur — dit l'agent avec un large sourire de connivence un peu gênée, — c'est une maison de tolérance... la tenancière s'appelle Henriette Parodi... mais vous demanderez le signor Gabrio... comme dans toutes ces maisons c'est ouvert jusqu'à minuit... mais, Monsieur, il vaudrait mieux que vous y alliez le matin de bonne heure... quand il n'y a personne... j'y serai aussi. — L'agent se tut un moment, puis, incapable d'interpréter la physionomie absolument impénétrable de Marcel, il ajouta, l'air embarrassé : — C'est pour plus de sûreté, Monsieur.

Sans mot dire, Marcel leva les yeux sur l'agent et le considéra un instant. Il n'avait plus maintenant qu'à le congédier, mais, sans même savoir pourquoi, peut-être à cause de l'expression honnête et familière du large visage carré, il aurait voulu ajouter quelque phrase non officielle, un mot de sympathie personnelle. À tout hasard, il demanda : — Depuis combien de temps êtes-vous en service, Orlando ?

— Depuis 1925, Monsieur.

— Toujours en Italie ?

— Vous voulez dire presque jamais, Monsieur — répondit l'agent avec un soupir : — Ah ! Monsieur, si je vous disais ce qu'a été mon existence et combien je m'en suis vu... toujours en route : Turquie, France, Allemagne, Kenya, Tunisie... jamais tranquille. — Il se tut, en regardant fixement Marcel, puis avec une emphase que l'on sentait pourtant sincère : — Tout pour la famille et la patrie, monsieur Clerici !

Marcel regarda de nouveau l'agent debout, le chapeau à la main, presque au garde-à-vous ; puis avec un geste d'adieu, il lui dit : — C'est bon, Orlando... dites au colonel que je m'arrêterai à S. comme il le désire.

Demeuré seul, Marcel resta les yeux dans le vide. Il faisait chaud sous la pergola et le soleil, filtrant à travers les feuilles et les branches de la vigne vierge, faisait des taches de lumière éblouissante qui lui brûlaient le visage. La petite table en fer émaillé, jadis blanc, était devenue jaunâtre, zébrée d'éraflures noires et rouillées. À travers la pergola on apercevait le coin du mur de clôture recouvert de lierre dans lequel il avait taillé un guichet pour communiquer avec son ami Robert. Le lierre existait toujours et peut-être aurait-il été encore possible de passer la tête pour regarder dans le jardin d'à côté ; mais la famille de Robert n'habitait plus la villa voisine, un dentiste les avait remplacés et recevait là sa clientèle. Un lézard glissa tout à coup le long du trou de la vigne vierge et s'aventura hardiment sur la table. C'était un gros lézard de l'espèce la plus commune, avec un dos vert et un ventre blanc qui palpitait contre la peinture jaunie de la table. Il se rapprochait de Marcel rapidement, trottinant en zigzags, puis il s'arrêta, dressant sa petite tête triangulaire aux minuscules yeux noirs. Marcel le regarda gentiment, sans bouger de peur de l'effaroucher. En même temps, il se rappelait le temps où, enfant, il avait tué des lézards et où pour se délivrer du remords il avait cherché en vain une complicité et une solidarité chez le timide Robert. Il n'avait alors trouvé personne qui pût alléger le fardeau de sa faute. En face des lézards morts il s'était trouvé seul et cette solitude même avait été pour lui la marque du délit. Maintenant, il ne serait plus seul. Commettrait-il un crime, qu'à condition que ce fût pour certaines fins, il se verrait soutenu par l'État, les organisations politiques, sociales, militaires qui en dépendent, la masse des gens pensant comme lui et, en dehors d'Italie, d'autres États, d'autres millions d'individus. L'action qu'il allait entreprendre était bien pire que le massacre de quelques lézards et cependant des quantités de gens seraient avec lui, à commencer par l'agent Orlando, brave homme, marié, père de cinq enfants. « Pour la famille et pour la patrie » ; cette phrase, si ingénue malgré son emphase, faisait penser à un beau drapeau aux couleurs vives, flottant dans la brise joyeuse, un jour de soleil, tandis que sonnent les fanfares et défilent les soldats. Elle résonnait à l'oreille de Marcel, exaltante et mélancolique, mêlée d'espoir et de tristesse. « Pour la famille et pour la patrie ! » pensa-t-il, « cela suffit à Orlando... pourquoi ne pourrais-je m'en contenter ? »

Un bruit de moteur se fit entendre dans le jardin, du côté de l'entrée ; il se leva d'un mouvement brusque qui fit fuir le lézard. Sans hâte il quitta la pergola et se dirigea vers la vieille auto noire arrêtée dans l'allée à peu de distance de la grille encore ouverte. Le chauffeur était en train de la refermer ; il était vêtu d'une livrée blanche à parements bleus et, en voyant Marcel, il souleva sa casquette.

— Alberi — dit Marcel de sa voix la plus posée, — nous allons aujourd'hui à la clinique ; inutile de remettre la voiture au garage.

— Bien, monsieur Marcel — répondit le chauffeur. Marcel lui lança un regard de côté. Alberi était un jeune homme au teint olivâtre, aux yeux noirs comme du charbon, dont la sclérotique avait la blancheur luisante de la porcelaine. Il avait des traits réguliers, des dents très blanches et serrées, des cheveux noirs soigneusement pommadés. De taille moyenne, il paraissait grand à cause de la petitesse de ses mains et de ses pieds. Du même âge que Marcel, il semblait plus âgé par suite de la mollesse orientale qui enveloppait chacun de ses traits promis à un empâtement précoce. Marcel le regarda fermer la grille avec une expression d'aversion profonde, puis se dirigea vers la villa.

Il ouvrit la porte-fenêtre et entra dans le salon presque obscur. L'odeur de renfermé qui empestait l'air le saisit aussitôt à la gorge, odeur légère pourtant en comparaison de celle des autres pièces où les dix pékinois de sa mère se promenaient en liberté, mais d'autant plus sensible ici puisqu'ils ne pénétraient jamais dans le salon. Lorsque Marcel ouvrit la porte-fenêtre un peu de lumière entra dans la pièce et il aperçut un instant les meubles recouverts de housses grises, les tapis roulés et posés tout droits dans les angles, le piano enveloppé de vieux draps attachés avec des épingles. Il traversa le salon, la salle à manger, passa dans le vestibule et prit l'escalier. Au milieu de la première rampe, sur une marche de marbre (le tapis trop usé, depuis longtemps disparu, n'avait jamais été remplacé), s'étalait un excrément de chien et il dut s'écarter pour ne pas y mettre le pied. Arrivé sur la galerie, il alla droit à la porte de la chambre de sa mère et l'ouvrit. La serrure avait à peine joué que, comme un flot trop longtemps contenu qui déferle à l'improviste, les dix pékinois se jetèrent à la fois dans ses jambes et s'égaillèrent en aboyant dans la galerie et l'escalier. Ennuyé, ne sachant que faire, il les regarda courir, gracieux et presque félins avec leur queue en panache et leur museau renfrogné. Puis, de la chambre noyée dans la pénombre, lui parvint la voix de sa mère : — c'est toi, Marcel ?

— Oui, maman, c'est moi... mais, et les chiens ?...

— Laisse-les courir... pauvres amours... ils ont été enfermés toute la matinée... laisse-les...

Marcel fronça les sourcils en signe de mauvaise humeur et entra. L'air de la chambre lui parut irrespirable : la pièce aux fenêtres closes avait conservé toutes les odeurs de la dernière nuit : odeurs mélangées de sommeil, de chiens et de parfums que la chaleur du soleil, dardant derrière les volets, semblait déjà rendre acides et prêtes à fermenter. Rigide, circonspect, comme s'il craignait de se salir ou de s'imprégner de ces odeurs, il alla s'asseoir sur le bord du lit, les mains sur ses genoux.

Maintenant, à mesure que ses yeux s'habituaient à la pénombre, la chambre entière lui apparaissait. Sous la fenêtre, dans la clarté diffusée par les longs rideaux jaunis et défraîchis dont le tissu lâche semblait être le même que celui des dessous féminins épars dans la chambre, étaient alignés plusieurs plats d'aluminium contenant la nourriture des chiens. Çà et là sur le plancher, des souliers et des bas ; près de l'entrée de la salle de bains, dans un coin plus sombre, une robe d'intérieur rose était demeurée sur une chaise, traînant par terre, une manche pendante, telle qu'elle avait été jetée la veille.

De la chambre, le regard froid et dégoûté de Marcel passa au lit sur lequel gisait sa mère. À son habitude, elle n'avait pas pensé à se recouvrir lorsqu'il était entré et elle était à demi nue. Étendue, les mains réunies sous sa nuque contre le panneau matelassé de soie bleu pâle râpée et salie, elle le regardait fixement, en silence. Sous la masse des cheveux séparés en deux touffes brunes, le visage apparaissait fin et pâle, presque triangulaire, dévoré par des yeux que l'ombre agrandissait et creusait de façon funèbre. Elle était vêtue d'une combinaison transparente d'un vert éteint qui couvrait à peine le haut de ses cuisses ; ce qui donnait à la femme mûre qu'elle était un air de fillette vieillie et desséchée. Sa poitrine était décharnée et l'on apercevait les os pointus de ses côtes ; à travers le voile léger, les seins aplatis ne se révélaient que par deux taches rondes et brunes, sans aucun relief. Mais ce qui éveillait chez Marcel le plus de pitié et de dégoût c'étaient les cuisses maigres et étriquées comme celles d'une enfant de douze ans non encore formée. L'âge de sa mère se voyait à son teint et à certaines meurtrissures de la peau : une blancheur glacée, nerveuse, parsemée de taches mystérieuses, tantôt bleuâtres, tantôt livides. « Des coups » pensa-t-il, « ou des morsures d'Alberi. » Mais sous le genou, la jambe apparaissait parfaite avec un tout petit pied à la pointe effilée. Marcel aurait voulu ne pas montrer sa mauvaise humeur à sa mère, mais cette fois encore, il ne put se contenir :

— Je t'ai dit bien des fois de ne pas me recevoir ainsi, à demi nue — dit-il sur un ton méprisant et sans la regarder. Elle répondit, avec un peu d'impatience, mais sans rancune : — Oh ! quel fils austère j'ai là ! — et tira sur elle un pan de la couverture. Sa voix était rauque et cela aussi déplaisait à Marcel. Ses souvenirs d'enfant lui rappelaient cette voix douce et limpide comme un chant : cet enrouement était un effet de l'alcool et des excès.

Il dit après un moment : — Alors, aujourd'hui, nous allons à la clinique.

— C'est entendu — dit la mère en se remontant et cherchant quelque chose derrière la tête du lit, — quoique, en vérité, je ne me sente pas bien et qu'en ce qui le concerne, le pauvre, notre visite ne lui fera ni chaud ni froid.

— Il est cependant toujours ton mari et mon père — dit Marcel qui se prit la tête entre les mains, et resta les yeux fixés au sol.

— Oui, bien sûr — dit-elle. Elle avait enfin trouvé la poire électrique et pressa le bouton. Sur la table de chevet une lampe s'alluma qui parut à Marcel enveloppée dans une chemise de femme. — Pourtant — continua-t-elle en se levant et mettant le pied par terre, — pourtant, à te dire la vérité, il m'arrive de souhaiter sa mort... il ne s'en apercevrait d'ailleurs même pas... et moi, je ne dépenserais plus tant d'argent pour la clinique... j'en ai si peu... pense donc — ajouta-t-elle sur un ton brusquement lamentable, — peut-être vais-je être obligée de supprimer l'auto.

— Bah ! quel mal y aurait-il à cela ?

— Un grand mal — dit-elle avec ressentiment et une

impudence puérile, — grâce à l'auto, j'ai un prétexte pour garder Alberi et le voir quand je veux... ensuite, ce prétexte, je ne l'aurai plus.

— Ne me parle pas de tes amants, maman — dit Marcel calmement, mais en enfonçant les ongles d'une de ses mains dans la paume de l'autre.

— Mes amants !... c'est le seul que j'aie... puisque tu me parles de ta poule de fiancée, j'ai bien le droit de parler de lui, le pauvre chéri, il est tellement plus sympathique et intelligent qu'elle !...

De la part de sa mère qui ne pouvait souffrir Julie, cette façon insultante de parler de sa fiancée n'offensait pas Marcel. — « Oui, c'est vrai » pensa-t-il, « elle a peut-être bien l'air d'une poule mais elle me plaît ainsi. » Et il dit d'un ton radouci : — Alors, veux-tu t'habiller ? Si nous voulons aller à la clinique, il est temps de se préparer.

— Mais oui, tout de suite. — Légère comme une ombre, elle traversa la chambre sur la pointe des pieds, ramassa au passage la robe d'intérieur rose, et, se la jetant sur les épaules, disparut dans la salle de bains.

Dès que sa mère fut sortie, Marcel alla aussitôt à la fenêtre et l'ouvrit. Au-dehors, l'air était chaud et immobile ; il éprouva pourtant un soulagement intense comme s'il se penchait sur un glacier et non sur un jardin brûlant. Il lui parut en quelque sorte sentir sur ses épaules le mouvement de l'air intérieur, lourd de parfums décomposés et de puanteur animale, qui se déplaçait lentement, s'échappait par la fenêtre, se dissolvait dans l'espace, semblable à un énorme souffle malsain éructé par la maison empestée. Il demeura longtemps, les yeux fixés sur le feuillage épais de la glycine qui enroulait ses branches autour de la fenêtre, puis il se retourna vers la chambre. Une fois encore, il fut frappé par ce désordre et ce laisser-aller qui lui inspirèrent pourtant plus de tristesse que de répugnance. Tout à coup, il crut revoir sa mère telle qu'elle était dans sa jeunesse et il fut pris d'un vif sentiment de révolte désolée et consternée en face de la décadence et de la corruption qui, de la jeune femme qu'elle était, avaient fait cette ruine. Quelque chose d'inexplicable, d'irréparable était à l'origine de cette transformation : et ce n'était ni l'âge, ni les passions, ni le désastre pécuniaire, ni le manque d'intelligence, ni aucun autre motif précis. Quelque chose que Marcel sentait sans se l'expliquer et qui lui paraissait tenir à cette vie, en avoir été peut-être autrefois le plus grand mérite pour en devenir plus tard, par une transmutation mystérieuse, le vice mortel. Quittant la fenêtre, il s'approcha de la commode sur laquelle, parmi de nombreuses babioles, se trouvait une photographie de sa mère jeune. En regardant ce visage fin, ces yeux innocents, cctte bouche gracieuse, il se demanda avec horreur la raison d'un tel changement ! Dans cette question amère, c'était son propre dégoût de toutes les formes de corruption et de déchéance qui se manifestait, rendu plus insupportable par un sentimcnt aigu de remords et de douleur filiale. Dans l'avilissement de sa mère, peut-être avait-il lui-même quelquc part : s'il l'avait aimée davantage ou autrement, peut-être ne serait-elle pas tombée dans cet abandon irrémédiable et désolant. Il s'aperçut qu'à cette pensée ses yeux s'étaient remplis de larmes et que le portrait lui apparaissait comme à travers une brume, et il secoua faiblement la tête. Au même moment, la porte de la salle de bains s'ouvrit et sa mère en robe de chambre lui apparut sur le seuil. Aussitôt elle s'écria en cachant ses yeux de son bras replié : — Ferme, ferme cette fenêtre !... comment peux-tu supporter cette lumière ?

Marcel alla rapidement fermer les volets, puis s'approchant de sa mère, il la prit par le bras et la fit asseoir auprès de lui sur le bord du lit ; puis, doucement : — Et toi, maman, comment fais-tu pour supporter un tel désordre ?

Elle le regarda, incertaine, embarrassée : — Je ne sais pas comment cela se fait... je devrais, chaque fois que je me sers d'un objet, le remettre à sa place... mais, j'oublie toujours où je l'ai mis.

— Maman, — dit Marcel tout à coup, — chaque âge a sa manière d'être digne... pourquoi te laisses-tu aller ainsi ?

Il lui avait pris une main, de l'autre elle tenait en l'air un arceau d'où pendait une robe. Un instant, il crut apercevoir dans ces yeux immenses et puérilement attristés un sentiment de douleur consciente ; les lèvres de sa mère frémirent légèrement. Mais brusquement une expression irritée remplaça l'émotion. — Tout ce que je suis et que je fais te déplaît, je le sais bien — s'écria-t-elle, — tu ne peux souffrir mes chiens, mes toilettes, mes habitudes... mais je suis encore jeune, mon cher, et je veux profiter de la vie comme je l'entends... et maintenant laisse-moi — conclut-elle en retirant sa main d'un geste brusque, — sinon, je ne m'habillerai jamais.

Marcel ne dit rien. Sa mère alla dans un coin, se défit de sa robe de chambre qu'elle laissa tomber par terre, puis ouvrit son armoire et enfila sa robe devant la glace. Habillée, l'excessive maigreur de ses hanches efflanquées, de ses épaules creuses et de sa poitrine décharnée se révélait davantage encore. Elle s'attarda un moment devant la glace, arrangeant ses cheveux d'une main, puis elle enfila en clopinant une paire de souliers choisis parmi ceux qui jonchaient le sol.

— Partons maintenant — dit-elle en prenant un sac dans un tiroir et se dirigeant vers la porte.

— Tu ne mets pas de chapeau ?

— Pourquoi ? Ce n'est pas nécessaire...

Tout en descendant l'escalier, elle demanda à son fils :

— Tu ne m'as pas parlé de ton mariage...

— Je me marie après-demain.

— Et où vas-tu en voyage de noces ?

— À Paris.

— Le voyage de noces traditionnel — dit-elle. Arrivée dans le vestibule, elle alla à la porte de la cuisine et avertit la cuisinière : — Mathilde... je vous recommande... faites bien rentrer les chiens dans la maison avant la nuit.

Ils sortirent dans le jardin. La masse noire et opaque de l'auto était derrière les arbres, dans l'allée principale. — Alors, c'est décidé — dit la mère, — tu ne veux pas venir habiter ici avec moi... quoique ta femme ne me soit pas sympathique, j'étais prête à faire ce sacrifice... et puis, j'ai tant de place.

— Non, maman — répondit Marcel.

— Tu préfères aller chez ta belle-mère — fit-elle légèrement, — dans cet horrible appartement : quatre pièces et une cuisine. — Elle se pencha pour cueillir un brin d'herbe, mais dans ce mouvement elle perdit pied et serait tombée si Marcel ne l'avait promptement soutenue. Il sentit sous ses doigts la chair flasque et rare du bras qui paraissait mobile autour des os comme une loque autour d'un bâton et, de nouveau, il eut pitié d'elle. Ils montèrent dans la voiture dont Alberi tenait la portière, sa casquette à la main. Profitant du moment où le chauffeur était redescendu pour aller refermer la grille, Marcel dit à sa mère : — Je viendrais habiter chez toi volontiers... si tu congédiais Alberi et si tu mettais un peu d'ordre dans ta vie... et si tu cessais ces piqûres.

Elle le regarda de côté avec un regard inexpressif. Mais les narines minces eurent un frémissement qui se communiqua à la petite bouche flétrie ; elle eut un pâle sourire égaré : — Sais-tu ce que dit le docteur ? C'est qu'un jour je pourrais bien en mourir !

— Alors, pourquoi ne les supprimes-tu pas ?

— Mais dis-moi, quelle raison aurais-je de les supprimer ?

Alberi remonta dans la voiture en ajustant ses lunettes noires sur son nez. La mère de Marcel se pencha en avant, posa sa main sur l'épaule du chauffeur, une main maigre, transparente, avec des tendons saillants sous la peau, et tachetée de plaques rouges ou bleuâtres ; l'émail des ongles était d'un incarnat presque noir. Marcel aurait voulu ne pas regarder, mais ne put s'en empêcher. Il vit cette main caresser lentement l'épaule de l'homme jusqu'à lui effleurer l'oreille d'une légère caresse. — Alors, nous allons à la clinique — dit la femme en même temps.

— Bien, Madame — dit Albert sans se retourner.

La mère ferma la vitre de séparation et se rejeta sur les coussins tandis que la voiture démarrait doucement. Elle eut un regard oblique du côté de son fils et, à la surprise de Marcel qui ne s'attendait pas à une telle intuition : — Tu es furieux parce que j'ai fait une caresse à Alberi, n'est-ce pas ?

Tout en parlant, elle le regardait avec son sourire puéril, égaré et un peu convulsif. Marcel ne put modifier l'expression fâchée de son visage : — Je ne suis pas furieux — dit-il, — mais j'aurais préféré ne pas voir.

Elle dit sans le regarder : — Tu ne peux pas comprendre ce que cela signifie pour une femme de n'être plus jeune... c'est pire que la mort !

Marcel se tut. La voiture roulait silencieusement sous les poivriers, dont les branches semblables à des plumes venaient frôler les vitres des portières. Au bout d'un moment la mère poursuivit : — Quelquefois, je voudrais être déjà vieille... je serais une petite vieille maigrelette, proprette — elle sourit contente et déjà distraite par cette image, — je ressemblerais à une fleur séchée conservée entre les pages d'un livre. — Elle posa sa main sur le bras de Marcel : — Tu ne préférerais pas avoir pour mère une petite vieille comme cela, bien desséchée, bien conservée, comme dans de la naphtaline ?

Marcel la regarda, puis avec embarras : — Un jour, tu seras ainsi — dit-il.

Elle se fit grave et dit en l'épiant du coin de l'œil avec un pauvre sourire : — Tu y crois sérieusement ?... Moi, au contraire, je suis convaincue qu'un de ces matins tu me trouveras morte dans cette chambre que tu détestes tant.

— Pourquoi, maman ? — il se rendait compte que sa mère parlait sérieusement et qu'elle pouvait bien avoir raison : — Tu es jeune et tu dois vivre...

— Cela n'empêche pas que je mourrai bientôt, je le sais... on me l'a lu dans mon horoscope. — Puis, sans transition, elle étendit la main sous les yeux de son fils en lui disant : — Elle te plaît, cette bague ?

C'était un gros anneau au chaton ciselé avec une pierre de couleur laiteuse. — Oui — dit Marcel avec un regard indifférent, — elle est belle.

— Tu sais — dit la mère avec volubilité, — je pense parfois que tu as tout de ton père... lui aussi, quand il avait encore sa raison, n'aimait rien... les belles choses n'avaient aucun sens pour lui... il ne pensait qu'à la politique... comme toi.

Cette fois, sans même savoir pourquoi, Marcel ne put réprimer un vif mouvement d'irritation : — Il me semble qu'entre mon père et moi il n'y a rien de commun — dit-il, — je suis un homme parfaitement raisonnable, normal... lui, au contraire, même avant son internement, autant que je m'en souvienne et tu me l'as toujours confirmé, il était toujours... comment dirais-je ?... un peu exalté.

— Oui, mais vous avez quelque chose de commun... vous ne vous amusez pas dans la vie et vous ne voudriez pas que les autres s'amusent... — Elle regarda un moment par la portière et ajouta inopinément : — Je n'irai pas à ton mariage... il ne faut pas que cela te vexe, d'ailleurs je ne vais plus nulle part... mais comme, après tout, tu es mon fils, je pense que je te dois un cadeau... qu'est-ce qui te ferait plaisir ?

— Rien, maman — répondit Marcel avec indifférence.

— C'est dommage — dit-elle ingénument, — si j'avais su, je me serais épargné cette dépense... mais puisque je l'ai acheté... prends-le. — Elle fouilla dans son sac et en tira une petite boîte blanche attachée par un élastique : — C'est un porte-cigarettes... j'avais remarqué que tu mettais le paquet dans ta poche... — Elle ouvrit la boîte, en retira un étui d'argent, plat, finement niellé, et le tendit tout ouvert à son fils. L'étui était rempli de cigarettes orientales et la mère en profita pour en prendre une et se faire donner du feu par Marcel. Celui-ci, un peu embarrassé, dit en regardant le porte-cigarettes ouvert sur les genoux de sa mère, et sans le toucher : — Il est très beau et je ne sais comment te remercier, maman... c'est peut-être même trop beau pour moi.

— Oh, là là ! — dit la mère, — comme tu es ennuyeux ! — Elle referma le porte-cigarettes et d'un geste gracieusement autoritaire le mit dans la poche du veston de Marcel. À l'angle d'une rue, la voiture prit le tournant un peu court et la mère tomba sur Marcel. Elle en profita pour lui mettre ses deux mains sur les épaules, et la tête un peu renversée, le regardant : — Embrasse-moi en remerciement, veux-tu ?

Marcel se pencha et effleura de ses lèvres la joue de sa mère. Elle se rejeta en arrière sur le siège et dit avec un soupir en portant la main à son cœur : — Quel élan !... quand tu étais petit je n'aurais pas eu besoin de te quémander un baiser... tu étais un enfant si affectueux.

— Maman — interrompit Marcel, — te souviens-tu de l'hiver où papa est tombé malade ?

— Ah ! bien sûr... — dit ingénument la mère, — ce fut

un hiver terrible... il voulait se séparer de moi et t'emmener... il était déjà fou... heureusement, je dis heureusement pour toi, sa folie devint totale et on s'aperçut que j'avais raison de vouloir te garder avec moi... mais pourquoi me demandes-tu cela ?

— Eh bien ! maman — dit Marcel en évitant de regarder sa mère, — cet hiver-là, mon rêve était de ne plus vivre avec vous deux, mon père et toi, et d'être mis au collège... ce qui ne m'empêchait pas de vous aimer... c'est pourquoi en disant que j'ai changé depuis lors, tu n'es pas dans le vrai... j'étais ce que je suis actuellement... et alors, comme maintenant, je ne pouvais souffrir la confusion et le désordre, tout simplement. — Il avait parlé sèchement, presque avec dureté ; mais presque aussitôt, en voyant une expression de mortification assombrir le visage de sa mère, il regretta ses paroles. Cependant il ne voulait rien dire qui pût paraître une rétractation, ayant dit la vérité et ne pouvant malheureusement dire que la vérité. Mais, en même temps, désagréablement conscient d'avoir manqué à la piété filiale, il sentit de nouveau, plus fort que jamais, le poids de son habituelle mélancolie. — Tu as peut-être raison — dit la mère d'un ton résigné. À ce moment, la voiture s'arrêta.

Ils descendirent et se dirigèrent vers la grille de la maison de santé. C'était un quartier tranquille, en bordure d'une ancienne résidence royale. La rue était courte ; d'un côté s'alignaient cinq ou six villas vieillottes en partie cachées par les arbres ; de l'autre s'étendaient les grilles de la clinique. Au fond, la vue était barrée par le vieux mur gris et l'épaisse végétation du parc royal.

Depuis des années Marcel rendait visite à son père au moins une fois par mois, mais il ne s'était pas encore habitué à ces entrevues et éprouvait chaque fois une impression mêlée d'horreur et de désolation. Les visites à sa mère dans la villa de son enfance et de son adolescence lui inspiraient un peu le même sentiment, mais ici ce sentiment était infiniment plus fort, car la corruption et le désordre maternels semblaient encore réparables, tandis que la folie de son père était sans remède et évoquait un désordre et une corruption plus étendus et inguérissables. Cette fois encore, en entrant dans cette rue à côté de sa mère, il sentit un abominable malaise lui étreindre le cœur et faire trembler ses genoux. Conscient de sa subite pâleur, il éprouva, tout en regardant à la dérobée les barreaux noirs de la grille, un désir hystérique de renoncer à cette visite et de s'éloigner sous un prétexte quelconque. Sa mère, qui ne s'était pas aperçue de son trouble, dit en s'arrêtant devant une petite porte grillagée et en pressant le bouton de porcelaine d'une sonnette : — Sais-tu sa dernière idée fixe ?

— Laquelle ?

— D'être un des ministres de Mussolini... cela date d'un mois... peut-être parce qu'on leur laisse lire les journaux.

Marcel fronça les sourcils sans répondre. La porte s'ouvrit et apparut un jeune infirmier en blouse blanche : grand, gros, blond, la tête rasée, le visage blanc et un peu bouffi. — Bonjour, Franz — dit la mère gracieusement. — Comment cela va-t-il ?

— Aujourd'hui mieux qu'hier — dit l'infirmier avec son dur accent teuton, — mais hier nous avons été très mal.

— Très mal ?

— Nous avons dû endosser la camisole de force — expliqua l'infirmier continuant à employer le pluriel, un peu comme le font les gouvernantes quand elles parlent des enfants.

— La camisole de force... quelle horreur ! — Cependant ils étaient entrés et s'acheminaient par l'allée étroite entre le mur de clôture et la clinique.

— La camisole de force, si tu voyais cela !... ce n'est

pas vraiment une chemise, mais comme deux manches qui lui tiennent les bras immobiles... avant d'en voir je croyais que c'était une vraie chemise de nuit, de celles qui sont bordées d'une petite grecque... c'est si triste de le voir ligoté de cette manière, les bras collés aux côtés !... — La mère continuait à parler légèrement, presque gaiement. Ils tournèrent le coin de la clinique et débouchèrent devant la façade principale. La maison de santé, une villa blanche à trois étages, avait l'aspect d'une demeure normale, à part les grilles qui assombrissaient les fenêtres. L'infirmier dit en montant rapidement l'escalier sous le hall vitré : — Le professeur vous attend, monsieur Clerici. — Et précédant les deux visiteurs il alla frapper à une porte close au-dessus de laquelle une plaque émaillée indiquait : « Direction ».

La porte s'ouvrit aussitôt et le directeur, le professeur Ermini, se précipita avec toute l'impétuosité de sa haute silhouette massive à la rencontre des visiteurs. — Madame, mes hommages... bonjour, monsieur Clerici... — Sa voix de stentor résonnait entre les murs nus comme un gong de bronze dans le silence glacé de la maison de santé. La mère lui tendit la main, que le professeur voulut baiser galamment, pliant avec un effort visible son corps puissant, entortillé dans la blouse ; Marcel, au contraire, se borna à un léger salut. De visage, le professeur ressemblait à un hibou : grands yeux ronds, gros nez recourbé comme un bec, moustaches rousses retombant de chaque côté de la large bouche ; mais son expression n'évoquait pas le mélancolique oiseau nocturne ; elle était joviale, d'une jovialité étudiée et teintée de froide habileté. Il précéda Marcel et sa mère dans l'escalier.

Franz, l'infirmier, attendait maintenant, immobile auprès d'une porte, sa massive silhouette se découpant dans la clarté de la fenêtre qui terminait le corridor. — A-t-il pris sa potion ? — demanda le professeur à voix basse. L'infirmier eut un signe affirmatif. Le professeur entra, suivi de Marcel et de sa mère.

C'était une petite pièce nue avec un lit fixé au mur et une table de bois blanc devant la fenêtre barricadée par l'habituelle grille. Avec un frisson de répulsion, Marcel vit son père, assis à sa table, le dos tourné, occupé à écrire. D'abondants cheveux blancs se hérissaient sur sa tête au-dessus de la nuque maigre sortant du large col de la veste de coutil raide. Il était assis un peu de travers, les pieds enfilés dans d'énormes pantoufles de feutre, coudes et genoux en dehors, la tête penchée de côté. Tout à fait semblable, pensa Marcel, à une marionnette aux fils cassés. Il ne se retourna pas à l'entrée des trois visiteurs, et parut même redoubler d'attention et de zèle dans ses gribouillages. Le professeur passa entre la fenêtre et la table et dit avec une fausse cordialité : — Eh bien ! Major, comment allez-vous aujourd'hui... eh ?

Le fou ne répondit pas et se borna à lever la main comme pour dire : — Un moment... ne voyez-vous pas que je suis occupé. — Avec un coup d'œil d'entente du côté de la mère, le professeur poursuivit : — Toujours ce mémoire, hein, major... mais cela va tirer en longueur ?... Le duce n'a pas le temps de lire des choses trop longues... Lui-même est toujours bref, concis... brièveté, concision, major !

Le fou fit un autre signe de sa main osseuse agitée en l'air ; puis saisi d'une étrange fureur, il lança au-dessus de sa tête une feuille de papier qui retomba au milieu de la chambre. Marcel se baissa pour la ramasser : elle ne contenait que quelques mots incompréhensibles plusieurs fois soulignés et d'une calligraphie surchargée de fioritures. Ce n'étaient peut-être même pas des mots. Tandis que Marcel examinait la feuille, avec le même geste furieusement affairé, le fou se mit à en lancer d'autres. Elles volaient au-dessus de sa tête blanche et s'éparpillaient dans la pièce. Les gestes du fou se faisaient de plus en plus violents et toute la chambre était pleine maintenant de feuilles de papier quadrillé. — Pauvre cher — dit la mère, — il a toujours eu la passion d'écrire.

Le professeur se pencha un peu vers le dément : — Major, votre femme et votre fils sont là... ne voulez-vous pas les voir ?

Cette fois le fou parla enfin d'une voix basse, grommelante, pressée, hostile, celle de quelqu'un que l'on dérange au milieu d'une occupation importante : — Qu'ils repassent demain... à moins qu'ils n'aient des propositions concrètes à me faire... ne voyez-vous pas que l'antichambre est pleine de gens que je n'ai pas le temps de recevoir ?

— Il croit qu'il est ministre — chuchota la mère à Marcel.

— Ministre des Affaires étrangères — dit le professeur.

— L'affaire de Hongrie — dit le fou tout à coup, d'une voix rapide, basse, oppressée, et continuant à écrire, — l'affaire de Hongrie, ce chef de gouvernement qui est à Prague... qu'est-ce qu'ils font à Londres ? et les Français, pourquoi ne comprennent-ils pas ? Mais, pourquoi, pourquoi, pourquoi ? — Chaque pourquoi fut prononcé d'une voix qui s'élevait peu à peu ; au dernier « pourquoi » proféré comme un hurlement, le fou bondit de sa chaise et se retourna, faisant face à ses visiteurs. Marcel leva les yeux sur lui. Sous les cheveux blancs dressés, le visage maigre, brun, usé, profondément marqué de rides verticales, paraissait empreint de gravité, de componction, de solennité, presque angoissé par l'effort accompli pour remplir ses imaginaires fonctions officielles. Le fou porta un de ses feuillets à ses yeux et il commença à lire avec une étrange et haletante précipitation : — Duce, chef des héros, roi de la terre, de la mer et du ciel, prince, pape, empereur, commandant et soldat — ici le fou fit un geste d'impatience, tempéré par une politesse cérémonieuse, comme pour signifier et cætera, et cætera ; — duce, en ce lieu où, — nouveau geste comme pour dire « je saute, ce sont des choses superflues » puis il reprit : — en ce lieu, j'ai écrit un mémoire que je te prie de lire de la première — le fou s'arrêta et regarda les visiteurs — à la dernière ligne. — Voici ce mémoire.

À la dérobée, le médecin jeta un coup d'œil sur la feuille écrite et la tendit à Marcel. Deux mots en haut de la page : « Carnage et mélancolie » et, en dessous : « La guerre est déclarée » de la même calligraphie haute et tout en fioritures. « Carnage et mélancolie, c'est sa devise... » dit le médecin, — vous la trouverez sur toutes ses pages... son esprit s'est arrêté sur ces deux mots.

— Les cloches — gémissait le fou, qui était allé s'accroupir par terre, près du lit, comme un animal terrifié, la tête serrée entre ses mains, répétant avec angoisse — ces cloches ne pourraient-elles s'arrêter un moment ?

— Mais, les entend-il vraiment ? — demanda la femme, perplexe.

— Oui, probablement... ce sont des hallucinations de l'ouïe... nos malades peuvent entendre toutes sortes de bruits imaginaires... même des voix qui parlent... des cris d'animaux... des bruits de moteur.

— Les cloches... — hurla le fou d'une voix terrible. Sa femme recula vers la porte : — Ce doit être épouvantable — murmura-t-elle, — si je me trouvais sous un clocher quand sonnent les cloches, j'en deviendrais folle !

— Et ... souffre-t-il ? — demanda Marcel.

— Ne souffririez-vous pas si pendant des heures et des heures vous entendiez de grosses cloches de bronze sonner à toute volée à votre oreille ? — Le professeur se tourna vers le malade et ajouta : — Maintenant nous allons faire taire ces cloches... nous envoyons le sonneur se coucher... Nous vous donnerons quelque chose à boire et vous n'entendrez plus rien. — Il fit un signe à l'infirmier, qui sortit aussitôt ; puis s'adressant à Marcel : — Ce sont des formes d'angoisse assez graves... le malade passe d'une euphorie agitée à une dépression profonde... il était exalté tout à l'heure, maintenant il est déprimé... voulez-vous lui dire quelque chose ?

Marcel regarda son père qui continuait à gémir lamentablement la tête entre les mains, et dit froidement : — Non, je n'ai rien à lui dire... à quoi cela servirait-il d'ailleurs ?... Il ne me comprendrait pas...

— Quelquefois — ils comprennent — dit le professeur, — ils comprennent plus qu'on ne le croit, ils reconnaissent les gens, ils arrivent à nous tromper, nous autres médecins... eh ! eh ! ce n'est pas si simple que cela...

La mère s'approcha du fou et dit avec affabilité : — Antoine, me reconnais-tu ?... Voilà Marcel, ton fils... il se marie après-demain... tu as compris ? Il se marie...

— Les cloches — se lamenta le fou.

En sortant dans le corridor, ils croisèrent Franz qui entrait en apportant la potion calmante. Le professeur ferma la porte, puis s'adressant à Marcel : — C'est curieux comme les déments se tiennent au courant des faits du jour... comme ils sont sensibles à tout ce qui touche la collectivité... nous avons le fascisme, le duce... alors vous trouverez des quantités de malades comme votre père dont l'esprit se fixe sur le fascisme et le duce... durant l'autre guerre, on ne comptait plus les malades qui se croyaient des généraux et voulaient remplacer Diaz ou Cadorna.... Plus récemment, au temps du vol de Nobile au pôle Nord, nous avions au moins trois pensionnaires qui savaient de source sûre où se trouvait la fameuse tente rouge et qui avaient inventé un appareil spécial pour aller au secours des naufragés... les fous sont toujours très actuels... au fond, malgré leur folie, ils continuent à participer à la vie publique et leur démence est justement le moyen qui leur sert pour y participer... bien entendu, en bons citoyens fous qu'ils sont. — Assez content de son esprit, le médecin eut un petit rire froid. Puis se tournant vers la mère, avec l'intention très claire d'être aimable envers Marcel : — En tout cas, si nous parlons du duce, nous sommes tous aussi fous que votre mari, n'est-ce pas, Madame ? Tous fous à lier, à traiter par la douche et la camisole de force... toute l'Italie est un asile d'aliénés, eh, eh, eh !...

— Sous ce rapport, mon fils est fou, en effet — dit la mère naïvement, sans comprendre la flatterie qu'impliquaient les paroles du docteur, — et même, en venant ici, je le disais à Marcel, il y a des points de comparaison entre lui et son pauvre père.

Marcel ralentit le pas pour ne pas entendre. Il vit les deux autres s'avancer vers le fond du corridor, puis tourner et disparaître. Lui s'arrêta, il avait à la main la page sur laquelle son père avait écrit sa déclaration de guerre. Il eut une hésitation, puis tirant son portefeuille de sa poche, y renferma le feuillet. Puis, il pressa le pas et rejoignit sa mère et le professeur au rez-de-chaussée.

— Alors... au revoir, professeur — disait sa mère, — ainsi ce pauvre cher, il n'y a vraiment pas moyen de le guérir ?

— À l'heure qu'il est la science ne peut rien — répondit le médecin très simplement, comme s'il répétait machinalement une formule usée.

— Au revoir, professeur — dit Marcel à son tour.

— Au revoir, cher Monsieur, et encore tous mes vœux les plus vifs et les plus sincères.

Par la petite allée sablée, ils sortirent et se dirigèrent vers l'auto. Alberi se tenait près de la portière ouverte, sa casquette à la main. Ils montèrent sans dire un mot et l'auto partit.

Après un moment de silence, Marcel demanda à sa mère : — Maman, je voudrais te poser une question... je puis te parler franchement, je crois ?

— Quelle question ? — dit la mère distraitement en regardant son visage dans la glace de son poudrier.

— Celui que j'appelle mon père et que nous venons d'aller voir est-il bien mon père ?

La mère se mit à rire : — Tu es vraiment bizarre quelquefois... pourquoi ne serait-il pas ton père ?

— C'est que, maman... déjà alors, tu avais... — Marcel hésita puis finit sa phrase, — des amants... il se pourrait...

— Oh ! il ne se pourrait rien du tout — dit la mère avec un cynisme tranquille, — la première fois que je me décidai à tromper ton père, tu avais déjà deux ans... le plus curieux, c'est que précisément — ajouta-t-elle, — cette idée que tu étais le fils d'un autre fut le début de la folie de ton père... il s'était persuadé que tu n'étais pas son fils... et sais-tu ce qu'il fit un jour ?... Il prit une photographie où nous étions tous deux, toi tout petit et moi...

— Et il nous creva les yeux à tous les deux — interrompit Marcel.

— Ah ! tu le savais... — dit la mère un peu étonnée, — eh bien ! ce fut là le début de sa folie... il était obsédé par l'idée que tu étais le fils d'un homme que j'avais vu alors quelquefois... inutile de te dire que c'était pure imagination... tu es son fils... il suffit de te regarder...

— En réalité, je te ressemble plus qu'à lui — dit Marcel.

— Tu nous ressembles à tous deux — repartit la mère. Elle remit son poudrier dans son sac et poursuivit : — Je te l'ai déjà dit : vous avez, en tout cas, tous les deux la même idée fixe : la politique... lui, en fou qu'il est, et toi, grâce à Dieu, en homme équilibré.

Marcel ne répondit pas et tourna son visage vers la portière. La pensée de ressembler à son père lui inspirait un malaise intense. Les rapports familiaux considérés au point de vue du sang et de la chair lui avaient toujours répugné, comme déterminés d'une façon impure et injuste. Mais la ressemblance à laquelle sa mère faisait allusion éveillait en lui plus que de la répulsion, une obscure épouvante. Quel lien y avait-il entre la folie paternelle et son être le plus secret ? Il revit en esprit la phrase écrite en haut de la page : « Carnage et mélancolie » et il frissonna. La mélancolie, elle pesait sur lui, elle l'enveloppait, comme un second épiderme, plus sensible que le vrai... et quant au carnage...

Maintenant la voiture traversait les rues du centre de la ville, dans la clarté bleuâtre du crépuscule. — Je descends ici — dit Marcel, et il se pencha pour frapper à la vitre et avertir Alberi. — Alors je te reverrai à ton retour, — lui dit sa mère, ce qui sous-entendait implicitement qu'elle ne viendrait pas à son mariage. Il lui fut reconnaissant de cette discrétion ; légèreté et cynisme avaient au moins servi à cela. Il descendit, referma violemment la portière et s'éloigna parmi la foule.

# DEUXIÈME PARTIE

# I

Dès que le train commença à s'ébranler, Marcel, qui s'était mis à la portière pour échanger les dernières paroles avec sa belle-mère, rentra dans le compartiment. Julie, au contraire, resta à la fenêtre. De sa place, Marcel pouvait la voir dans le couloir, tandis qu'elle se penchait pour agiter son mouchoir avec une ardeur angoissée qui rendait pathétique ce geste si habituel. Sans doute, resterait-elle à agiter son mouchoir tant qu'il lui semblerait apercevoir sur le quai la silhouette de sa mère ; cesser de la voir marquerait pour elle la rupture définitive avec sa vie de jeune fille. Ce départ en train pendant que la mère demeurait sur le quai donnait à cette rupture, à la fois redoutée et désirée, un caractère douloureusement concret. Marcel regarda encore un instant sa femme penchée à la portière, vêtue d'un tailleur clair que le geste du bras faisait plisser sur le buste, puis il se laissa retomber sur les coussins et ferma les yeux. Quand il les rouvrit, sa femme n'était plus dans le couloir et le train roulait déjà en pleine campagne, dans une plaine aride, sans arbres, tout enveloppée de la pénombre du crépuscule, sous un ciel devenu vert.

De temps en temps le terrain s'élevait en collines pelées entre lesquelles apparaissaient des vallons que l'on s'étonnait de voir déserts, sans habitations, ni silhouettes humaines. Quelques amas de briques, en haut d'un coteau, accentuaient cette impression de solitude. Marcel pensa que ce paysage était reposant et invitait à la réflexion et au rêve. Cependant, à l'horizon, au fond de la plaine, s'était levée la lune, toute ronde, d'un rouge de sang, et, à sa droite, une resplendissante étoile d'argent.

La jeune femme avait disparu et Marcel ne désirait pas la voir revenir trop vite ; il voulait réfléchir et se sentir seul pour la dernière fois. À évoquer dans son souvenir les événements des derniers jours, il éprouvait un plaisir certain et profond. Décidément, pensait-il, la seule manière d'amener du changement dans sa propre vie et en soi-même, c'était d'agir, d'entreprendre quelque chose, dans le temps et dans l'espace. Comme à l'ordinaire, il se complaisait spécialement à tout ce qui renforçait ses attaches avec un monde normal, habituel, prévu.

La matinée du mariage : Julie en robe de mariée qui, dans un froufrou de soie, courait joyeusement d'une chambre à l'autre ; lui, dans l'ascenseur, tenant un bouquet de muguet dans sa main gantée ; la belle-mère qui, dès son entrée, se jetait dans ses bras en sanglotant ; Julie l'attirant derrière le battant d'une armoire pour l'embrasser à son aise ; l'arrivée des témoins : deux amis de Julie, un médecin et un avocat et deux amis à lui, du ministère ; le départ pour l'église dans trois voitures tandis que les gens, aux fenêtres et sur le trottoir, les regardaient ; dans la première voiture, Julie et lui ; dans la seconde, les témoins, dans la troisième sa belle-mère avec deux amies. Pendant le trajet, un incident singulier avait eu lieu : devant un feu rouge, l'auto s'était arrêtée et, soudain, quelqu'un avait passé sa tête par la portière : un visage rouge, barbu, avec un front chauve et un nez proéminent. Un mendiant ; mais au lieu de demander l'aumône, il avait dit d'une voix rauque : — Eh bien ! les mariés, me donnez-vous une dragée ? — et en même temps il avait tendu la main à l'intérieur de la voiture. L'apparition subite de ce visage à la portière, cette main indiscrète tendue vers Julie avaient irrité Marcel qui, avec une brusquerie presque excessive, avait répondu : — Pas de dragées, va-t'en, va-t'en ! — Et l'homme, ivre probablement, avait crié de toutes ses forces : — Malédiction sur toi ! — Julie, impressionnée, s'était serrée contre lui en murmurant : — Cela va nous porter malheur ! — et, avec un haussement d'épaules, il avait répondu : — Des bêtises... c'est un ivrogne ! — Puis l'auto s'était remise en marche et l'incident était aussitôt sorti de sa mémoire.

À l'église, tout avait été normal, c'est-à-dire tranquillement solennel, rituel, suivant toutes les formalités. Le petit groupe des parents et des amis s'était réparti sur les premiers bancs devant le maître-autel ; les hommes en costumes sombres, les femmes en claires robes printanières. L'église, très richement ornée, était consacrée à un saint de la Contre-Réforme. Derrière le maître-autel, sous un baldaquin de bronze doré, il y avait justement une statue de ce saint, en marbre gris, plus grand que nature, les yeux levés au ciel et les mains ouvertes. L'abside s'incurvait, décorée de fresques par un peintre de l'époque : des nuées vaporeuses, dignes de figurer sur un rideau de théâtre d'opéra se gonflaient dans un ciel d'azur que striaient les rayons d'un soleil caché ; au-dessus des nuages étaient assis plusieurs personnages sacrés, très sommairement étudiés et plus dans un sens décoratif que dans un esprit religieux. Au-dessus de tous, la figure du Père éternel ; et, tout à coup, dans cette face barbue ornée d'un triangle, Marcel ne put s'empêcher de trouver une analogie avec le mendiant qui s'était, peu auparavant, approché de la voiture et qui l'avait maudit après lui avoir demandé des dragées. À ce moment, l'orgue jouait très fort, avec une sonorité grondante qui semblait oublier toute douceur. Alors, la ressemblance qui, en d'autres circonstances, l'aurait fait sourire (le Père éternel travesti en mendiant et quémandant des dragées à la portière d'un taxi !), lui rappela à la mémoire, il ne sut pourquoi, les versets bibliques à propos de Caïn. Quelques années après l'affaire de Lino, ouvrant un jour la Bible, ses yeux étaient tombés par hasard sur ce passage : « Qu'as-tu fait ? La voix du sang de ton frère monte de la terre jusqu'à moi. C'est pourquoi tu seras désormais maudit sur la terre qui a bu le sang de ton frère versé par ta main. Ton travail ne portera pas de fruits ; tu seras errant et fugitif de par le monde. Caïn dit au Seigneur : Mon iniquité est trop grande pour mériter le pardon. Voici que tu me chasses aujourd'hui sur la terre : je fuirai ta face et serai errant et fugitif de par le monde. C'est pourquoi quiconque me trouvera me tuera. Mais le Seigneur lui dit : Non, il n'en sera pas ainsi. Quiconque tuera Caïn sera puni sept fois davantage. Et le Seigneur marqua Caïn d'un signe afin que nul qui le rencontre ne le tue. » Ce jour-là, ces versets lui avaient paru écrits pour lui qui, maudit pour son crime involontaire, était en même temps rendu sacré et intangible du fait même de cette malédiction. Il avait lu et relu le passage biblique, et puis, fatigué d'y réfléchir, il l'avait oublié. Mais ce matin, à l'église, en regardant la grande figure de la fresque, ces versets lui étaient revenus en mémoire et une fois encore lui avaient paru propres à définir son triste cas. Tandis que la cérémonie continuait à se dérouler, froidement, avec toutefois la sombre conviction d'enfoncer le fer de sa pensée dans un terrain fertile en analogies et en sens cachés, il avait tourné et retourné cette idée : si malédiction il y avait, pourquoi avait-elle été lancée ? Comme en réponse à cette question, il pensa soudain à la mélancolie continuelle, tenace, qui l'oppressait, la mélancolie de quelqu'un qui se perd en sachant que rien ne peut l'empêcher de se perdre. Ainsi l'instinct, sinon la conscience, l'avertissait qu'il était maudit. Non parce qu'il avait tué Lino, mais parce qu'il avait cherché et cherchait encore à se libérer de son fardeau de remords, de corruption et d'anormalité en dehors de la religion et de ses temples. Mais qu'y pouvait-il ? Il était ainsi et ne pouvait se changer. Il n'y avait en lui aucune mauvaise volonté, seulement une honnête acceptation de la condition dans laquelle il était né, du monde dans lequel il devait vivre. Condition éloignée de la religion, monde qui semblait avoir remplacé l'idéal religieux par d'autres idéaux. Certes, il aurait préféré confier sa propre vie aux antiques et aimables entités de la religion chrétienne : au Seigneur si juste, à la Vierge si maternelle, au Christ si miséricordieux ; mais tout en éprouvant ce désir, il se rendait compte que sa vie ne lui appartenant pas, il ne pouvait par conséquent choisir à qui la confier. Il était en dehors de la religion et n'y pourrait rentrer même pour se purifier et devenir normal. Comme il l'avait pensé, la voie normale était désormais ailleurs, ou peut-être était-elle encore à venir et devait-elle être obtenue à force de peines, de doutes, de sang.

Ainsi la cérémonie nuptiale s'était terminée, avec assez d'émotion et de sentiment de sa part ; cette émotion et ce sentiment, il s'en serait cru incapable et pourtant ils ne lui avaient pas été inspirés par le lieu ou le rite, mais bien par des motifs profonds et personnels.

En somme, tout s'était déroulé suivant les règles traditionnelles propres à satisfaire non seulement ceux qui y croyaient, mais encore Marcel, qui n'y croyant pas, voulait agir comme s'il y avait foi. En sortant, sa femme au bras, alors qu'il s'arrêtait sous le portail en haut du perron de l'église, il avait entendu derrière lui la mère de Julie qui disait à l'une de ses amies : — Il est si bon, si bon... tu as vu son émotion... c'est qu'il l'aime tant... Julie ne pouvait trouver meilleur mari. — Et il avait été content d'avoir su inspirer une semblable illusion.

Et maintenant, arrivé au bout de ses réflexions, il éprouvait presque une impatience avide et ardente de reprendre son rôle de mari au point où il l'avait laissé, après la cérémonie nuptiale. Il détourna les yeux de la fenêtre d'où, la nuit étant tombée, on ne voyait plus qu'une obscurité trouée de quelques rares lumières scintillantes, et son regard chercha Julie dans le couloir. Son absence l'irritait presque maintenant et cela lui parut être un indice du naturel avec lequel il jouait désormais son rôle. Allait-il posséder Julie dans l'inconfortable couchette du wagon-lit, ou serait-il préférable d'attendre l'arrivée à S. où devait se terminer la première étape de leur voyage ? Cette pensée alluma en lui un subit, puissant désir, et il décida qu'il la prendrait là, dans le train. C'est ce qui devait se faire dans de semblables cas, pensa-t-il, et c'est ainsi qu'il se sentait enclin à agir, par appétit charnel ou par fidélité voulue à son rôle de mari. Mais Julie était vierge — il le savait, il en était sûr — et la possession ne serait peut-être pas chose aisée... Il s'aperçut qu'en quelque sorte cela lui ferait plaisir s'il se voyait obligé, ayant vainement tenté de violer cette virginité, d'attendre l'hôtel de S. et le grand lit plus propice et commode. Ce sont là choses qui arrivent à de jeunes époux presque ridicules à force d'être normaux et il tenait à ressembler au plus normal d'entre eux, même au risque de passer pour impuissant.

Il se disposait à aller dans le couloir quand la porte s'ouvrit et Julie entra. Elle avait ôté sa jaquette, qu'elle portait sur son bras ; elle était en jupe avec un corsage léger. Sa poitrine florissante gonflait généreusement le linon blanc de la blouse transparente qui laissait voir le rose de sa peau nue. Son visage était illuminé d'une satisfaction heureuse, mais ses yeux plus grands, plus battus et languissants que d'ordinaire, paraissaient révéler un désir tremblant, un trouble presque effrayé. Marcel remarqua tout cela avec complaisance. Julie était bien l'épouse qui s'apprête à se donner pour la première fois. Elle se retourna un peu gauchement (ses gestes étaient toujours gauches, pensa-t-il, mais c'était une agréable gaucherie, d'animal sain et innocent), ferma la porte, tira le rideau, puis, debout devant lui, voulut pendre sa jaquette à un crochet du porte-bagages. Mais le train roulait à grande allure ; soudain, à un aiguillage, toute la voiture parut faire une embardée et Julie fut projetée contre son mari. Non sans malice, elle profita de sa chute pour s'asseoir sur les genoux de Marcel et lui entourer le cou de ses bras. Il sentit sur ses jambes maigres tout le poids du corps vigoureux et instinctivement la prit par la taille. — Tu m'aimes ? — dit-elle tout bas, et en même temps, elle inclina son visage, sa bouche cherchant celle de Marcel. Ils s'embrassèrent longuement tandis que le train continuait à rouler avec une vitesse qu'on eût dit complice de leur baiser car, à chaque secousse, leurs dents se heurtaient et le nez de Julie s'écrasait sur les joues de Marcel.

Finalement ils se séparèrent et sans quitter les genoux de son mari, Julie, soigneuse, prit son mouchoir dans son sac et lui en essuya la bouche en disant : — Tu as au moins un kilo de rouge sur les lèvres ! — Marcel, endolori, profita d'une nouvelle secousse du train pour faire glisser le jeune corps pesant sur le siège. — Méchant — dit-elle, — tu ne me veux plus ?

— On va venir préparer les couchettes — dit Marcel un peu embarrassé.

— Pense donc — continua-t-elle sans transition et regardant autour d'elle, — c'est la première fois que je voyage en wagon-lit.

L'ingénuité du ton fit sourire Marcel qui demanda :
— Cela te plaît ?

— Oh ! oui, beaucoup — son regard fit de nouveau le tour du compartiment, — quand doit-on venir préparer les lits ?

— Bientôt.

Ils se turent. Puis Marcel s'aperçut en regardant sa femme qu'elle aussi le contemplait, mais avec une expression changée, presque avec timidité et appréhension ; pourtant l'air heureux et ardent qui, un instant auparavant, animait son visage ne s'était pas entièrement effacé. Elle se vit regardée et lui sourit comme pour s'excuser, puis silencieusement lui serra la main. Soudain, de ses yeux tendres et liquides, deux larmes s'échappèrent qui roulèrent sur ses joues et deux autres suivirent. Julie pleurait tout en continuant à le regarder et en s'efforçant pitoyablement de lui sourire à travers ses larmes. Enfin, dans un brusque élan, elle baissa la tête et se mit à lui embrasser la main fougueusement. Marcel fut tout désorienté par ces larmes : Julie était d'un caractère gai et peu sentimental ; c'était la première fois qu'il la voyait pleurer. Elle ne lui laissa pas le temps de formuler aucune supposition car, se dominant, elle dit précipitamment : — Excuse-moi de pleurer... c'est que je pense que tu es tellement meilleur que moi et que je suis indigne de toi.

— Voilà que tu te mets à parler comme ta mère ! — dit Marcel en souriant.

Elle se moucha et répondit calmement : — Non, maman dit ces choses sans savoir pourquoi... tandis que moi, j'ai une raison.

— Laquelle ?

Elle le fixa longuement, puis expliqua : — Il faut que je te dise quelque chose... après, peut-être ne m'aimeras-tu plus... pourtant je dois te le dire.

— Qu'est-ce ?

Elle répondit lentement, en le regardant avec attention comme si elle voulait surprendre à sa première apparition cette expression de mépris qu'elle redoutait : — Je ne suis pas telle que tu me crois.

— Que veux-tu dire ?

— Je ne suis pas... enfin... je ne suis pas vierge.

Marcel la regarda ; en un éclair il comprit que ce caractère normal qu'il lui avait attribué n'existait pas en réalité. Il ignorait encore ce que pouvait cacher ce début de confession, mais il avait désormais la certitude que Julie n'était pas la femme qu'il croyait. D'avance, il éprouva comme une nausée à la pensée de ce qu'il allait entendre et presque un désir de refuser la confidence. Mais avant tout, il fallait rassurer Julie et cela lui était facile, car cette fameuse virginité, qu'elle fût ou non, n'avait réellement aucune importance pour lui.

— Ne t'inquiète pas... — dit-il d'un ton affectueux, — je t'ai épousée parce que je t'aimais... non parce que tu étais vierge.

Julie secoua la tête : — Je savais bien que tu avais l'esprit moderne, et que tu n'y attacherais pas d'importance... mais je devais te le dire tout de même.

« Esprit moderne » : la phrase ressemblait bien à Julie et compensait la virginité absente ; Marcel ne put s'empêcher d'en être amusé. C'était une phrase innocente, mais d'une innocence différente de celle qu'il avait supposée. Il dit en lui prenant la main : — Allons, n'y pensons plus — et lui sourit.

Julie lui rendit son sourire. Mais, en même temps, les larmes remplirent de nouveau ses yeux et roulèrent sur ses joues. Marcel protesta : — eh bien !... eh bien !... qu'est-ce qui te prend ?... puisque je t'ai dit que je n'y attache pas d'importance !

Julie eut un geste singulier. Lui entourant le cou de ses bras, elle vint nicher son visage contre la poitrine de son mari pour qu'il ne la vît pas : — Il faut que je te dise tout...

— Tout quoi ?

— Tout ce qui m'est arrivé.

— Mais, c'est inutile...

— Je t'en prie... c'est peut-être une faiblesse... mais si je ne te le dis pas, il me semblera t'avoir caché quelque chose.

— Et pourquoi ? — dit Marcel en lui caressant les cheveux. — Tu auras eu un amant... quelqu'un que tu as cru aimer... ou que tu as aimé vraiment... pourquoi devrais-je le savoir ?

— Non, je ne l'aimais pas — répondit-elle aussitôt, presque irritée, — et je n'ai jamais cru que je l'aimais... nous avons été amants jusqu'au jour, pour ainsi dire, où je me suis fiancée avec toi... mais ce n'était pas, comme toi, un jeune homme... c'était un vieux : soixante ans, sans aucun attrait, dur, méchant, exigeant... un ami de la famille... tu le connais.

— Qui est-ce ?

— Fenizio, l'avocat — dit-elle brièvement.

Marcel sursauta : — Mais il était ton témoin !

— Oui, il l'a voulu à toutes forces... moi, je ne voulais pas, mais je ne pouvais refuser... il y a longtemps déjà qu'il m'avait permis de me marier.

Marcel se souvint qu'il n'avait jamais eu de sympathie pour ce Fenizio qu'il lui était arrivé de rencontrer chez Julie : un petit homme blondasse, chauve, avec des lunettes d'or, un nez pointu qui se fronçait quand il riait, une bouche sans lèvres. Un homme très froid et calme et cependant agressif et arrogant de façon désagréable. Et robuste avec cela : un jour qu'il faisait chaud, il avait ôté sa veste et avait relevé les manches de sa chemise en montrant de gros bras blancs, gonflés de muscles. — Mais, que trouvais-tu en lui ? — ne put-il s'empêcher de s'exclamer.

— C'est lui qui a trouvé quelque chose en moi... et très vite... je n'ai pas été sa maîtresse pendant un mois ou un an, mais six ans.

Marcel fit un rapide calcul mental : Julie avait en ce moment un peu plus de vingt et un ans, donc... Stupéfait, il répéta : — Six ans !

— Oui, six ans... j'en avais quinze quand... tu me comprends... ? — Il observa que Julie, pour parler de ces choses qui lui étaient douloureuses selon toute apparence, conservait le même ton traînant et simple de ses bavardages les plus anodins. — Il profita de moi, le jour — pour ainsi dire — de la mort de mon pauvre papa... si ce ne fut pas le jour même, ce fut durant les jours suivants... d'ailleurs, je puis te dire la date précise : huit jours après l'enterrement de mon père, dont il était, note bien, l'ami intime et l'homme de confiance. — Elle se tut un moment, comme pour souligner par son silence l'indignité de cet homme ; puis elle poursuivit : — Maman ne faisait que pleurer et naturellement, elle allait beaucoup à l'église... il vint un jour que j'étais seule à la maison, maman était sortie, et la bonne à la cuisine... j'étais dans ma chambre, assise à ma table en train de faire mes devoirs... j'étais en seconde au lycée et préparais mon baccalauréat... il entra sur la pointe des pieds, et, dans mon dos, se pencha sur mon cahier en me demandant ce que je faisais... je répondis sans me retourner... je ne me méfiais de rien, car j'étais d'une naïveté absolue, comme une enfant de deux ans... tu peux me croire... et puis, parce qu'il était pour moi comme un parent... je l'appelais oncle, figure-toi... donc, je lui dis que je préparais mon thème de latin et alors sais-tu ce qu'il fit ? Il me saisit par les cheveux, très fort, d'une seule main... il faisait souvent cela, par jeu... j'avais des cheveux magnifiques, très longs, ondulés ; il disait que ma chevelure était tentante pour les doigts... quand il me les tira ainsi, je crus que, cette fois encore, il s'agissait d'une plaisanterie et je lui dis : laisse-moi, tu me fais mal... mais au lieu de me lâcher il me força à me lever et, me tirant de la sorte, à bras tendu, il m'entraîna vers le lit qui, comme maintenant, était dans le coin près de la porte... moi, j'étais si innocente, tu penses... je ne comprenais rien et je lui disais, je m'en souviens : laisse-moi, il faut que je fasse mon devoir... À ce moment, il lâcha mes cheveux et... mais non... je ne puis te dire cela...

Marcel, pensant qu'elle avait honte, allait la prier de continuer, mais Julie qui ne s'était interrompue que pour graduer ses effets, reprit : — Malgré mes quinze ans, j'étais déjà développée comme une femme... ah ! je ne voulais pas te le dire, car cela me fait encore mal, rien que d'en parler... il lâcha mes cheveux et me prit par les seins, si fort que je ne pus même pousser un cri et que je m'évanouis presque... peut-être perdis-je véritablement connaissance... car, après, je ne sais plus ce qui est arrivé... j'étais étendue sur le lit et il était sur moi et j'avais tout compris, mais j'étais sans forces, comme un objet entre ses mains, passive, inerte, sans volonté... aussi fit-il de moi ce qu'il voulut... plus tard, je me mis à pleurer et lui, pour me consoler, me dit qu'il m'aimait, qu'il était fou de moi... enfin, les choses qui se disent à ces moments-là... mais il me dit aussi, au cas où je ne me serais pas laissé convaincre, qu'il ne fallait rien dire à maman si je ne voulais pas causer notre ruine... Papa, les derniers temps, avait, paraît-il, fait de mauvaises affaires et notre vie matérielle dépendait désormais de Fenizio... après ce jour, il revint souvent... pas régulièrement...

quand je m'y attendais le moins... les choses allèrent ainsi pendant un an... il continuait à me jurer qu'il m'aimait et que s'il n'avait eu femme et enfants, il m'aurait épousée... peut-être était-il sincère, je ne le nie pas... mais s'il m'avait vraiment aimée comme il le disait, la meilleure manière de me le prouver eût été de me laisser tranquille... enfin, au bout d'un an, désespérée, je fis une tentative pour me libérer ; je lui déclarai que je ne l'aimais pas et ne l'aimerais jamais, que je ne pouvais continuer cette vie : je ne faisais plus rien, je me rongeais, j'avais raté mes examens et s'il ne me laissait pas, je serais obligée d'abandonner mes études... alors, figure-toi qu'il alla dire à maman qu'étant donné ma nature, il était persuadé que je n'étais pas taillée pour les études et que, puisque j'avais seize ans, il convenait plutôt de me chercher une situation... pour commencer, il m'offrait un poste de secrétaire dans son bureau... naturellement, je résistai autant que je le pus, mais maman, la pauvre, me dit que j'étais une ingrate, qu'il nous avait fait et continuait à nous faire beaucoup de bien, que je ne devais pas laisser échapper une occasion comme celle-là... bref, je fus contrainte d'accepter... une fois dans son bureau, toute la journée auprès de lui, tu peux bien penser qu'il ne pouvait plus être question de rupture... je cédai de nouveau et peu à peu j'en vins à prendre l'habitude et renonçai à me rebeller... tu sais comment cela se passe... il me semblait que pour moi il n'y avait plus d'espoir, j'étais devenue fataliste... mais quand, il y a un an, tu me dis que tu m'aimais, j'allai tout droit le trouver et lui déclarai que cette fois, c'était bien fini... comme il est lâche, il protesta, me menaça d'aller tout te raconter... alors, sais-tu ce que j'ai fait ? J'ai pris un coupe-papier acéré qui était sur son bureau et je lui ai mis la pointe sur la gorge en disant : — Si tu fais cela, je te tue... ! et j'ai ajouté : — Marcel sera mis au courant de nos relations, ce n'est que justice...

mais c'est moi et non toi qui lui dirai la vérité... à partir d'aujourd'hui, tu n'existes plus pour moi... et si tu tentes de te mettre entre lui et moi, je te tuerai... j'irai en prison, mais je te tuerai... — et à l'accent de mes paroles, il comprit que c'était sérieux... De ce moment, il ne dit plus rien... sauf qu'il se vengea en écrivant cette lettre anonyme qui parlait de ton père...

— Ah ! c'était lui ! — s'exclama Marcel.

— Bien entendu... je reconnus aussitôt le papier et les caractères de la machine à écrire. — Elle se tut, puis, dans une anxiété subite, elle ajouta en prenant la main de Marcel : — Maintenant que je t'ai tout raconté, je me sens comme soulagée... mais peut-être n'aurais-je rien dû te dire, car tu ne pourras sans doute plus me souffrir... tu me détesteras.

Marcel ne répondit rien et resta longtemps silencieux. Le récit de Julie n'avait éveillé en son âme ni haine contre l'homme qui avait abusé d'elle, ni pitié pour elle qui l'avait subi. La manière même dont elle avait fait son récit, détachée et modérée jusque dans l'expression de son dégoût et de son mépris, excluait tout sentiment de haine et de pitié. Comme par contagion, il se sentait lui-même enclin à considérer les faits sous le même angle qu'elle, avec un mélange d'indulgence et de résignation. Pourtant il éprouvait une impression de stupeur entièrement physique, qui n'avait rien à voir avec son jugement ; la stupeur de quelqu'un qui tombe brusquement dans le vide. Et, en même temps, une recrudescence de sa mélancolie en face de cette confirmation inattendue d'une décadence à laquelle, un instant, il avait espéré que Julie faisait exception. Sa conviction quant au caractère profondément normal de la personnalité de Julie n'était en rien entamée cependant. Il venait tout à coup de comprendre que la norme consistait moins dans l'éloignement de certaines expériences que dans l'importance qu'on leur accordait. Le hasard avait voulu que tous deux, Julie et lui, eussent quelque chose à cacher dans leur vie et par conséquent à avouer. Mais tandis qu'il se sentait absolument incapable de parler de Lino, Julie, au contraire, n'avait pas hésité à lui révéler ses rapports avec l'avocat et, pour un tel aveu, elle avait choisi le moment qu'elle avait cru le meilleur, celui de leur mariage qui, dans son idée, devait abolir le passé et lui ouvrir une vie toute nouvelle. Cette pensée réconforta Marcel ; il y voyait, malgré tout, une confirmation du caractère normal de sa femme puisqu'elle était capable de se racheter par les moyens classiques et vieux comme le monde de la religion et des sentiments.

Distrait par ces réflexions, il regardait vaguement par la fenêtre, sans s'apercevoir que son silence épouvantait la jeune femme. Puis il sentit qu'elle cherchait à l'embrasser tout en disant plaintivement : — Tu ne parles pas ? C'est donc vrai... je te fais horreur !... dis la vérité : tu ne peux plus me souffrir et je te dégoûte...

Marcel aurait voulu la rassurer et fit un mouvement pour se tourner vers elle et lui rendre son étreinte. Mais une secousse du train fit dévier son geste et, malencontreusement, son coude alla frapper le visage de Julie. Elle interpréta le coup comme un mouvement de répulsion et d'un bond fut debout. À ce moment, le train entrait sous un tunnel, avec un long sifflement lugubre, et les ténèbres s'épaissirent aux vitres des fenêtres. Dans le fracas que redoublait l'écho des voûtes, Marcel crut entendre comme un gémissement et il vit Julie, les bras tendus en avant, chancelante et titubante qui se dirigeait vers la porte du compartiment. Surpris, il l'appela sans se lever. Pour toute réponse, elle ouvrit la porte du compartiment, et de la même manière vacillante et douloureuse disparut dans le couloir.

Un instant, il demeura immobile, puis soudain alarmé, il se leva et sortit à son tour. Le compartiment était au milieu du wagon ; du premier coup d'œil il vit sa femme qui s'en allait précipitamment dans le couloir désert, aux parois d'acajou, au gros tapis moelleux, vers l'extrémité où se trouvait la porte de sortie. En voyant cette allure précipitée qui ressemblait à une fuite, la phrase qu'elle avait dite à son vieil amant : « Si tu parles, je te tue » revint à la mémoire de Marcel et il pensa qu'il avait méconnu tout un côté du caractère de sa femme, prenant sa douceur pour de la veulerie. Au même instant, il la vit se pencher pour manœuvrer la poignée de la portière. D'un bond il la rejoignit et la saisit par le bras.

— Mais que fais-tu, Julie ? demanda-t-il à voix basse, dans le fracas du train, — qu'as-tu donc cru ? C'était une secousse du train... j'ai voulu me tourner vers toi et par inadvertance, je t'ai fait mal !

Elle se raidissait dans ses bras, comme disposée à se débattre. Mais, à sa voix tranquille et sincèrement surprise, elle parut se calmer aussitôt. Au bout d'un moment, elle dit en baissant la tête : — Pardonne-moi... je me suis peut-être trompée, mais j'ai eu l'impression que tu me détestais et j'ai été prise alors du désir d'en finir... ce n'était pas une feinte... si tu n'étais pas arrivé à temps, c'était fait...

— Mais pourquoi ?... qu'as-tu pu penser ?

Elle haussa les épaules : — C'était pour m'épargner d'autres peines... pour moi, le mariage a été bien plus important que tu ne crois... quand j'ai cru comprendre que tu ne pouvais plus me souffrir, j'ai pensé : — je ne survivrai pas à cela... — Elle eut un autre haussement d'épaules puis ajouta en levant les yeux sur lui, avec un sourire : — Pense donc, à peine marié, tu aurais été veuf !

Marcel la contempla un moment sans parler. Évidemment, elle était sincère : elle avait accordé au mariage plus d'importance qu'il ne l'avait cru. Avec un profond étonnement, il comprenait que tout ce qui venait de se passer prouvait que Julie — contrairement à lui — avait participé de tout son être au rite nuptial, dans sa signification la plus totale. Rien de surprenant qu'après un don de soi aussi absolu, la première désillusion l'eût poussée au suicide. Sans le vouloir elle avait pour ainsi dire exercé un chantage : « ou tu me pardonnes ou je me tue » ; et, une fois de plus, il éprouva un réconfort à la trouver si conforme à ce qu'il désirait. Julie s'était de nouveau détournée et semblait regarder par la fenêtre. Il lui entoura la taille et murmura à son oreille : — Tu sais que je t'aime.

Elle se retourna et l'embrassa avec un tel emportement de passion qu'il en fut presque effrayé. C'est ainsi, pensa-t-il, que certaines dévotes baisent à l'église les pieds des statues, les reliques et les croix.

Cependant, au fracas du tunnel avait succédé le bruit habituel des roues tournant à l'air libre et ils se séparèrent. L'un près de l'autre, ils restèrent à la fenêtre, la main dans la main, contemplant la nuit obscure. — Regarde — dit Julie de sa voix accoutumée : — regarde là-bas... on dirait un incendie ?...

Effectivement, un feu semblable à une fleur rouge brillait maintenant dans le noir. Marcel baissa la vitre : — Je me demande ce que c'est ? — Le miroitement de la vitre une fois disparu, le vent froid de la course lui souffla au visage, mais la fleur rouge demeura, loin ou près, en l'air ou au niveau du sol, on ne savait, mais en tout cas mystérieusement suspendue dans les ténèbres. Marcel regarda longuement ces quatre ou cinq pétales de feu qui semblaient s'agiter et palpiter ; puis ses yeux se fixèrent sur le talus du chemin de fer où se projetait, en même temps que son ombre et celle de Julie, le faible éclairage du train et il éprouva brusquement une sensation aiguë d'égarement.

Pourquoi était-il dans ce train ? Qui était la femme debout à ses côtés ? Où allait-il ? Quel homme était-il ? D'où venait-il ? Cette sorte d'égarement n'avait rien de pénible. Il y retrouvait un sentiment familier qui constituait peut-être le fond de son être intime. « Ainsi donc » pensa-t-il froidement, « je suis comme ce feu, là-bas dans la nuit... je flamberai et m'éteindrai sans raison, sans suite... un peu de combustion suspendue dans la nuit. »

Il tressaillit à la voix de Julie : — Vois, on doit avoir préparé les lits... — et comprit que tandis qu'il se perdait dans la contemplation de ce feu lointain, elle demeurait uniquement préoccupée de leur amour ou plutôt et plus précisément de l'union prochaine de leurs deux corps ; elle ne vivait d'ailleurs que dans le moment présent. Avec une impatience contenue, elle se dirigeait déjà vers le compartiment et Marcel la suivit à quelque distance. Il s'attarda sur le seuil pour laisser sortir le contrôleur, puis entra à son tour. Julie, debout devant la glace, sans se soucier de la porte encore ouverte, enlevait sa blouse en la déboutonnant de bas en haut. Elle dit sans se retourner : — Prends la couchette de dessus... je me mettrai dans celle de dessous.

Marcel ferma la porte, grimpa sur sa couchette et commença à se déshabiller, posant un à un ses vêtements dans le filet. Puis il s'assit, nu, sur la couverture, entourant ses genoux de ses bras, et attendit. Il entendit remuer Julie ; un verre tinta dans son support de métal, un soulier tomba sur le tapis, d'autres bruits encore... Puis, avec un déclic sec, les lampes s'éteignirent et la lueur mauve de la veilleuse resta seule. Alors la voix de Julie dit : — Veux-tu venir ? — Marcel allongea ses jambes en dehors, se retourna, tâta du pied la couchette de dessous et se baissa pour y entrer. Dans ce mouvement, il vit Julie couchée sur le dos, nue, un bras cachant ses yeux, les jambes étendues et écartées. Dans la lumière tamisée, le corps apparaissait d'une blancheur froide et nacrée, tachée de noir à l'aine et aux aisselles, de rose sombre aux seins ; dans cette pâleur mortelle, cet abandon, cette totale immobilité, on l'eût dite inanimée. Mais comme Marcel s'étendait sur elle, elle eut un soubresaut violent de tout le corps et, dans une secousse de piège qui se déclenche et se referme, elle l'attira contre elle, lui faisant un collier de ses bras, ouvrant ses jambes et réunissant ses pieds sur lui. Plus tard, elle le repoussa durement et se pelotonna contre le mur, repliée sur elle-même, les genoux remontés. Et Marcel, couché à son côté, comprit que ce qu'elle lui avait dérobé avec tant de passion pour le garder si jalousement dans ses flancs, croîtrait en elle... Et ceci, il l'avait fait, pensa-t-il, pour pouvoir dire, cette fois du moins : « J'ai été un homme comme tous les autres... j'ai aimé, je me suis uni à une femme et j'ai engendré un autre homme... »

## II

Dès qu'il crut Julie endormie, Marcel sortit du lit et commença à s'habiller. La chambre était plongée dans une pénombre fraîche et transparente qui laissait deviner l'éclatante lumière de juin illuminant le ciel et la mer. C'était bien une chambre d'hôtel de la Riviera : haute de plafond, blanche avec une décoration de stuc bleu pâle formant des fleurs, des feuilles et des étoiles ; des meubles clairs du même style fleuri que les stucs et, dans un angle, un grand palmier vert en pot. Quand il fut vêtu, il alla sur la pointe des pieds soulever la persienne pour regarder au-dehors. La mer lui apparut, d'un azur presque violet dans son étendue irradiée, rendue plus vaste par la limpidité parfaite de l'horizon ; une brise légère paraissait allumer à la crête de chaque vague une petite fleur scintillante de lumière solaire. De la mer, les yeux de Marcel allèrent à la promenade qui longeait la plage ; elle était déserte, personne sur les bancs disposés face à la mer, à l'ombre des palmiers, personne sur l'asphalte gris et net. Il contempla longuement cette vue, puis baissa la persienne et se retourna pour regarder Julie étendue sur le lit. Elle était nue et dormait. La position de son corps couché sur le côté faisait saillir la rondeur pâle et puissante de la hanche et faisait apparaître le torse comme une tige de plante fanée, pendant molle et sans vie. Marcel savait que le dos et les flancs étaient les seules parties fermes et tendues de ce corps ; du côté qu'il ne voyait pas, son imagination lui représentait la mollesse du ventre, dont les tendres plis débordaient sur le lit, et les seins lourds, pressés l'un contre l'autre, affaissés par leur poids. La tête était cachée par les épaules et Marcel, qui venait de posséder sa femme quelques instants auparavant, eut la sensation de regarder non une créature humaine, mais une belle et attrayante machine de chair, brutale, faite pour l'amour et rien que pour l'amour. Comme si ce regard impitoyable l'avait réveillée, elle remua soudain, soupira profondément et dit d'une voix claire : — Marcel ! — Empressé, il s'approcha et dit tendrement : — Je suis là ! — Elle se retourna pesamment d'un côté sur l'autre, leva les bras comme une aveugle et lui en ceignit les hanches. Puis, ses cheveux défaits lui recouvrant le visage, elle vint nicher sa tête au creux de l'aine du jeune homme, l'y embrassant longuement d'une bouche tâtonnante avec une sorte de fétichisme humble et passionné. Elle demeura un moment ainsi, immobile, l'étreignant, puis elle retomba sur le lit, vaincue par le sommeil, les mèches de ses cheveux éparses autour de son visage. Maintenant, elle s'était rendormie, dans la même position qu'auparavant, mais couchée du côté droit au lieu du côté gauche. Marcel prit sa veste au portemanteau, alla sur la pointe des pieds à la porte et passa dans le corridor.

Il descendit le large escalier sonore, franchit le seuil de l'hôtel et sortit sur la promenade. La vive réverbération du soleil sur la mer l'éblouit un instant ; il ferma les yeux et, dans cette obscurité, l'odeur suffocante de l'urine de cheval monta à ses narines. Il y avait en effet, derrière l'hôtel, trois ou quatre voitures à la file, avec leurs cochers endormis sur leurs sièges et leurs coussins recouverts de housses blanches. Marcel se dirigea vers la première voiture et y monta en donnant à haute voix l'adresse : — Rue des Glycines. — Le cocher lui lança un coup d'œil expressif et, sans rien dire, fouetta son cheval.

La voiture roula un certain temps le long de la mer, puis tourna dans une courte rue bordée de villas et de jardins. Au fond, on apercevait la colline ligurienne, lumineuse, bardée de vignes, parsemée d'oliviers gris, avec quelques hautes maisons rouges aux volets verts bâties à flanc de coteau.

La rue aboutissait au bas de la colline ; les trottoirs et l'asphalte du début firent assez rapidement place à un vague chemin tracé dans l'herbe et la voiture s'arrêta. Marcel leva les yeux ; au fond d'un jardin s'élevait une maison à trois étages, grise avec un toit d'ardoises et des fenêtres mansardées. — C'est ici — dit le cocher sèchement en empochant le prix de la course, et, à la hâte, il fit faire volte-face à son cheval. Marcel pensa que cela lui avait peut-être déplu de l'amener dans cet endroit ; mais peut-être aussi, pensa-t-il en poussant la grille, attribuait-il à cet homme la répugnance qu'il éprouvait lui-même.

Il suivit une petite allée, entre deux haies de pittosporums poussiéreux, et se dirigea vers la porte vitrée en carreaux de couleur. Il avait toujours détesté ce genre de maison ; il ne l'avait pratiqué que deux ou trois fois au temps de son adolescence, en rapportant chaque fois une impression de dégoût et de remords comme d'une chose indigne dont il aurait dû s'abstenir. Avec une sensation de nausée, il monta deux ou trois marches, poussa la porte vitrée, déclenchant une sonnerie prolongée, et entra dans un vestibule à prétentions pompéiennes d'où partait un escalier avec une balustrade de bois. Il reconnut l'odeur douceâtre de poudre de riz, de sueur et de mâle en rut ; la maison était plongée dans le silence et la torpeur de l'après-midi d'été. Tandis qu'il regardait autour de lui, apparut brusquement, venue on ne savait d'où, une sorte de cameriste vêtue de noir avec un tablier blanc, petite, svelte, un visage pointu de furet aux yeux brillants. Elle eut un « Bonjour » sonore, prononcé d'une voix gaie. — Il faut que je parle à la patronne — dit-il en levant son chapeau, avec une politesse sans doute excessive. — Oui, beau gars, tu lui parleras — répondit la femme en dialecte, — mais en attendant, passe au salon... la patronne va venir... entre là. — Marcel, froissé du tutoiement et de l'équivoque, se laissa cependant pousser vers une porte entrebâillée. Dans une vague pénombre lui apparut la salle commune, longue et rectangulaire, vide, avec de petits divans recouverts de tissu rouge, alignés tout autour des murs. Le sol était poussiéreux comme celui d'une salle d'attente de gare ; l'étoffe même des divans, usée et ternie, confirmait ce caractère misérable de lieu public mêlé à l'intimité et au secret d'une maison. Marcel, gêné, s'assit sur un divan. À ce moment, la maison tout entière parut se désagréger ; il y eut des bruits de vaisselle, un piétinement rapide dévalant l'escalier de bois. Et ce qu'il avait redouté se produisit. La porte s'ouvrit et la voix pétulante de la camériste annonça : — Voici ces dames, toutes à ta disposition...

Elles entrèrent, nonchalantes, négligentes, quelques-unes à demi nues, d'autres un peu plus vêtues, deux brunes, trois blondes ; trois de taille moyenne, une toute petite et une énorme. Cette dernière vint s'asseoir à côté de Marcel et se laissa tomber sur le divan avec un soupir de satisfaction fatiguée. Il détourna d'abord les yeux, puis, fasciné, la regarda. Elle était vraiment énorme, de forme pyramidale, les flancs plus larges que la taille, la taille plus large que les épaules, celles-ci plus larges que la tête exiguë, avec un visage camus et une tresse noire enroulée autour du front. Un soutien-gorge de soie jaune enserrait ses seins gonflés et bas. Sous le nombril, la jupe rouge s'ouvrait comme un rideau sur le triangle noir qu'encadraient les massives cuisses blanches. En se voyant dévisagée, elle fit un clin d'œil à l'une de ses compagnes assise contre le mur d'en face et passa sa main entre ses cuisses comme pour leur donner du large et avoir moins chaud. Marcel, irrité par cette impudeur tranquille, aurait voulu écarter cette main de ce bas-ventre, mais il n'avait pas la force de bouger. Ce qui le frappait le plus chez ce bétail féminin, c'était le caractère irréparable de la déchéance, le même qui l'avait fait frémir d'horreur devant la nudité de sa mère et la folie paternelle et qui était à l'origine de son amour presque maniaque pour l'ordre, le calme, la netteté, la correction. D'un ton engageant et gai, l'énorme femme s'adressa à lui : — Eh bien ! ton harem ne te plaît pas ? Te décides-tu ? — Alors, dans une impulsion frénétique de dégoût, il se leva et sortit presque en courant du salon, salué, lui sembla-t-il, par des rires et des phrases obscènes prononcées en dialecte. Furieux, il se disposait à prendre l'escalier pour monter à l'étage supérieur, à la recherche de la patronne, quand, à ce moment, derrière lui, la sonnerie de la porte se fit entendre de nouveau et, se retournant, il vit sur le seuil la figure étonnée et, en l'occurrence, quasi paternelle à ses yeux, de l'agent Orlando.

— Bonjour, monsieur Clerici... mais où allez-vous ? — s'exclama aussitôt l'agent, — ce n'est pas là-haut que vous devez aller !

— En vérité — dit Marcel s'arrêtant, tout son calme revenu, — je crois qu'elles m'ont pris pour un client.

— Stupides femmes — dit l'agent en hochant la tête, —

venez avec moi, Monsieur... je vais vous conduire... vous êtes attendu.

Il précéda Marcel à travers la porte vitrée et passa dans le jardin. L'un derrière l'autre, ils prirent la petite allée de pittosporums et tournèrent le coin de la villa. Le soleil brûlait le jardin dans une ardeur sèche et âcre de poussière et de végétation désordonnée ; Marcel remarqua que les persiennes baissées de la villa lui donnaient l'air inhabitée ; le jardin lui aussi, plein de mauvaises herbes, paraissait abandonné. L'agent se dirigeait vers une construction basse et blanche qui occupait tout le fond du jardin. Marcel se souvint que dans les stations balnéaires, il avait souvent vu de ces petites maisons dans des jardins et des villas semblables ; l'été, les propriétaires qui louaient leur propre villa, s'y retiraient, se confinant dans deux pièces par amour du gain. Sans frapper, l'agent ouvrit la porte et annonça :

— Voici M. Clerici.

Marcel s'avança et se trouva dans une petite pièce sommairement arrangée en bureau. L'air était lourd de fumée ; un homme était assis devant la table, les mains réunies, le visage tourné vers l'arrivant. C'était un albinos ; sa figure avait la transparence luisante et rosée de l'albâtre, mais parsemée de taches de rousseur ; ses yeux étaient d'un bleu ardent qui tournait au rouge, avec des cils blancs comme en ont certaines bêtes vivant dans les neiges du pôle. Habitué au contraste déconcertant entre la banalité du style administratif et les tâches souvent inhumaines de beaucoup de ses collègues du Service secret, Marcel se dit qu'au moins celui-ci était parfaitement à sa place. Il y avait plus que de la cruauté dans ce visage spectral ; presque une fureur impitoyable contenue par la rigidité conventionnelle d'une attitude militaire. Après un moment d'immobilité embarrassante, l'homme se leva brusquement ; debout, il était tout petit : — Gabrio — fit-il, se présentant ; puis il se rassit aussitôt et poursuivit sur un ton ironique : — Vous voici donc enfin, monsieur Clerici.

Sa voix était métallique, désagréable. Marcel, sans attendre d'y être invité, s'assit à son tour : — Je suis arrivé ce matin — expliqua-t-il.

— C'est bien ce matin que je vous attendais.

Marcel hésita : devait-il expliquer qu'il était en voyage de noces ? Il se décida pour la négative et dit tranquillement : — Il ne m'a pas été possible de me présenter plus tôt.

— Je vois — dit l'homme. Il poussa une boîte de cigarettes vers Marcel avec un — vous fumez ? — sans aménité ; puis, la tête baissée, il se mit à lire un papier posé sur sa table. — On me laisse ici, dans cette maison, peut-être hospitalière, mais qui n'a rien de secret... et sans informations, sans directions, pour ainsi dire sans argent... — Il s'attarda encore à sa lecture, puis, levant la tête : — À Rome, on vous avait dit de venir me trouver, n'est-ce pas ?

— Oui, l'agent qui m'a introduit auprès de vous était venu m'avertir que l'on m'enjoignait de faire halte ici, pour venir vous trouver.

— Exactement. — Gabrio ôta la cigarette de sa bouche et la déposa avec précaution sur le bord du cendrier. — Au dernier moment, à ce qu'il paraît, ils ont changé d'idée... le programme est modifié.

Marcel n'eut pas un battement de cils ; mais, montant du plus profond de lui-même, une onde de soulagement et d'espérance l'envahit, lui gonfla toute l'âme ; peut-être lui serait-il consenti de ramener son voyage à ses motifs apparents : ses noces, Paris... Il dit d'une voix claire : — C'est-à-dire ?

— C'est-à-dire que le plan est modifié et, en conséquence, votre mission également — continua Gabrio. — Le dénommé Quadri devait être surveillé ; vous deviez entrer en rapport avec lui, lui inspirer confiance, vous faire même confier par lui quelque tâche à accomplir... au contraire, d'après la dernière communication de Rome, Quadri est désigné comme un personnage dangereux qu'il faut supprimer. — Gabrio reprit sa cigarette, en aspira une bouffée, la reposa sur le cendrier. — En substance, — expliqua-t-il sur le ton de la conversation, — votre mission se trouve réduite à fort peu de chose... vous vous bornerez à prendre contact avec Quadri, en profitant du fait que vous le connaissez déjà, et à le désigner à l'agent Orlando qui se rend, lui aussi, à Paris... vous pouvez même inviter Quadri dans quelque endroit public où se trouvera Orlando : un café, un restaurant... Il suffira qu'Orlando le voie avec vous et s'assure de son identité... c'est tout ce qui vous est demandé... vous pourrez ensuite vous consacrer à votre voyage de noces, comme il vous plaira.

Ainsi, pensa Marcel stupéfait, Gabrio était, lui aussi, au courant du voyage de noces. Mais si son esprit s'arrêtait à cette pensée, il se rendit compte aussitôt que ce n'était que pour se tromper lui-même et se masquer le trouble de son âme.

En réalité, Gabrio venait de lui révéler une chose autrement plus importante que la connaissance qu'il avait de ses faits et gestes : la décision de supprimer Quadri. Par un effort violent, il se contraignit à examiner objectivement cette extraordinaire et funeste nouvelle. Et aussitôt une constatation fondamentale s'imposa à lui : pour supprimer Quadri, sa présence à Paris et son concours ne s'imposaient en aucune façon ; l'agent Orlando pouvait fort bien trouver et identifier sa victime tout seul. En réalité, on voulait le lier par une complicité effective, bien qu'inutile, le compromettre à fond, une fois pour toutes. Quant au changement de programme, sans aucun doute, il n'était qu'apparent. De toute évidence, au moment de sa visite au ministère, le plan que venait d'exposer Gabrio était déjà décidé et défini dans tous ses détails ; et ce changement apparent n'était dû qu'au souci caractéristique de multiplier et de confondre les responsabilités. Il n'avait pas reçu d'ordre écrit et Gabrio non plus probablement ; de cette façon, en cas de développement fâcheux, le ministère pourrait proclamer son innocence et faire retomber la responsabilité de l'assassinat sur lui, sur Gabrio, sur Orlando et sur les autres exécuteurs de la besogne matérielle.

Il hésita, puis, pour gagner du temps, objecta : — Il me semble qu'Orlando n'a pas besoin de moi pour repérer Quadri... celui-ci est certainement sur l'annuaire des téléphones...

— Tels sont les ordres — dit Gabrio avec une promptitude sans réplique, comme s'il avait prévu l'objection.

Marcel baissa la tête. Il se rendait compte qu'on l'avait attiré dans un piège ; il y avait mis le doigt et maintenant, par subterfuge, on lui prenait tout le bras. Pourtant, la première surprise passée, il s'aperçut étrangement qu'il n'éprouvait aucune véritable répugnance pour ce changement de programme ; seulement une impression de résignation obstinée et mélancolique, comme en face d'un devoir qui, pour devenir plus ingrat, n'en restait pas moins immuable et inévitable. L'agent Orlando n'était probablement pas conscient du mécanisme intérieur de ce devoir ; lui, l'était ; à cela se bornait toute la différence. Ni lui, ni Orlando ne pouvaient se soustraire à ce que Gabrio avait appelé « les ordres » et qui étaient, en réalité, des conditions particulières désormais fixées et en dehors desquelles il n'y avait pour tous deux que désordre et arbitraire. Il dit finalement en relevant la tête : — C'est bien... où trouverai-je Orlando, à Paris ?

Jetant un regard sur le papier posé sur la table, Gabrio répondit : — Donnez votre adresse, Orlando vous y donnera rendez-vous.

Ainsi, pensa Marcel, ils ne se fiaient même pas entièrement à lui et, en tout cas, ne jugeaient pas opportun de lui communiquer l'adresse de leur agent à Paris. Il donna le nom de l'hôtel où il comptait descendre et Gabrio l'inscrivit au bas du papier qui était sur son bureau, ajoutant ensuite, d'un ton affable, comme pour indiquer que la phase officielle de la visite était terminée : — Êtes-vous jamais allé à Paris ?

— Non, c'est la première fois.

— J'y suis resté deux ans avant de finir dans ce trou ! — dit Gabrio avec une amertume de fonctionnaire, — quand on a été à Paris, Rome même semble une bourgade... vous imaginez, une ville comme celle-là ! — Il alluma une cigarette à son mégot et poursuivit sur un ton de suffisance : — Paris, pour moi, c'était le chemin de velours : appartement, auto, amitiés, relations féminines... vous savez, sous ce dernier rapport, Paris est idéal !

Marcel, bien qu'à contrecœur, crut devoir répondre en quelque sorte à l'affabilité de Gabrio et dit : — Eh bien ! mais, ici, avec cette maison à côté, on ne doit pas s'ennuyer !

Gabrio secoua la tête : — Peuh ! comment voulez-vous qu'on puisse se divertir avec cette chair à conscrits qu'on paie au poids !... non ! — ajouta-t-il, — ici, la seule ressource, c'est le casino... jouez-vous ?

— Non, jamais.

— C'est cependant intéressant — dit Gabrio en reculant sa chaise comme pour marquer que la conversation était finie. — La fortune peut sourire à n'importe qui, à vous comme à moi... ce n'est pas pour rien qu'elle est femme... le tout est de la saisir à temps. — Il se leva et alla ouvrir la porte. Marcel observa qu'il était vraiment petit, avec de courtes jambes, le buste rigide serré dans une veste verte, de couleur et de coupe militaires. Gabrio demeura un instant sans bouger, dans un rayon de soleil qui semblait accentuer la transparence de sa peau luisante et rosée ; il regardait Marcel, puis : — Je suppose — dit-il, — que nous ne nous verrons plus... après Paris, vous reviendrez directement à Rome ?

— Oui, presque certainement.

— Vous n'avez besoin de rien ? — demanda soudain Gabrio comme à contrecœur. — On vous a muni de fonds ?... Je n'ai pas beaucoup ici... mais si vous avez besoin de quelque chose...

— Non, merci, je n'ai besoin de rien.

— Alors, bonne chance !

Ils se serrèrent la main et Gabrio referma rapidement la porte de la petite maison. Marcel se dirigea vers la grille.

Mais quand il fut dans l'allée de pittosporums, il s'aperçut que dans sa hâte de quitter la salle commune, il y avait oublié son chapeau. Il hésita, plein de dégoût à l'idée de rentrer dans cette pièce au relent de souliers, de poudre de riz et de sueur et craignant d'autre part les quolibets et les avances des filles. Il se décida pourtant, revint sur ses pas et poussa la porte, déclenchant la même sonnerie.

Cette fois, personne n'apparut, ni la caméristе au visage de furet, ni aucune des femmes. Mais, à travers la porte ouverte, il entendit et reconnut aussitôt, venant de la salle commune, la grosse voix débonnaire de l'agent Orlando et cela l'encouragea à avancer.

La salle était vide ; l'agent était assis dans le coin de la porte avec une femme que Marcel ne se rappela pas avoir vue parmi les autres, quand il était entré pour la première fois. D'un geste gauche et confidentiel, Orlando lui entourait la taille de son bras et l'entrée de Marcel ne le fit pas changer d'attitude. Marcel, embarrassé, vaguement irrité, détourna les yeux d'Orlando et les reporta sur la femme.

Elle se tenait assise, très droite, comme si elle avait voulu repousser ou au moins éloigner son compagnon. Elle était brune, avec un front haut et très blanc, des yeux clairs, un visage long et maigre, une grande bouche ravivée par un rouge à lèvres foncé, une expression dédaigneuse. Elle était vêtue d'une façon presque normale : une robe du soir blanche, décolletée, sans manches. Seul détail aguichant : l'ouverture de la robe qui, sous la taille, découvrait le ventre et les jambes croisées, longues, minces et élégantes, belles et chastes comme des jambes de danseuse. Elle tenait une cigarette allumée entre ses doigts mais ne fumait pas ; sa main était posée sur le bras du canapé et la fumée s'évanouissait dans l'air. Son autre main était abandonnée sur le genou de l'agent, comme, pensa Marcel, sur la tête fidèle d'un gros chien. Mais ce qui le frappa chez cette femme, ce fut le front, extrêmement blanc, comme éclairé d'une manière mystérieuse par l'expression intense des yeux : une lumière si pure qu'elle évoqua pour lui ces diadèmes de brillants que portaient autrefois les femmes dans les bals officiels. Le regard de Marcel s'attardait, étonné ; et il éprouvait il ne savait quel douloureux sentiment de regret et de contrariété. Cependant, intimidé par ce regard insistant, Orlando s'était levé.

— Mon chapeau... — dit Marcel. La femme était restée assise et, sans curiosité, le regardait à son tour. L'agent, empressé, traversa le salon pour aller prendre le chapeau sur un divan. Alors, tout à coup, Marcel comprit la raison de son douloureux sentiment de regret à la vue de la femme. En vérité, il ne voulait pas qu'elle servît au plaisir de l'agent et la voir subir cet embrassement l'avait fait souffrir comme une profanation intolérable. Certes, elle ignorait tout de la lumière qui nimbait son front et qui ne lui appartenait pas davantage que la beauté n'appartient à tout être beau. Pourtant Marcel sentit qu'il devait empêcher ce front lumineux de s'abaisser pour satisfaire les caprices érotiques d'Orlando. Un moment, il pensa profiter de son autorité personnelle pour l'emmener hors de la salle ; ils causeraient un peu et, une fois assuré que l'agent avait trouvé une autre femme, il s'en irait. Il eut même la folle pensée de l'arracher à cette maison close pour la remettre dans le droit chemin. Mais tout en y pensant, il sentait bien que ce n'était qu'utopie. Elle ne pouvait qu'être semblable à ses compagnes et, comme elles, irréparablement et presque naïvement pourrie et perdue. Puis il sentit qu'on lui touchait le bras : Orlando lui tendait son chapeau. Il le prit machinalement.

Mais l'agent avait eu le temps de réfléchir au singulier regard de Marcel. Il fit un pas en avant et indiquant la femme, comme on offrirait un mets ou une boisson à un hôte de marque, il proposa : — Si vous voulez, Monsieur, si celle-ci vous plaît... moi, je peux bien attendre.

Marcel ne comprit pas tout de suite. Puis il vit le sourire à la fois respectueux et malicieux d'Orlando et se sentit rougir jusqu'aux oreilles. Ainsi Orlando ne renonçait pas ; mais simplement, par courtoisie de camarade et discipline d'inférieur, il se résignait à passer après lui : comme au comptoir d'un bar ou à la table d'un buffet. Marcel dit précipitamment : — Mais vous êtes fou, Orlando... faites ce que vous voulez, moi, je dois m'en aller.

— Dans ce cas, Monsieur... — dit l'agent avec un sourire. Marcel le vit faire un signe d'appel à la femme, qui se leva aussitôt, docile et, sans hésiter ni protester, avec une simplicité professionnelle, vint au-devant de l'agent, toute droite, avec son diadème de lumière au front.

— Nous nous reverrons bientôt, Monsieur — dit l'agent qui s'effaça pour laisser passer la femme. Marcel, presque malgré lui, se recula pareillement et elle passa entre les deux hommes, la cigarette à la main. Mais devant Marcel, elle s'arrêta et dit : — Si tu veux me demander, je m'appelle Louise. — Ainsi qu'il l'avait prévu, elle avait une grosse voix rauque, sans aucun charme ; et à ces paroles, elle crut devoir ajouter un geste aguichant, en se passant la langue entre les lèvres. Paroles et geste atténuèrent chez Marcel le remords de la laisser partir avec Orlando. Entre-temps, la femme, précédant l'agent, était arrivée au bas de l'escalier. Elle jeta sa cigarette allumée, l'écrasa sous son pied, souleva sa robe des deux mains et monta rapidement, suivie d'Orlando. Ils disparurent au tournant du palier. Quelqu'un, probablement une des filles, descendait maintenant en bavardant avec son client. Marcel quitta promptement la maison.

# III

Après avoir prié le portier de l'hôtel de lui appeler le numéro de téléphone des Quadri, Marcel alla s'asseoir dans un coin du hall. Ce hall de grand hôtel était très vaste, avec des colonnes qui en supportaient la voûte, de nombreux fauteuils groupés par places, des vitrines exposant des articles de luxe, des tables à écrire et des guéridons. Les gens allaient et venaient de l'entrée à la cage de l'ascenseur, du bureau du portier à celui de la direction, de la porte du restaurant aux salons qui s'ouvraient entre les colonnes. Marcel avait pensé qu'il distrairait son attente par le spectacle de ce hall gai et animé ; mais comme si son angoisse présente l'attirait vers les couches profondes de sa mémoire, sa pensée revenait toujours, presque malgré lui, à la première et unique visite qu'il avait rendue à Quadri, bien des années auparavant. Marcel était alors étudiant et Quadri était son professeur. Il s'était rendu chez ce dernier, qui habitait une vieille maison rouge, près de la gare, afin de le consulter à propos de sa thèse de doctorat.

En entrant, Marcel avait été frappé de l'énorme quantité de livres accumulés dans tous les coins de l'appartement. Déjà, dans l'antichambre, il avait remarqué certaines vieilles tentures qui paraissaient masquer des portes ; mais en les soulevant, il avait découvert des rayons et des rayons de livres installés dans des sortes de niches. La bonne l'avait précédé dans un tortueux et long corridor qui semblait tourner autour de la cour intérieure de la maison et les murs même de ce corridor étaient encombrés d'étagères pleines de livres et de papiers. Finalement introduit dans le bureau de Quadri, Marcel s'était trouvé entre quatre murs entièrement recouverts de livres, du plancher au plafond. Sur le bureau, d'autres livres, disposés en piles à travers lesquelles apparaissait, comme dans une meurtrière, le visage barbu du professeur. Quadri avait une figure curieusement plate et asymétrique qui faisait penser à un masque de carton-pâte avec des yeux bordés de rouge, un nez triangulaire, une barbe et des moustaches qui paraissaient postiches et maladroitement collées au bas de ce visage. Les cheveux même, trop noirs et comme humides, suggéraient l'idée d'une perruque mal appliquée. Les moustaches en brosse et la barbe en éventail, d'un noir suspect, laissaient apercevoir la bouche trop rouge aux lèvres informes. Et Marcel n'avait pu s'empêcher de penser que tout ce poil mal planté cachait quelque difformité, telle qu'une absence de menton ou une affreuse cicatrice. C'était un visage ou rien ne paraissait sûr et réel, un masque en somme.

Le professeur s'était levé pour accueillir Marcel et ce geste avait révélé sa petite taille et la bosse, ou plutôt la déformation de son épaule gauche, qui ajoutait un air douloureux à l'excessive douceur et affabilité de ses manières. En lui serrant les mains au travers des livres empilés, Quadri, d'un geste de myope, avait regardé son visiteur pardessus ses grosses lunettes et Marcel avait eu l'impression d'être scruté non par deux yeux, mais par quatre. Quadri était habillé d'une façon démodée, redingote noire à revers de soie, pantalon rayé, chemise blanche avec col et manchettes empesés, chaîne d'or sur le gilet. Marcel n'avait aucune sympathie pour Quadri ; il le savait antifasciste et, dans son esprit, l'antifascisme du professeur, sa laideur malsaine, son érudition, ses livres, tout lui paraissait contribuer à former cette image conventionnelle de l'intellectuel négatif et impuissant que la propagande du parti ne cessait de vouer au mépris. D'autre part, l'extraordinaire douceur de Quadri répugnait à Marcel qui y voyait un trait de fausseté ; il lui semblait impossible que, sans mensonge et sans but secret, un homme pût paraître aussi doux.

Quadri avait accueilli Marcel avec son habituelle expression d'amabilité un peu maniérée. Entrecoupant ses phrases de « cher enfant », « mon garçon », « mon cher ami », agitant ses petites mains blanches au-dessus de ses livres, il lui avait posé une foule de questions sur sa famille et sur lui-même. À la nouvelle que le père de Marcel avait été interné dans une maison de santé, il s'était exclamé :
— Oh ! mon pauvre enfant ! je ne savais pas... quel malheur, quel épouvantable malheur ! La science ne peut-elle rien pour le ramener à la raison ? — mais il n'avait pas écouté la réponse de Marcel et avait immédiatement abordé un autre sujet. Il avait une voix de gorge, modulée et harmonieuse, très douce, pleine d'un empressement craintif. Curieusement, cependant, à travers cette sollicitude si extériorisée, Marcel avait pressenti, comme on devine le filigrane dans la transparence d'un papier, l'indifférence absolue de Quadri qui ne s'intéressait nullement à lui, ne le voyait peut-être même pas. Marcel avait été également frappé par le ton monocorde du professeur, sans nuances ni relief ; toujours avec le même accent uniformément affectueux et sentimental, qu'il s'agît d'un sujet ou d'un

autre. Après toutes ces questions, Quadri avait finalement demandé à Marcel s'il était fasciste. Celui-ci ayant répondu affirmativement, il avait expliqué avec beaucoup de simplicité que pour lui, dont les sentiments antifascistes étaient notoirement connus, il était difficile, sous un régime comme celui de Mussolini, de continuer à enseigner des matières telles que la philosophie et l'histoire. À ce moment, Marcel, embarrassé, avait cherché à amener la conversation sur le motif de sa visite. Mais Quadri l'avait immédiatement interrompu : — Vous vous demanderez peut-être pourquoi je vous dis toutes ces choses ; cher enfant, si je vous parle, ce n'est pas par bavardage ou besoin de m'épancher... je ne me permettrais pas de vous faire perdre le temps précieux que vous devez consacrer à vos études... non, si je vous dis tout cela, c'est pour justifier en quelque sorte le fait que je ne pourrai m'occuper de vous ni de votre thèse : je quitte l'enseignement...

— Vous quittez l'enseignement ? — avait répété Marcel, surpris.

— Oui — avait confirmé Quadri, avec son geste habituel de la main, lissant ses moustaches et sa barbe, — et c'est avec douleur, une véritable douleur, puisque jusqu'ici j'avais consacré toute ma vie à la jeunesse, que je me vois contraint d'abandonner l'université. — Et après une pause, le professeur avait ajouté très simplement, avec un soupir : — Eh ! oui, j'ai décidé de passer de la pensée à l'action... la phrase ne vous paraît sans doute pas neuve, mais elle reflète fidèlement ma situation.

Tout d'abord Marcel avait eu envie de sourire. Il l'avait trouvé comique, ce professeur Quadri, ce petit homme en redingote, bossu, myope, barbu, qui, assis entre ses piles de livres, déclarait avoir décidé de passer de la pensée à l'action. Toutefois le sens de la phrase n'était pas douteux. Quadri, après avoir été durant des années un opposant passif, enfermé dans ses pensées et son métier, avait décidé de passer à la politique active, de s'adonner peut-être à la conspiration. Dans un sursaut d'antipathie, Marcel n'avait pu s'empêcher, avec une froideur menaçante, de donner un avertissement : — Vous avez tort de me dire cela... je suis fasciste et pourrais vous dénoncer.

Mais Quadri, avec son extrême douceur, avait répondu en passant brusquement au tutoiement : — Je sais que tu es un bon garçon, un honnête et brave garçon qui ne saurait agir de la sorte !

« Que le diable l'emporte ! » avait pensé Marcel, contrarié et il avait ajouté avec sincérité : — Je le pourrais fort bien ; l'honnêteté, pour nous autres fascistes, consiste justement à dénoncer les gens comme vous et à les mettre dans l'impossibilité de nuire.

Le professeur avait secoué la tête : — Mon cher enfant, tu sais que ce que tu dis est faux... ou plutôt tu connais ton propre cœur... c'est ainsi qu'en honnête garçon que tu es, tu as voulu m'avertir... sais-tu ce qu'un autre, un vrai délateur, aurait fait ? Il aurait eu l'air de m'approuver et puis, une fois que je me serais compromis par quelque déclaration imprudente, il m'aurait dénoncé... toi, tu m'as mis en garde...

— Si je vous ai averti — avait durement répondu Marcel, — c'est que je ne vous crois pas capable de ce que vous appelez l'action... Pourquoi ne vous contentez-vous pas de votre rôle de professeur ?... De quelle action parlez-vous ?

— L'action... inutile de préciser laquelle — avait répondu Quadri en le regardant fixement. À ces mots Marcel avait malgré lui levé les yeux vers les murs tapissés de livres. Quadri avait saisi ce regard au vol et, très doucement, avait ajouté : — Cela te paraît bizarre, n'est-ce pas, que je parle d'action ? Parmi tous ces livres ?... Tu es en train de penser : de quelle action peut bien parler ce petit bonhomme bossu, tordu, myope, barbu... dis la vérité... n'est-ce pas là ce que tu penses ? Les journaux de ton parti t'ont tant de fois décrit l'homme qui ne sait ni ne peut agir, l'intellectuel, que tu ne peux t'empêcher de sourire avec pitié en me reconnaissant dans cette image... n'est-ce pas ?

Surpris de tant de perspicacité, Marcel s'était exclamé :

— Comment avez-vous pu deviner ?

— Oh ! mon cher ami — avait répondu Quadri en se levant, — je l'ai compris immédiatement... mais il n'est pas dit que pour agir il soit nécessaire de porter un aigle d'or à son béret et des galons sur ses manches... au revoir... au revoir en tout cas... et bonne chance... au revoir ! — Et tout en parlant, doucement, implacablement, il avait poussé Marcel vers la porte.

Et maintenant Marcel, en repensant à cette rencontre, s'apercevait que dans son mépris irréfléchi pour ce Quadri bossu, barbu et pédant, entrait beaucoup d'impatience et d'inexpérience juvéniles. D'ailleurs la conduite même de Quadri lui avait démontré son erreur. Peu de mois après leur conversation, il s'était enfui à Paris et y était promptement devenu un des chefs de l'antifascisme, peut-être le plus habile, le mieux préparé, le plus agressif. Sa spécialité était l'apostolat. Profitant de son expérience didactique et de sa connaissance de la mentalité de la jeunesse, il réussissait souvent à convertir des jeunes gens indifférents ou même d'opinions contraires, puis à les pousser à des entreprises hardies, périlleuses, presque toujours désastreuses sinon pour lui qui en était l'instigateur, du moins pour ceux qui en étaient les candides exécuteurs. En jetant ses adeptes dans la lutte et la conspiration, il ne semblait pas s'arrêter à ces préoccupations humanitaires qu'on eût été tenté de lui attribuer de par son caractère ; il les sacrifiait même avec désinvolture dans des actions désespérées qui ne se pouvaient justifier que par des plans à longue échéance comportant obligatoirement un cruel mépris de la vie humaine. Quadri avait en somme quelques-unes des rares qualités des véritables hommes politiques, à tout le moins d'une certaine catégorie de ceux-ci : il était rusé en même temps qu'enthousiaste, intellectuel et actif à la fois, candide et cynique, réfléchi et en même temps téméraire. Marcel, par obligation de métier, avait eu souvent à s'occuper de Quadri que les rapports de police considéraient comme un élément des plus dangereux et il avait toujours été frappé par la profondeur et l'ambiguïté du caractère de cet homme qui réunissait en lui tant de contrastes. Ainsi, peu à peu, grâce à tout ce qu'il avait appris à distance, au moyen d'informations souvent imprécises, son mépris du début avait fait place à une considération malveillante. La vieille antipathie était restée, en tout cas ; car Marcel était convaincu que Quadri, parmi tant de qualités, manquait de courage, ce qui lui paraissait démontré par le fait que tout en poussant ses adeptes à des entreprises mortellement dangereuses, il ne s'exposait jamais personnellement.

Au milieu de ces pensées, il tressaillit à la voix d'un chasseur de l'hôtel qui, traversant rapidement le hall, criait son nom à haute voix. Sur le moment, la prononciation française aidant, il eut l'étrange pensée que c'était le nom d'un autre. Pourtant ce M. Clerici c'était bien lui ; et il eut une espèce de nausée lorsque, se complaisant à imaginer qu'il pouvait être un autre, il chercha à se voir tel qu'il était avec son visage, sa personne, ses vêtements. Cependant le chasseur s'éloignait en direction du petit salon, en continuant à appeler. Marcel se leva et alla droit à la cabine téléphonique.

Il prit l'écouteur posé sur la tablette et le porta à son oreille. Une voix féminine, limpide, un peu chantante, demanda en français qui était à l'appareil.

Dans la même langue Marcel répondit : — Je suis un

Italien... Clerici, Marcel Clerici... je voudrais parler au professeur Quadri.

— Il est très occupé... je ne sais s'il pourra se déranger... vous avez dit que vous vous appeliez Clerici ?

— Oui, Clerici.

— Attendez un instant.

Il y eut un bruit d'écouteur posé sur une table, puis celui de pas qui s'éloignaient et finalement le silence. Marcel attendit longtemps, pensant qu'un autre bruit de pas annoncerait le retour de la femme ou l'arrivée du professeur. Et tout à coup ce fut au contraire la voix de Quadri, rompant inopinément le profond silence. — Allô, ici Quadri... qui parle ?

Marcel expliqua rapidement : — Je m'appelle Marcel Clerici... j'étais un de vos élèves quand vous étiez professeur à Rome... je désirerais vous voir.

— Clerici... — répéta Quadri d'un ton incertain. Puis, au bout d'un instant, avec décision : — Clerici... je ne connais pas.

— Mais si, professeur — insista Marcel, — je suis allé vous voir quelques jours avant quc vous ne quittiez l'enseignement... je voulais vous soumettre un projet de thèse...

— Un moment, Clerici — dit Quadri, — je ne me souviens pas de votre nom mais cela n'empêche pas que vous ne puissiez avoir raison... et vous voulez me voir ?

— Oui, professeur.

— Pourquoi ?

— Sans motif particulier — répondit Marcel, — mais comme j'étais votre élève et que j'ai beaucoup entendu parler de vous ces derniers temps... je voulais vous voir... c'est tout...

— Eh bien ! — dit Quadri, conciliant, — venez me voir chez moi.

— Quand ?

— Voyons... aujourd'hui... dans l'après-midi, après le déjeuner... venez prendre le café... vers trois heures.

— Je dois vous dire, professeur — fit Marcel, — que je suis en voyage de noces... pourrais-je vous amener ma femme ?

— Mais bien entendu... naturellement... à tantôt.

Le déclic du téléphone se fit entendre et Marcel après un instant de réflexion posa à son tour l'écouteur. Mais il n'était pas plus tôt sorti de la cabine que le même chasseur qui l'avait appelé à travers le hall s'approcha de lui : — On vous demande au téléphone, Monsieur...

— J'ai déjà parlé — dit Marcel.

— Non, Monsieur, c'est une autre personne qui vous demande.

Machinalement il rentra dans la cabine et décrocha de nouveau l'écouteur. Aussitôt une grosse voix cordiale, pleine de bonhomie, se fit entendre à son oreille : — C'est vous, monsieur Clerici ?

Marcel reconnut la voix de l'agent Orlando et répondit d'une voix calme : — Oui, c'est moi.

— Vous avez fait bon voyage, Monsieur ?

— Oui, excellent.

— Mme Clerici va bien ?

— Très bien, merci.

— Et que dites-vous de Paris ?

— Je ne suis pas encore sorti de l'hôtel — répondit Marcel que cette familiarité agaçait un peu.

— Vous verrez... Paris, c'est Paris !... alors, Monsieur, nous devons nous rencontrer, n'est-ce pas ?

— Certainement, Orlando... fixez-moi un rendez-vous.

— Vous ne connaissez pas Paris, Monsieur... je vais vous donner rendez-vous dans un endroit facile à trouver : le café qui fait l'angle de la place de la Madeleine... vous ne pouvez pas vous tromper... à gauche en venant de la rue de la Paix... toutes les tables sont dehors, mais je vous attendrai dedans... il n'y aura personne à l'intérieur...

— C'est bon... à quelle heure ?

— Je suis déjà au café... mais vous pouvez venir quand vous voudrez...

— Dans une demi-heure.

— Parfait, Monsieur, dans une demi-heure.

Marcel sortit de la cabine et se dirigea vers l'ascenseur ; quand, pour la troisième fois il entendit le même chasseur qui appelait son nom à haute voix et, cette fois, il s'étonna. Il eut presque l'espoir d'une intervention surnaturelle, comme si un oracle allait se servir du cornet d'ébonite du téléphone pour lui transmettre une parole qui déciderait de sa vie. Le cœur en suspens, il revint sur ses pas et pénétra pour la troisième fois dans la cabine.

— C'est toi, Marcel ? — demanda la voix caressante, languissante de sa femme.

— Ah ! c'est toi ! — s'exclama-t-il sans savoir s'il éprouvait soulagement ou déception.

— Oui, naturellement... qui voulais-tu que ce soit ?

— Personne... mais comme j'attendais un coup de téléphone...

— Que fais-tu ? — demanda-t-elle avec une inflexion d'ardente tendresse.

— Rien... j'allais justement monter pour t'avertir que je sortais et rentrerais dans une heure.

— Non, ne monte pas... je vais prendre mon bain... mais je t'attends dans une heure, dans le hall de l'hôtel.

— Peut-être dans une heure et demie.

— Soit... mais ne tarde pas trop, je t'en prie.

— J'ai dit cela pour ne pas te faire attendre, mais je serai là dans une heure, tu verras.

Elle dit précipitamment, comme si elle craignait que Marcel ne raccrochât : — Tu m'aimes ?

— Mais bien sûr... pourquoi me le demandes-tu ?

— Parce que... si tu étais en ce moment auprès de moi, tu m'embrasserais ?

— Mais oui... veux-tu que je monte ?

— Non, non, ne monte pas... mais, dis-moi ?

— Quoi ?

— Dis-moi... cette nuit, je t'ai rendu heureux ?

— Quelle question, Julie ! — s'écria-t-il un peu gêné. Elle ajouta aussitôt : — Pardonne-moi... je ne sais même pas ce que je dis... alors, tu m'aimes ?

— Je viens de te le dire.

— Excuse-moi... eh bien ! c'est d'accord, je t'attends dans une heure et demie... au revoir, mon amour.

Cette fois, pensa-t-il en raccrochant l'écouteur, il ne pouvait plus attendre d'autre communication. Il se dirigea vers la porte d'entrée, poussa le tambour vitré en acajou et sortit dans la rue.

L'hôtel donnait sur un quai de la Seine. Sur le seuil, il resta un moment immobile, surpris du gai spectacle que lui offraient la ville et la belle journée. À perte de vue, sur les trottoirs, le long du parapet du fleuve, s'élevaient de grands arbres touffus, dans leur brillante parure printanière ; des arbres qu'il ne connaissait pas, des marronniers, sans doute. Un grand soleil resplendissait sur chaque feuille, se reflétait en verdure claire, lumineuse, souriante. Alignés sur les parapets, les étalages des bouquinistes offraient leurs rangées de livres d'occasion, leurs piles d'estampes ; des gens flânaient le long de ces étalages, sous les arbres, entre les taches mouvantes d'ombre et de lumière, avec une allure aimable et tranquille de promeneurs du dimanche. Marcel traversa la chaussée pour aller s'appuyer au parapet, entre deux étalages de bouquins. Au-delà du fleuve, sur l'autre rive, on voyait les maisons grises aux toits mansardés. Plus loin, les deux tours de Notre-

Dame ; puis d'autres flèches d'églises, des perspectives de hautes maisons, de toitures, de terrasses... Il remarqua que le ciel était plus pâle et plus vaste qu'en Italie, comme empli de l'invisible et foisonnante présence de l'immense ville étendue sous sa voûte. La Seine, encaissée dans ses hautes murailles obliques, bordée de quais soignés, ressemblait à cet endroit à un canal. L'eau grasse et lourde, d'un vert trouble, ondulait en remous scintillants autour des piles blanches du pont tout proche. Un chaland, noir et jaune, glissait, rapide, sans laisser d'écume, sa cheminée éructant de vigoureuses bouffées de fumée. Un gros moineau familier se posa sur le parapet auprès du bras de Marcel, eut un pépiement vif comme pour lui dire quelque chose, puis s'envola en direction du pont. Un jeune homme fluet, un étudiant sans doute, mal vêtu, un béret sur la tête, un livre sous le bras, attira un instant son attention ; il allait du côté de Notre-Dame, sans hâte, s'arrêtant de temps en temps pour regarder les livres et les gravures. En l'observant, Marcel eut soudain le sentiment de sa propre disponibilité, malgré tous les engagements qui le liaient ; il aurait pu être ce jeune homme et alors le fleuve, le ciel, les quais, les arbres, Paris tout entier aurait eu pour lui un autre sens. À ce moment, il vit venir un taxi libre qui roulait lentement sur l'asphalte ; il l'arrêta d'un geste qui le surprit lui-même car, un instant auparavant, il n'y pensait pas. Il monta en donnant l'adresse du café où l'attendait Orlando.

Adossé aux coussins, il regardait les rues de Paris. Il fut frappé par la gaieté de la ville, toute grise et vieille et cependant souriante et charmante ; pleine d'une douceur intelligente qui, par bouffées, semblait entrer par les vitres du taxi en même temps que le vent de la course. Après un bref arrêt, le taxi passa devant la façade de temple néoclassique de la Chambre des députés, traversa le pont et fonça à toute vitesse en direction de l'obélisque de la place de la Concorde.

Ainsi, pensa Marcel, en regardant l'immense place militaire avec ses portiques alignés dans le fond comme des soldats à la parade, ainsi c'était là la capitale de cette France qu'il fallait détruire. À ce moment il lui semblait que depuis longtemps il aimait cette ville qui s'étendait sous ses yeux, qui l'avait aimée bien avant ce jour où il s'y trouvait pour la première fois. Et cependant cette admiration même pour la beauté majestueuse, aimable et gracieuse de la ville confirmait en lui le sombre sentiment du devoir qu'il s'apprêtait à accomplir. Si Paris avait été moins beau, peut-être eût-il pu, pensa-t-il, éluder ce devoir, fuir, se libérer de son destin ; mais cette beauté l'ancrait dans son rôle hostile et négateur de la même manière que les nombreux aspects antipathiques de la cause pour laquelle il militait. Il s'aperçut qu'en réfléchissant ainsi il cherchait à s'expliquer à lui-même l'absurdité de sa propre condition ; et il comprit que s'il s'en donnait cette explication c'est qu'il n'y en avait pas d'autre et pas d'autre façon par conséquent de l'accepter librement et consciemment.

Le taxi stoppa et Marcel descendit devant le café indiqué par Orlando. Les petites tables installées sur le trottoir étaient toutes occupées comme l'avait prévu l'agent ; mais quand il entra dans le café, il le trouva désert. Orlando était assis à une table devant une fenêtre. Dès qu'il le vit, il se leva en lui faisant un signe d'appel.

Marcel s'approcha lentement et s'assit en face de l'agent. À travers la vitre on voyait le dos des gens assis dehors, à l'ombre des arbres, et plus loin, une partie du péristyle et du fronton triangulaire de l'église de la Madeleine. Marcel commanda un café. Orlando attendit que le garçon se fût éloigné, puis déclara : — Vous croyez peut-être, Monsieur, qu'on va vous donner un « espresso » comme en Italie, mais vous vous leurrez... À Paris, le bon café comme chez nous n'existe pas... vous allez voir quelle lavasse on va vous apporter.

Orlando parlait avec son ton respectueux, familier, tranquille. « Une figure honnête » pensa Marcel en lançant un coup d'œil de côté à l'agent qui, avec un soupir, se versait encore un peu de ce café quelconque, « une figure de facteur, de métayer, de petit propriétaire terrien. » Il attendit qu'Orlando eût fini sa tasse pour lui demander : — D'où êtes-vous, Orlando ?

— Moi, Monsieur ? De la province de Palerme.

Sans raison, Marcel avait toujours pensé qu'Orlando était natif de l'Italie centrale, de l'Ombrie ou des Marches. Maintenant, en le regardant mieux, il comprit que l'allure rustique et la charpente carrée de l'agent l'avaient induit en erreur. Le visage ne portait aucune trace de la douceur ombrienne, ni de la placidité des gens de la province d'Ancône. C'était bien une face honnête et brave, mais les yeux noirs et cernés avaient une gravité féminine et presque orientale qui n'était pas de ces régions ; pas plus que n'était doux et placide le sourire de la large bouche aux lèvres minces, sous le petit nez mal dessiné. Marcel dit comme s'il se parlait à lui-même : — Je ne l'aurais jamais pensé...

— D'où me croyiez-vous donc ? — demanda Orlando presque vivement.

Ostensiblement, Marcel regarda sa montre-bracelet. — Et maintenant, parlons un peu de nos affaires, Orlando — dit-il avec autorité, — je dois rencontrer aujourd'hui le professeur Quadri... d'après les instructions, je dois vous désigner le professeur afin que vous puissiez être certain de son identité... tel est mon rôle, n'est-ce pas ?

— Oui, monsieur Clerici.

— Eh bien ! j'inviterai ce soir le professeur Quadri à dîner ou à prendre le café... je ne puis encore vous dire où... vous n'aurez qu'à me téléphoner à l'hôtel vers sept heures et je vous dirai alors l'endroit choisi... quant au professeur, fixons dès à présent la façon dont je vous le désignerai... disons par exemple que Quadri sera la première personne à laquelle je serrerai la main en entrant dans le café ou le restaurant... d'accord ?

— C'est entendu, Monsieur.

— Et maintenant, il faut que je m'en aille — dit Marcel après un nouveau coup d'œil à sa montre. Il posa sur la table le prix des consommations, se leva et sortit, suivi à distance par l'agent.

Sur le trottoir, Orlando embrassa du regard le mouvement incessant de la rue où deux files d'autos avançaient presque au pas, en sens contraire ; puis, d'un ton emphatique : — Paris ! dit-il.

— Ce n'est pas la première fois que vous y venez, n'est-ce pas, Orlando ? — demanda Marcel qui cherchait des yeux un taxi parmi la foule des autos.

— La première fois ? — dit l'agent avec une fierté naïve, — autre chose que la première fois... dites un chiffre pour voir, Monsieur ?

— Mais, je ne sais pas...

— Douze fois — dit l'agent, — celle-ci fait la treizième.

Un chauffeur de taxi ayant saisi au vol le regard de Marcel vint s'arrêter devant lui. — Au revoir, Orlando — dit Marcel en montant dans la voiture, — j'attends donc votre coup de téléphone ce soir. — L'agent fit de la main un signe d'entente. Marcel donna l'adresse de l'hôtel.

Mais tandis que le taxi roulait, les dernières paroles de l'agent (douze fois à Paris et celle-ci est la treizième) semblaient encore résonner à ses oreilles et éveiller dans sa mémoire des échos lointains. Comme lorsqu'on crie à l'entrée d'une grotte et que votre propre voix se répercute en des profondeurs insoupçonnées. Tout à coup, le souvenir des chiffres énoncés par Orlando lui rappela qu'il devait désigner Quadri à l'agent par une poignée de main. Pourquoi n'avait-il pas tout simplement informé Orlando que Quadri était reconnaissable à sa bosse ? S'il avait oublié la difformité du professeur, c'étaient que des réminiscences lointaines, enfantines, de l'histoire sainte, l'avaient incité à recourir au geste de la salutation, moyen de reconnaissance bien moins sûr cependant... Douze étaient les apôtres et le treizième était justement celui qui embrassa le Christ afin que le reconnussent les gardes rassemblés dans le jardin pour l'arrêter. Et maintenant, les images traditionnelles des stations du Chemin de Croix, tant de fois contemplées dans les églises, se superposaient au décor moderne d'un restaurant avec ses clients attablés où il se levait pour aller la main tendue au-devant de Quadri tandis que l'agent Orlando, assis dans un coin, les observait tous deux. La figure de Judas, le treizième apôtre, se confondait avec la sienne propre, en épousait les contours, devenait lui-même.

Il éprouvait presque une sorte d'amusement à aller jusqu'au bout de l'idée évoquée par son imagination. « Les motifs qu'avait Judas pour faire ce qu'il fit, étaient probablement les mêmes que les miens » pensa-t-il, « et lui aussi devait agir contre son gré, parce qu'il était nécessaire, après tout, que quelqu'un fît ce qu'il allait faire... pourquoi me tourmenter ? Admettons tout simplement que j'aie choisi le rôle de Judas... et après ? »

Il s'aperçut d'ailleurs qu'aucun tourment ne l'agitait. Tout au plus sentait-il en lui cette habituelle mélancolie glacée qui n'avait rien, au fond, de très désagréable. Il pensa encore, non pour se justifier, mais pour approfondir sa comparaison et en reconnaître les limites qu'il ne ressemblait à Judas que jusqu'à un certain point. Jusqu'à la poignée de main ; et même si l'on voulait, jusqu'à la trahison, entendue dans le sens le plus général puisqu'il n'était pas un disciple de Quadri. Mais cela n'allait pas plus loin. Judas s'était pendu ou, tout au moins, avait pensé qu'il n'avait plus qu'à se pendre puisque ceux-là mêmes qui avaient suggéré et payé sa trahison n'avaient pas le courage de le soutenir et de le justifier. Mais lui, il ne se tuerait pas et ne s'adonnerait pas au désespoir, car derrière lui... Il vit en esprit les foules rassemblées sur les places publiques, applaudissant le chef qui le commandait et implicitement justifiait son obéissance. Enfin, il ne recevrait rien, au sens absolu, pour ce qu'il allait faire. Même pas trente deniers. C'était « le service » comme disait l'agent Orlando. L'analogie cessait donc, disparaissait, ne laissant qu'une trace de suffisance et d'orgueilleuse ironie. Car enfin, cette comparaison, il l'avait évoquée, développée, et pendant un certain temps, il l'avait trouvée juste.

# IV

Après le déjeuner Julie voulut revenir à l'hôtel pour changer de robe avant d'aller chez Quadri. Mais comme ils quittaient l'ascenseur, elle passa son bras autour de la taille de son mari et murmura : — Je ne voulais pas me changer, tu sais, je voulais simplement passer un moment seule avec toi. — Tout en parcourant le corridor entre deux enfilades de portes et en sentant autour de sa taille l'étreinte affectueuse du bras de sa femme, Marcel se disait que si pour lui le voyage à Paris représentait surtout une mission, pour Julie, c'était uniquement son voyage de noces. En conséquence, il ne lui était pas permis d'abandonner un instant ce rôle de jeune époux qu'il avait accepté de jouer ; même si parfois, comme en ce moment, il éprouvait un sentiment angoissé, bien éloigné du trouble amoureux. Mais tout ceci, ce bras qui entourait sa taille, ces caresses, faisait partie du conformisme auquel il avait tant aspiré ; et ce qu'il s'apprêtait à faire avec Orlando n'était que le prix du sang d'un tel conformisme. Entre-temps, ils étaient arrivés à leur chambre ; Julie, sans lui lâcher la taille, ouvrit et entra avec lui.

Une fois dans la chambre, elle le laissa, ferma la porte à clé et lui dit : — Pousse un peu la fenêtre, veux-tu ? — Marcel alla baisser les persiennes ; en se retournant il vit Julie debout près du lit qui déjà enlevait sa robe par la tête ; et il crut comprendre ce qu'elle avait insinué en disant : — Je voulais seulement rester un peu seule avec toi. — En silence, il alla s'asseoir sur le bord du lit. Julie était maintenant en combinaison. Avec soin elle rangea sa robe sur une chaise au chevet du lit, enleva ses souliers, puis gauchement s'étendit sur le dos, un bras replié sous sa nuque. Elle se tut un moment, puis appela : — Marcel.

— Qu'y a-t-il ?

— Pourquoi ne viens-tu pas t'étendre à côté de moi ?

Docile, Marcel se baissa pour enlever ses souliers et s'étendit sur le lit à côté de sa femme. Aussitôt Julie se rapprocha et se serra étroitement contre lui ; d'un ton inquiet : — Qu'as-tu ? — demanda-t-elle.

— Moi ? Rien... pourquoi ?

— Je ne sais pas... tu me parais si préoccupé.

— C'est une impression que tu auras souvent — répondit-il, — tu sais que par habitude je ne suis pas d'humeur légère... mais cela ne veut pas dire que je sois préoccupé.

Elle n'insista pas et l'embrassa. Puis elle reprit : — Si je t'ai demandé de revenir ici, ce n'était pas pour changer de toilette... ce n'était pas également parce que je voulais être seule avec toi... la vérité est tout autre...

Cette fois Marcel s'étonna et éprouva presque un remords d'avoir suspecté un simple caprice amoureux. Il vit qu'elle avait les yeux pleins de larmes et ne le regardait pas en face. Affectueusement, mais non sans quelque ennui, il demanda : — C'est à moi maintenant de te demander ce que tu as ?

— Tu as raison — répondit-elle. Et en même temps elle

se mit à pleurer avec des sanglots silencieux qui la secouaient tout entière. Marcel attendit un peu, espérant que ce chagrin incompréhensible allait s'apaiser. Mais au contraire les pleurs semblaient redoubler d'intensité. Alors, les yeux fixés au plafond, il la questionna : — Mais puis-je savoir pourquoi tu pleures ?

Julie sanglota encore un instant, puis elle répondit : — Pour rien... parce que je suis stupide, — avec déjà une nuance d'apaisement dans son ton douloureux.

Marcel tourna les yeux vers elle et insista : — Allons... pourquoi pleures-tu ? — Elle le regarda avec ses yeux mouillés où apparaissait déjà une lueur d'espérance ; puis elle ébaucha un sourire et allongea la main pour lui prendre son mouchoir dans sa poche. Elle s'essuya les yeux, se moucha, remit le mouchoir en place et murmura dans un baiser : — Si je te dis pourquoi je pleurais, tu penseras que je suis folle.

— Allons, courage — dit-il avec une caresse, — dis-moi la cause de ce chagrin ?

— Figure-toi — dit-elle, — pendant le déjeuner, je t'ai vu si distrait, si préoccupé, que j'ai pensé que tu avais assez de moi et te repentais de m'avoir épousée... sans doute à cause de ce que je t'ai dit dans le train, à propos de cet avocat... tu avais probablement déjà compris la bêtise que tu avais faite... toi, avec l'avenir que tu as, avec ton intelligence... et aussi ta bonté... épouser une malheureuse comme moi !... alors comme je pensais à toutes ces choses, je me suis dit qu'il valait mieux prendre les devants... je veux dire m'en aller sans rien dire, pour t'épargner même l'ennui des adieux... et j'ai décidé, dès que nous reviendrions à l'hôtel, de faire mes valises et de partir... de retourner en Italie en te laissant à Paris.

— Mais tu ne parles pas sérieusement ! — s'exclama Marcel ahuri.

— Tout à fait sérieusement — répondit-elle en souriant,

charmée de sa stupeur, — pendant que nous étions en bas dans le hall de l'hôtel et que tu t'étais absenté une minute pour acheter des cigarettes, je suis allée trouver le portier et l'ai prié de me retenir une place de wagon-lit pour Rome, ce soir... c'était donc bien sérieux, tu vois ?

— Mais tu es folle ! — dit Marcel, élevant la voix malgré lui.

— Je t'avais dit que tu penserais que je suis folle... — répondit-elle, — à ce moment, j'étais cependant sûre, absolument sûre, d'agir pour ton bien en te laissant, en m'en allant... oui, j'en étais aussi certaine que je le suis maintenant de te donner un baiser — et elle lui effleura la bouche de ses lèvres.

— Pourquoi étais-tu aussi sûre ? — demanda Marcel, troublé.

— Je ne sais pas... parce que... comme on peut être sûr de beaucoup de choses... sans raison...

— Et alors — ne put-il s'empêcher de s'écrier, avec une vague nuance de regret, — pourquoi as-tu changé d'avis ?

— Pourquoi ?... qui sait... peut-être parce que, dans l'ascenseur, tu m'as regardée d'une certaine manière ou tout au moins que j'en ai eu l'impression... et puis je me suis rappelé que j'avais décidé de partir et avais retenu un wagon-lit... alors en pensant que je ne pouvais revenir en arrière, je me suis mise à pleurer...

Marcel ne dit rien. Julie interpréta ce silence à sa façon et demanda : — Tu es contrarié, dis ?... contrarié à cause du wagon-lit ? mais, ils reprendront ma place, tu sais, et nous ne paierons que vingt pour cent.

— Quelle absurdité ! — dit-il comme plongé dans ses réflexions.

— Alors — dit-elle en étouffant un rire incrédule où tremblait encore un peu de crainte, — tu es ennuyé parce que je ne suis pas partie ?

— Autre absurdité — répliqua-t-il. Mais cette fois, il lui sembla n'avoir pas été tout à fait sincère. Et comme pour effacer une dernière hésitation, un ultime regret, il ajouta : — Si tu étais partie, c'eût été l'écroulement de toute ma vie ! — Alors, il pensa qu'il avait dit la vérité bien que d'une manière ambiguë. Ne vaudrait-il pas mieux que sa vie, cette vie qu'il avait édifiée à partir du drame de Lino, s'écroulât au lieu de se surcharger encore d'autres fardeaux et d'autres devoirs, comme un absurde palais auquel son propriétaire ajouterait par engouement belvédères, tourelles et balcons jusqu'à en compromettre la solidité ?

Il sentit les bras de Julie le serrer plus étroitement dans une étreinte amoureuse, puis elle murmura : — C'est vrai ?

— Oui, c'est vrai.

— Mais qu'aurais-tu fait — insista-t-elle avec une curiosité où entraient de la vanité et de la complaisance, — si vraiment je t'avais laissé et que je sois partie... aurais-tu couru après moi ?

Il hésita et il sembla, en répondant, qu'une ombre de regret se reflétait dans sa voix : — Moi, je ne crois pas... mais ne t'ai-je pas dit que toute ma vie se serait écroulée...

— Serais-tu resté en France ?

— Oui, peut-être.

— Et ta carrière ?... aurais-tu brisé ta carrière ?

— Sans toi, elle n'aurait plus eu aucun sens... — expliqua-t-il avec calme, — si je fais ce que je fais, c'est à cause de toi.

— Qu'aurais-tu fait alors ? — Elle paraissait éprouver un cruel plaisir à l'imaginer seul et sans elle.

— J'aurais fait ce que font tous ceux qui abandonnent leur patrie et leur situation dans les mêmes conjonctures : je me serais livré à un métier quelconque ; j'aurais fait le plongeur, le marin, le chauffeur, ou encore je me serais enrôlé dans la Légion étrangère... pourquoi tiens-tu autant à le savoir ?

— Parce que... comme cela... dans la Légion étrangère ? sous un autre nom ?

— Probablement.

— Où réside la Légion étrangère ?

— Au Maroc, je crois... et aussi ailleurs.

— Au Maroc... et voilà que je suis restée ! — murmura-t-elle en se blottissant contre lui avec une ardeur avide et jalouse. Puis le silence s'étendit ; Julie était devenue immobile et Marcel qui la regardait vit qu'elle avait fermé les yeux ; elle paraissait dormir. Alors lui aussi ferma les paupières avec le désir de s'assoupir. Mais il ne pouvait trouver le sommeil, bien qu'il se sentît prostré par une lassitude et une torpeur mortelles. Il éprouvait une sensation douloureuse et profonde, comme s'il se révoltait contre lui-même, contre tout son être. Et une comparaison singulière lui revenait avec insistance à l'esprit : il n'était qu'un fil, rien qu'un fil d'humanité à travers lequel passait sans arrêt le courant d'une énergie terrible qu'il n'était pas en son pouvoir d'accepter ou de refuser. Un fil semblable à ces fils de haute tension que soutiennent des poteaux portant cette inscription : « danger de mort ». Il n'était qu'un de ces fils conducteurs et il lui arrivait de n'être pas troublé par le bourdonnement de ce courant qui passait en lui et lui communiquait même un surcroît de vitalité ; mais d'autres fois, comme en ce moment par exemple, il ne pouvait plus supporter la force et l'intensité du courant et il aurait voulu ne plus être un fil tendu et vibrant, mais détaché, abandonné à la rouille, sur un tas de détritus, au fond d'une cour d'usine. Et pourquoi lui fallait-il supporter de transmettre le courant alors que d'autres n'en étaient même pas effleurés ? Et pourquoi ce courant était-il aussi continu, sans jamais une trêve ? La comparaison s'édifiait, se ramifiait en questions sans réponse ; et en même temps une torpeur pénible grandissait en lui, embrumait son esprit, obscurcissait le miroir de sa conscience. Finalement il s'assoupit et il lui sembla en quelque sorte que le sommeil interromprait le courant et que, pour une fois, il serait comme un tronçon de fer rouillé, jeté dans un coin parmi d'autres débris. À ce moment, il sentit une main toucher son bras ; il s'assit d'un bond et vit Julie debout auprès du lit, déjà habillée, son chapeau sur la tête.

— Tu dors ? Ne devons-nous pas aller chez Quadri ?

Marcel fixa un instant en silence la pénombre de la pièce, traduisant mentalement : — Ne devons-nous pas tuer Quadri ? — Puis, sur un ton léger : — Et si nous n'y allions pas ? Si, au contraire, nous faisions un bon somme ?

La question était d'importance, pensa-t-il, avec un regard en dessous vers Julie ; peut-être n'était-il pas trop tard pour faire échouer tout ce plan ?

Il vit qu'elle le regardait un peu incertaine, presque mécontente qu'il lui proposât de rester maintenant qu'elle était prête à sortir : — Tu as déjà dormi près d'une heure... et puis, ne m'avais-tu pas dit que cette visite à ce professeur était importante pour ta carrière ?

Marcel se tut ; puis : — C'est vrai... très importante.

— Alors, — dit-elle gaiement en se penchant pour lui déposer un baiser sur le front : — À quoi penses-tu ? Dépêche-toi, habille-toi vite... ne fais pas le paresseux !

— J'ai bien envie de ne pas y aller — dit Marcel en simulant un bâillement,— je voudrais seulement dormir — ajouta-t-il, en toute sincérité cette fois, — dormir, dormir, dormir...

— Tu dormiras cette nuit — répliqua Julie légèrement, allant à la glace pour s'y regarder attentivement, — tu t'es engagé, il est maintenant trop tard pour changer de programme. — Comme à l'ordinaire, elle parlait avec un simple bon sens ; il était surprenant et mystérieusement significatif, pensa Marcel, que sans le savoir elle dît souvent les choses les plus pertinentes. À ce moment la sonnerie du téléphone placé sur la table de chevet se fit entendre. Marcel, se levant sur un coude, décrocha l'écouteur et l'approcha de son oreille. C'était le portier qui l'informait que le wagon-lit pour Rome était retenu pour le soir même. — Résiliez — dit Marcel sans hésiter, — Madame renonce à partir. — Julie debout devant la glace lui lança un regard de timide gratitude. — Eh bien voilà qui est fait... — dit Marcel en reposant l'écouteur, — ils vont annuler, et comme cela, tu ne pars plus.

— Tu es en colère contre moi ?

— Comment peux-tu penser...

Il se leva, enfila ses souliers, passa dans la salle de bains. Pendant qu'il faisait sa toilette, il se demandait quelle serait la réaction de Julie s'il lui révélait la vérité sur ses agissements et sur leur voyage de noces ? Sans doute pouvait-il répondre, presque à coup sûr, que non seulement elle ne le condamnerait pas, mais l'approuverait en fin de compte, tout en s'inquiétant et lui demandant de renoncer à l'engagement pris. Julie était bonne et douce évidemment, mais pas en dehors des limites sacrées de ses affections personnelles ; au-delà de ces limites commençait pour elle un monde obscur et confus où il était fort possible qu'un professeur bossu et barbu fût assassiné pour des motifs politiques. La femme de l'agent Orlando devait raisonner ainsi, conclut-il.

— Tu es fâché parce que je ne t'ai pas laissé dormir ? Tu aurais préféré ne pas aller chez Quadri ? — demanda Julie qui attendait assise sur le lit.

— Au contraire, tu as bien fait — répondit Marcel en la précédant dans le corridor. Il se sentait ragaillardi, n'éprouvait plus de sentiment de révolte envers son propre destin. Le courant d'énergie passait de nouveau en lui, sans difficulté ni douleur, comme en un canal naturel. Une fois sur le quai, devant l'hôtel, il regarda la perspective grise de l'immense ville, sous le ciel serein. Il crut revoir le même jeune homme pauvrement vêtu, qui, son livre sous le bras, s'avançait le long des étalages en direction de Notre-Dame. Mais peut-être était-ce un autre, identique dans sa mise, son allure, sa destinée. En tout cas, il le regarda avec envie, mais avec une sensation glacée d'impuissance : ce jeune homme était ce qu'il était, comme lui-même était lui-même ; il n'y avait rien à faire à cela.

Un taxi passait, il l'arrêta d'un geste de la main et y monta après Julie en donnant l'adresse de Quadri.

# V

En entrant chez Quadri, Marcel fut frappé par le contraste entre cet appartement et celui de Rome où il avait rendu visite au professeur pour la première et dernière fois. Déjà l'immeuble situé au bout d'une rue sinueuse, dans un quartier moderne et pareil, avec tous ses balcons rectangulaires en saillie sur la façade unie, à une énorme commode aux tiroirs ouverts, lui avait donné l'impression d'une existence ordinaire et anonyme, empreinte d'une sorte de mimétisme social. Quadri, en s'installant à Paris, avait — semblait-il — tenu à se confondre avec la masse uniforme de la bourgeoisie française. Mais, à l'intérieur de l'appartement, le contraste s'accusa : la demeure romaine avait un aspect vieillot, sombre, encombrée de bibelots, de livres et de papiers, poussiéreuse et négligée. Celle-ci était lumineuse, neuve, peu meublée, bien tenue et sans rien qui indiquât le travail intellectuel. Ils attendirent quelques instants dans le salon, pièce spacieuse et nue, avec quelques fauteuils groupés dans un coin autour d'une table à plateau de verre. Unique détail accusant un goût moins banal : un grand tableau, œuvre d'un peintre cubiste, assemblage froid et décoratif de sphères, de cubes, de cylindres et de lignes diversement colorés. Pas un livre, de ces livres dont le nombre avait frappé Marcel dans l'appartement de Rome. En contemplant le parquet bien ciré, les longs rideaux clairs, les murs nus, il eut l'impression de se trouver dans un décor de théâtre, sommaire et élégant, monté pour un drame moderne à quelques personnages et une seule intrigue. Quel drame ? Probablement le sien et celui de Quadri ; mais si la situation lui était désormais connue, il n'était pas sûr que tous les personnages se fussent dévoilés. Quelqu'un manquait encore dont l'intervention modifierait peut-être toute l'intrigue.

Comme une réponse à cet obscur pressentiment, la porte s'ouvrit au fond du salon et au lieu de Quadri ce fut une jeune femme qui entra, celle probablement qui lui avait parlé au téléphone, pensa Marcel. Elle s'avança sur le parquet miroitant, avec une démarche singulièrement souple et gracieuse, vêtue d'une robe d'été blanche, à jupe évasée. Dans la transparence de cette robe on devinait le corps élégant, un corps de sportive ou de danseuse qui apparaissait en ombre opaque mais à contours précis que Marcel ne put s'empêcher de remarquer avec une sorte de plaisir furtif. Puis il leva les yeux sur le visage de la jeune femme et il eut la sensation précise de l'avoir déjà vue, sans s'expliquer où ni quand. Elle s'approcha de Julie, lui serra les deux mains avec une familiarité presque cordiale et lui expliqua dans un italien correct mais avec un fort accent français que le professeur était occupé et serait là dans quelques minutes. Quant à Marcel, elle le salua de loin, avec beaucoup moins de cordialité, pensa-t-il, et même presque cavalièrement. Puis elle les invita à s'asseoir. Tandis qu'elle s'entretenait avec Julie, Marcel l'étudiait attentivement, curieux de se définir à lui-même l'impression vague qu'il avait de l'avoir déjà rencontrée. Elle était grande, avec de grandes mains et de grands pieds, des épaules larges, une taille incroyablement mince qui faisait ressortir la poitrine florissante et les flancs larges. Le cou, long et mince, supportait un visage pâle, sans aucun fard, qui manquait de fraîcheur et semblait fané malgré sa jeunesse ; l'expression en était vive, anxieuse, tourmentée et mobile. Où Marcel l'avait-il déjà vue ? Comme si elle s'était sentie observée, elle se tourna brusquement vers lui ; alors, au contraste entre le regard intense et inquiet et la sérénité lumineuse du haut front blanc, il comprit où il l'avait déjà vue, ou plutôt où il avait vu quelqu'un qui lui ressemblait. Dans la maison close de S. lorsqu'il avait inopinément trouvé Orlando en compagnie de Luisa, la prostituée. À vrai dire, la similitude consistait uniquement dans la forme particulière, la blancheur et l'éclat lumineux du front comparable, chez celle-ci également, à un diadème royal. Quant au reste, les deux femmes différaient sensiblement. La prostituée avait une grande bouche mince ; celle-ci l'avait petite, charnue, ronde, évoquant une rose aux pétales serrés et quelque peu flétris. Autre différence : la main de la prostituée était très féminine, lisse, grasse ; celle-ci avait au contraire une main presque masculine, dure, rouge, nerveuse. Enfin Luisa avait l'horrible voix rauque si fréquente chez les femmes de sa profession ; la voix de cette jeune femme était sèche, limpide, articulée, agréable comme une musique abstraite et subtile : une voix mondaine.

Marcel, tout en faisant ces remarques, nota — tandis que la femme causait avec Julie — l'extrême froideur de son attitude vis-à-vis de lui. Peut-être, pensa-t-il, avait-elle été informée par Quadri de ses opinions politiques passées et aurait-elle préféré ne pas le recevoir. Il se demandait d'ailleurs qui elle pouvait être : autant qu'il pût s'en souvenir, le professeur n'était pas marié. Cette jeune femme paraissait être une secrétaire, ou tout au moins une admiratrice jouant le rôle de secrétaire. Il repensa au sentiment éprouvé dans la maison de S. en voyant Luisa monter l'escalier à côté d'Orlando : sentiment de révolte impuissante, de pitié désolée. Et, brusquement, il comprit que ce qu'il avait pris pour un sentiment n'était qu'un désir de ses sens, masqué de jalousie spirituelle ; désir qui, sans masque cette fois, renaissait en lui à la vue de cette femme assise en face de lui.

Elle lui plaisait d'une manière nouvelle et bouleversante et il souhaitait vivement lui plaire ; et l'hostilité à son endroit qui transparaissait dans chacun de ses gestes lui était infiniment pénible. Il dit enfin, presque malgré lui, pensant à elle et non à Quadri : — Je crains que notre visite n'importune le professeur... peut-être est-il trop occupé ?

La femme répondit aussitôt, sans le regarder : — Au contraire, mon mari m'a dit qu'il vous recevrait avec grand plaisir... Il se rappelle très bien de vous... Tous ceux qui viennent d'Italie sont les bienvenus ici... c'est vrai qu'il est très occupé... mais votre visite lui est particulièrement agréable... attendez, je vais voir s'il vient. — Ces paroles furent prononcées avec une amabilité inattendue qui réchauffa le cœur de Marcel. Dès que la jeune femme fut sortie, Julie demanda sans toutefois montrer de curiosité : — Pourquoi crois-tu que le professeur Quadri nous reçoit sans plaisir ?

Marcel répondit calmement : — C'est l'attitude hostile de cette dame qui me l'a fait penser.

— C'est drôle... — s'exclama Julie, — elle m'a fait une impression tout à fait contraire... elle m'a paru contente de nous recevoir... comme si nous nous connaissions déjà... mais tu l'avais déjà rencontrée ?

— Non — répondit-il avec la sensation de mentir, — jamais avant aujourd'hui... je ne sais même pas qui elle est.

— N'est-elle pas la femme du professeur ?

— Je ne sais pas... Je ne croyais pas que Quadri fût marié... c'est peut-être sa secrétaire ?

— Mais elle a dit : mon mari — s'écria Julie surprise, — où as-tu la tête ? À quoi pensais-tu ?... elle a dit : mon mari.

Ainsi, réfléchit Marcel, cette femme le troublait au point de le rendre distrait jusqu'à la surdité. Cette découverte lui fit plaisir et, un moment, il eut le désir étrange d'en parler à Julie comme si elle n'était pas elle-même en cause, mais une étrangère à laquelle il pouvait se confier librement. Il dit : — J'ai eu une absence... sa femme, dis-tu ?... mais alors, il doit être marié depuis peu !

— Pourquoi ?

— Parce qu'il était célibataire quand je l'ai connu.

— Mais, vous ne vous écriviez pas, Quadri et toi ?

— Non, il était mon professeur ; puis il alla s'établir en France et je le revois aujourd'hui pour la première fois depuis lors.

— C'est curieux, je croyais que vous étiez amis.

Un long silence suivit. Puis la porte que Marcel fixait sans impatience s'ouvrit et sur le seuil apparut quelqu'un en qui, de prime abord, il ne reconnut pas Quadri. Mais lorsque son regard alla du visage aux épaules de l'arrivant, il reconnut la proéminence atteignant presque l'oreille et il comprit que Quadri s'était simplement coupé la barbe. Marcel retrouvait maintenant la forme bizarre, quasi hexagonale du visage, cette sorte de masque plat qui paraissait peint et pourvu d'une perruque noire. Il reconnut les yeux fixes et brillants, cerclés de rouge, le nez triangulaire, en battant de cloche, la bouche déformée qui ne paraissait qu'un peu de chair rouge, à vif. Seul le menton, autrefois caché par la barbe, lui parut nouveau. Il était petit et tordu, profondément replié sous la lèvre inférieure, d'une laideur significative qui, peut-être, dénotait le caractère de l'homme.

Quadri n'était pas en redingote comme lors de la visite de Marcel à Rome ; mais, avec ce goût qu'ont les bossus pour les teintes claires, il portait un costume de sport, couleur écaille. Sous sa veste, une chemise de cow-boy, en écossais rouge et vert et une cravate voyante. Il vint à Marcel et d'un ton à la fois cordial et indifférent : — Clerici, n'est-ce pas ?... certes, je me souviens très bien de vous !... vous êtes le dernier de mes élèves qui soit venu me trouver avant mon départ d'Italie... je suis heureux de vous revoir, Clerici...

La voix n'avait pas changé : très douce et banale à la fois, cordiale et distraite. Marcel présenta sa femme à Quadri qui, avec une galanterie marquée, s'inclina pour baiser la main que lui tendait Julie. Quand ils se furent assis, Marcel dit avec embarras :

— Je suis en voyage de noces à Paris... alors j'ai voulu venir vous voir... vous étiez mon professeur... mais peut-être vous ai-je dérangé ?

— Mais non, cher enfant — répondit Quadri avec sa même douceur — non, au contraire, vous m'avez fait grand plaisir... vous avez très bien fait de vous souvenir de moi... quiconque vient d'Italie, quand ce ne serait que parce qu'il me parle dans notre belle langue italienne, est le bienvenu chez moi... — Il prit une boîte de cigarettes sur la table, l'ouvrit et voyant qu'il n'y restait qu'une cigarette, l'offrit en soupirant à Julie : — Prenez, Madame... je ne fume pas, ma femme non plus, aussi oublions-nous toujours que les autres aiment fumer... alors, Paris vous plaît ?... J'imagine que ce n'est pas la première fois que vous y venez ?

Ainsi, pensa Marcel, Quadri cherchait une conversation conventionnelle ; il répondit pour Julie : — Si, c'est la première fois, pour tous deux.

— Dans ce cas — poursuivit promptement Quadri, —

je vous envie... on ne peut qu'envier celui qui arrive pour la première fois dans cette ville merveilleuse... et qui plus est en voyage de noces et dans cette saison, la meilleure de Paris... — Il soupira de nouveau et, courtoisement, s'adressant à Julie : — Et quelle impression vous fait Paris, Madame ?

— À moi ? — dit Julie regardant non Quadri, mais son mari : — vraiment je n'ai pas encore eu le temps de voir... nous sommes arrivés hier...

— Vous verrez, Madame, c'est une très, très belle ville — dit Quadri d'un ton neutre comme s'il pensait à autre chose, — et plus l'on y vit, plus on est conquis par cette beauté... ne vous contentez pas, Madame, de regarder les monuments, remarquables sans doute, mais pas plus beaux que ceux des villes italiennes... promenez-vous... faites-vous accompagner par votre mari dans les divers quartiers de Paris... la vie a ici des aspects étonnamment variés !

— Jusqu'à présent, nous n'avons vu que très peu de choses — dit Julie qui paraissait ne pas se rendre compte du caractère conventionnel et presque ironique de la conversation de Quadri. Puis, tournée vers son mari et tendant sa main pour toucher la sienne, elle ajouta, caressante : — Mais nous circulerons beaucoup, n'est-ce pas, Marcel ?

— Bien sûr — dit celui-ci.

— Vous devriez — reprit Quadri sur le même ton, — vous devriez surtout apprendre à connaître le peuple français... c'est un peuple sympathique... intelligent, libre... et bon, bien que ceci soit en contradiction avec l'idée qu'on se fait parfois des Français... chez eux l'intelligence, si fine et sensible, est devenue une sorte de bonté... connaissez-vous quelqu'un à Paris ?

— Nous ne connaissons personne — répondit Marcel, — et d'ailleurs je crains que ce ne nous soit pas possible... notre séjour ne durera pas plus d'une semaine.

— C'est dommage, vraiment dommage... on ne peut apprécier un pays à sa véritable valeur si l'on n'en connaît les habitants.

— Paris est la ville des divertissements nocturnes, n'est-ce pas ? — demanda Julie, parfaitement à son aise dans cette conversation de manuel touristique, — nous ne sommes encore allés nulle part... mais nous projetons d'aller... il y a tant de dancings, de lieux de plaisir, n'est-ce pas ?

— Ah ! oui, les cabarets, les boîtes de nuit, comme on dit ici — fit le professeur d'un air distrait. — Montmartre, Montparnasse.... à dire vrai, nous ne les avons jamais beaucoup fréquentés... quelquefois, au passage d'un ami italien, nous avons profité de son ignorance en la matière pour nous instruire nous-mêmes... c'est toujours un peu la même chose d'ailleurs... mais présentée avec la grâce et l'élégance qui sont propres à cette ville... Voyez-vous, Madame, le peuple français est un peuple sérieux, très sérieux, avec des habitudes familiales très enracinées... je vous surprendrai peut-être en vous disant que la grande majorité des Parisiens n'a jamais mis les pieds dans une boîte de nuit... la famille a ici une très grande importance, plus encore qu'en Italie... et ils sont souvent bons catholiques, plus que les Italiens, avec une dévotion moins extérieure, plus substantielle... il n'est donc pas étonnant qu'ils nous laissent les boîtes de nuit, à nous autres, étrangers... c'est d'ailleurs une excellente source de rapport... Paris doit une bonne partie de sa prospérité aux boîtes et à sa vie nocturne en général.

— C'est drôle — dit Julie, — je croyais au contraire les Français très noctambules. — Elle rougit et ajouta : — on m'avait dit que les *cabarets* restaient ouverts toute la nuit et qu'ils sont toujours pleins, comme chez nous en temps de carnaval.

— Oui — dit distraitement le professeur, — mais ceux qui y vont sont pour la plupart des étrangers.

— C'est égal — dit Julie, — j'aimerais bien en voir un, quand ce ne serait que pour pouvoir dire que j'y suis allée.

La porte s'ouvrit et Mme Quadri entra, portant à deux mains un plateau avec une cafetière et des tasses. — Excusez-moi — dit-elle gaiement en refermant la porte du pied, — mais les domestiques françaises ne sont pas comme les Italiennes ; aujourd'hui, c'est jour de sortie de ma bonne et elle est partie aussitôt après le déjeuner... il faut que nous fassions tout par nous-mêmes !

Elle avait vraiment beaucoup d'entrain, pensa Marcel, et il y avait beaucoup de grâce dans la vivacité et les gestes de cette grande femme insouciante et désinvolte.

— Lina — dit le professeur d'un air perplexe, — Mme Clerici voudrait voir une boîte de nuit... laquelle pouvons-nous lui recommander ?

— Oh ! il y en a tant, ce n'est pas le choix qui manque... — répondit-elle légèrement, en versant le café dans les tasses, le corps à demi penché en avant, laissant voir son grand pied chaussé d'un soulier sans talon, — il y en a pour tous les goûts et toutes les bourses. — Elle tendit une tasse à Julie et ajouta étourdiment : — Mais, Edmond, ne pourrions-nous les emmener nous-mêmes dans une boîte ?... ce serait pour toi une bonne occasion de te distraire un peu...

Son mari se passa la main sur le menton comme s'il eût voulu se caresser la barbe et répondit : — Certainement, pourquoi pas ?

— Savez-vous ce que nous allons faire ? — continua-t-elle en servant le café à Marcel et à son mari, — comme nous devions de toute façon dîner dehors, nous dînerons ensemble dans un petit restaurant de la rive droite, pas cher, mais où l'on mange bien : « *Le Coq au vin* », et après le dîner nous irons dans un endroit extrêmement cocasse... mais il ne faudra pas que Mme Clerici se scandalise...

Julie rit, toute réjouie par cette gaieté : — Je ne me scandalise pas si facilement !

— C'est une *boîte* appelée « *La Cravate noire* », expliqua Mme Quadri venant s'asseoir à côté de Julie, — un endroit pour personnes d'un genre un peu particulier — ajouta-t-elle en regardant Julie avec un sourire.

— C'est-à-dire ?

— Des femmes qui ont des goûts spéciaux... vous verrez, la patronne et les serveuses sont toutes en smoking, avec une cravate noire ; ce qu'elles peuvent être comiques, vous verrez !

— Oh ! je comprends maintenant — dit Julie, un peu confuse, — mais les hommes peuvent-ils y aller ?

La question fit rire la jeune femme. — Mais naturellement... c'est un endroit public... un petit dancing... tenu par une femme de mœurs particulières, fort intelligente du reste... mais tout le monde peut y aller ; ce n'est pas un couvent. — Elle eut, en regardant Julie, un petit rire saccadé, puis ajouta vivement : — Mais si cela ne vous plaît pas, nous pouvons aller dans un autre endroit... moins original évidemment.

— Mais non — dit Julie... — j'irai volontiers... cela m'intrigue !

— Ce sont des malheureuses — dit le professeur sentencieux. Il se leva : — mon cher Clerici, vous m'avez fait grand plaisir en venant me voir et je serai très heureux si vous voulez bien dîner ce soir avec nous ainsi que votre femme... nous causerons... vous avez toujours les mêmes sentiments et les mêmes idées qu'autrefois ?

Marcel répondit tranquillement : — Je ne m'occupe pas de politique.

— Tant mieux, tant mieux... — Le professeur lui prit la main, la serra entre les siennes et ajouta : — alors, peut-être pouvons-nous espérer vous convertir ? — avec des inflexions de voix douces, désolées et insinuantes d'un prêtre parlant à un athée. Il porta la main à sa poitrine, à la place du cœur, et Marcel put voir avec étonnement que dans les gros yeux ronds et saillants l'humidité des larmes rendait le regard trouble et implorant. Puis comme pour cacher cette émotion, Quadri salua rapidement Julie et sortit en disant : — Ma femme se mettra d'accord avec vous pour ce soir.

La porte se referma et Marcel, un peu embarrassé, s'assit dans un fauteuil en face du divan où les deux femmes étaient assises. Maintenant que Quadri était parti, l'hostilité de la femme à son égard lui paraissait évidente. Elle feignait ostensiblement d'ignorer sa présence et de ne parler qu'à Julie : — Et vous avez déjà vu les magasins chics, les grands couturiers, les modistes ? Rue de la Paix, faubourg Saint-Honoré, avenue Matignon ?

— Non — dit Julie de l'air de quelqu'un qui entend ces noms pour la première fois, — vraiment non.

— Aimeriez-vous voir ces rues, entrer dans quelque magasin connu, visiter une maison de haute couture... c'est très intéressant, je vous assure — continua Mme Quadri avec une affabilité insistante, insinuante, enveloppante, protectrice.

— Ah ! oui, certes. — Julie regarda son mari puis : — Je voudrais aussi faire des emplettes... acheter un chapeau par exemple.

— Voulez-vous que je vous accompagne ? — proposa la jeune femme arrivant à la conclusion obligatoire de toutes ces questions, — je connais bien plusieurs maisons de haute mode... je pourrais même vous donner quelques conseils.

— Comment donc ! — dit Julie avec une gratitude un peu forcée.

— Nous pourrions y aller aujourd'hui, cet après-midi, dans une heure... Vous permettez, n'est-ce pas, que je vous enlève votre femme pendant une heure ou deux ? — ces derniers mots étaient adressés à Marcel, mais sur un ton bien différent de celui employé avec Julie : négligent, presque méprisant. Marcel tressaillit et répondit : — Bien entendu... si cela fait plaisir à Julie.

Il crut comprendre que sa femme aurait préféré se soustraire à la tutelle de Mme Quadri, à en juger par le regard interrogateur qu'elle lui jeta ; à son tour il lui répondit par un clin d'œil lui enjoignant d'accepter. Mais il se demanda aussitôt : — Fais-je ceci parce que cette femme me plaît et que je veux la revoir, ou bien parce que je suis en mission et qu'il serait inopportun de la mécontenter ?

Et brusquement il ressentit une sorte d'angoisse en face de cette incertitude : agissait-il conformément à ses désirs ou suivant le plan qu'il s'était tracé ? Cependant Julie objectait :

— À dire vrai, je pensais aller un moment à l'hôtel...

Mais l'autre ne la laissa pas finir : — Vous voulez vous reposer un peu avant de sortir ? Faire un brin de toilette ?... mais il n'est pas nécessaire de retourner à votre hôtel... si vous voulez, vous pouvez vous reposer ici, sur mon lit... Je sais combien il est fatigant, quand on voyage, de se promener tout le jour, sans un moment de repos, surtout pour nous autres femmes... venez, venez avec moi, ma chère...

Avant que Julie eût pu souffler, elle l'avait déjà contrainte à se lever du divan et maintenant elle la poussait doucement, mais fermement vers la porte. Sur le seuil, comme pour la rassurer, elle dit d'un ton aigre-doux : — Votre mari vous attendra ici, n'ayez pas peur... vous ne le perdrez pas... — puis, lui entourant la taille de son bras, elle l'attira dans le corridor et ferma la porte.

Resté seul, Marcel se leva d'un bond et fit quelques pas dans le salon. Il lui paraissait clair que la jeune femme nourrissait contre lui une aversion irréductible et il aurait voulu savoir pourquoi. Mais sur ce point ses sentiments devenaient confus : d'une part, il souffrait de l'hostilité d'une femme à laquelle il aurait voulu plaire ; d'autre part, l'idée qu'elle savait la vérité sur lui-même le préoccupait, car dans ce cas sa mission, de difficile qu'elle était, deviendrait dangereuse. Mais ce qui lui était peut-être le plus pénible, c'était de sentir que ces deux inquiétudes se confondaient et qu'il n'était plus capable en quelque sorte de les distinguer l'une de l'autre : celle de l'amoureux voulant être payé de retour, celle de l'agent secret qui craint d'être démasqué. De plus, comme il le comprit au reflux de son ancienne mélancolie, même s'il parvenait à dissiper l'hostilité de la femme, il serait forcé par la suite d'utiliser les relations qui pourraient se créer entre elle et lui dans l'intérêt de sa mission. Comme lorsqu'il avait proposé au ministère de combiner son voyage de noces avec sa tâche politique. Comme toujours.

Dans son dos, la porte s'ouvrit et Mme Quadri entra. Elle s'approcha de la table, prit une cigarette, l'alluma et dit : — Votre femme paraît très lasse et je crois qu'elle s'est assoupie sur mon lit... nous sortirons ensemble plus tard.

— Ce qui signifie — dit Marcel avec calme, — que vous me renvoyez...

— Oh ! mon Dieu, non ! — répondit-elle d'un ton froid et mondain, — mais j'ai beaucoup à faire... le professeur aussi... vous seriez obligé de rester seul au salon... il y a mieux à faire pour vous, à Paris !

— Excusez-moi — dit Marcel s'appuyant des deux mains au dossier d'un fauteuil et la regardant : — Mais il me semble que je vous suis antipathique... n'est-ce pas ?

Elle répondit du tac au tac, avec une vivacité intrépide :
— Et cela vous étonne ?

— Vraiment, oui — dit Marcel, — nous ne nous connaissons pas... c'est la première fois que nous nous voyons...

— Je vous connais fort bien — interrompit-elle, — même si vous ne me connaissez pas...

« Nous y voilà », pensa Marcel. Il s'aperçut que l'hostilité de cette femme, hostilité affirmée cette fois d'une façon indubitable, éveillait en lui une douleur aiguë, à en crier. Il soupira, angoissé, et dit doucement : — Ah ! vous me connaissez ?

— Oui — répondit-elle les yeux brillants d'une lueur agressive. — Je sais que vous êtes un fonctionnaire de la police, un espion payé par votre gouvernement... vous étonnez-vous maintenant que je vous sois hostile ? Je ne sais ce que pensent les autres, mais je n'ai jamais pu souffrir les *mouchards*...

Marcel baissa les yeux et se tut un instant. Sa souffrance était aiguë ; le mépris de la jeune femme était pour lui un fer acéré fouillant une plaie vive. Il dit enfin : — Et votre mari le sait-il ?

— Mais certainement — répondit-elle avec un étonnement dédaigneux, — comment pouvez-vous penser qu'il ne le sache pas ? C'est lui qui me l'a dit.

« Ah ! ils sont bien informés ! » ne put s'empêcher de penser Marcel. Il reprit d'un ton posé : — Pourquoi alors nous a-t-il reçus ? N'eût-il pas été plus simple de refuser de nous voir ?

— C'est ce que j'aurais voulu en effet — dit-elle, — mais mon mari est différent... mon mari est une espèce de saint... il croit encore que la bonté est la meilleure des méthodes.

« Un saint très malin », faillit répondre Marcel. Mais il lui vint à l'esprit qu'effectivement tous les saints avaient dû être très malins et il se tut. Il finit cependant par prononcer : — Je regrette votre animosité à mon égard... d'autant plus que... vous m'êtes très sympathique.

— Merci, votre sympathie me fait horreur.

Plus tard Marcel se demanda ce qui avait pu arriver à ce moment : un éblouissement le prit devant la clarté dont paraissait rayonner le front lumineux de cette femme ; en même temps montait en lui un élan puissant, profond, violent, où se mêlaient du trouble et un amour désespéré. Il s'aperçut tout à coup qu'il était tout près de Mme Quadri, qu'il lui entourait la taille, l'attirait et lui disait à voix basse : — C'est que vous me plaisez infiniment.

Elle le regarda un instant, interdite, tandis qu'il la serrait contre lui au point de sentir le tendre gonflement de ses seins palpiter contre sa propre poitrine, puis : — Ah ! c'est inouï !... — s'écria-t-elle d'une voix stridente et triomphante à la fois, — inouï... en voyage de noces, mais tout prêt cependant à tromper sa femme... inouï ! — Et dans un geste violent pour se libérer du bras de Marcel : — Laissez-moi ou j'appelle mon mari ! — Marcel la lâcha immédiatement ; mais la femme, emportée par une impulsion de haine, se retourna contre lui et le gifla.

Elle parut aussitôt regretter son geste. Elle alla à la fenêtre, parut regarder au-dehors, puis, se retournant, elle dit vivement : — Excusez-moi... — Marcel crut voir chez elle moins de regret que de crainte de l'effet produit par la gifle. Il y avait plus de calcul et de réflexion que de remords dans son accent récalcitrant et encore malveillant. Il dit avec décision :

— Il ne me reste plus qu'à m'en aller... je vous serai reconnaissant d'avertir ma femme pour qu'elle me rejoigne ici... et vous nous excuserez auprès de votre mari pour ce soir... vous lui direz que j'avais oublié un engagement préalable. — Cette fois, c'était bien fini ; et en même temps que son amour pour cette femme, sa mission se trouvait compromise.

Il allait lui laisser le passage pour sortir. Au contraire, elle le regarda fixement un instant, sa bouche eut une grimace de capricieuse contrariété, puis elle vint à lui. Marcel remarqua que dans ses yeux s'était allumée une flamme trouble et volontaire. Arrivée à un pas de lui, elle étendit lentement le bras et posa sa main sur la joue de Marcel en disant : — Non, ne partez pas... vous aussi vous me plaisez... et c'est précisément la raison de ce mouvement de violence... Oubliez ce qui s'est passé. — En même temps, sa main lui caressait lentement la joue, en un geste maladroit mais assuré, plein d'une volonté impérieuse, comme pour effacer la brûlure récente de la gifle.

Marcel la contemplait, regardait son front et, sous le regard de la jeune femme, au contact un peu rude de la main quasi masculine, il sentit avec stupeur — car c'était la première fois de sa vie — un trouble profond, bouleversant, plein de passion et d'espoir, lui gonfler la poitrine, l'empêchant de respirer. Elle était devant lui, son bras tendu lui caressant la joue et comme il l'enveloppait d'un long regard, il eut la sensation de sa beauté comme d'une chose qui depuis toujours lui était destinée, à laquelle était vouée sa vie tout entière. Et il sentit que cet amour avait toujours existé en lui, avant ce jour même, avant que dans la femme de S. il n'eût pressenti Lina.

Oui, pensa-t-il, c'était bien là de l'amour, ce sentiment

qu'il aurait dû avoir pour Julie et qu'il nourrissait au contraire pour cette femme qu'il ne connaissait pas. Alors il s'avança vers elle, les bras tendus pour l'étreindre. Mais la jeune femme se dégagea vivement bien que d'une manière qui parut à Marcel familière et complice ; un doigt sur les lèvres, elle murmura : — Va-t'en maintenant... nous nous verrons ce soir...

Avant que Marcel eût pu s'en rendre compte, elle l'avait poussé dans le corridor et avait ouvert la porte. Marcel se retrouva seul sur le palier.

# VI

Lina et Julie devaient se reposer puis iraient voir des maisons de mode. Ensuite Julie rentrerait à l'hôtel et plus tard les Quadri viendraient les chercher pour les emmener dîner. Il était environ quatre heures ; le dîner n'aurait pas lieu avant huit heures ; mais à sept Orlando téléphonerait pour connaître l'adresse du restaurant. Marcel avait donc trois heures de solitude en face de lui. Après ce qui s'était passé chez Quadri, il désirait être seul pour pouvoir s'analyser, se comprendre lui-même. Car, pensait-il en descendant l'escalier, tandis que la conduite de Lina s'expliquait du fait que son mari était beaucoup plus âgé qu'elle et absorbé par la politique, sa propre conduite, quelques jours à peine après son mariage, en voyage de noces, le stupéfiait, l'épouvantait et en même temps le charmait vaguement. Jusqu'alors il avait cru se connaître assez bien et être en mesure de se dominer toutes les fois qu'il le voudrait. Il se rendait compte maintenant — était-ce avec crainte ou complaisance, il ne savait — qu'il s'était sans doute trompé.

Pendant un moment, il déambula d'une rue à l'autre et déboucha finalement dans une large rue légèrement en pente : l'avenue de la Grande-Armée, lut-il sur la plaque apposée à l'angle d'une maison. Et, en effet, devant ses yeux apparut, énorme et inattendue, la masse rectangulaire de l'Arc de triomphe qui se profilait, latéralement, en haut de l'avenue. Massif et pourtant presque fantomatique, il paraissait suspendu dans le ciel pâle, peut-être à cause de la brume estivale qui l'enveloppait d'azur. Les yeux fixés sur le monument triomphal, Marcel éprouva soudain un sentiment nouveau pour lui, une sensation enivrante de liberté, de détente ; comme si, tout à coup, le grand poids qui l'oppressait venait de lui être enlevé ; son pas se fit plus léger, il se sentit des ailes aux pieds.

D'abord il se demanda s'il devait attribuer cet intense soulagement au simple fait qu'il se trouvait à Paris, loin des entraves habituelles, en face de ce monument somptueux ; on prend parfois pour des mouvements de l'âme ce qui n'est qu'éphémère sensation de bien-être physique. Puis en réfléchissant, il comprit que cette sensation provenait au contraire de la caresse de Lina ; il s'en aperçut au flot de pensées tumultueuses et bouleversantes qui, au souvenir de cette caresse, venait effleurer son esprit. Machinalement, il se passa la main sur la joue, là où s'était posée la paume de Lina et, de douceur, il ferma les yeux comme s'il savourait de nouveau le contact de la main un peu rude qui frôlait son visage, en un geste d'aveugle cherchant à reconnaître les contours d'un objet aimé.

Qu'est-ce que l'amour, se demandait-il en remontant le large trottoir, les yeux fixés sur l'Arc de triomphe ; qu'était-ce que cet amour pour lequel il était peut-être en train de détruire toute sa vie, d'abandonner sa jeune femme, de trahir sa foi politique, de se jeter dans les dangers d'une aventure funeste ? En face de cette question, il se rappela la définition qu'il avait donnée, bien des années auparavant, à l'une de ces compagnes d'université ; dépité par la résistance qu'elle opposait à ses avances, il lui avait dit que, pour lui, l'amour c'était un pré au printemps avec au milieu une vache immobile et un taureau dressé sur ses pattes de derrière s'apprêtant à la monter. Ainsi donc, le tapis du salon des Quadri aurait représenté le pré, Lina et lui les deux animaux dont il avait suggéré l'image. Et s'ils s'étaient retrouvés ailleurs et nus, l'ardeur de leur désir, exhalée avec une violence hâtive et maladroite, eût été la même que la fureur bestiale. Mais là s'arrêtait la comparaison aux analogies à la fois si frappantes et si peu fondées. Car, par une alchimie mystérieuse et spirituelle, cette fureur se transformait aussitôt en pensées et en sentiments venus du plus profond de l'être et qui, marqués du sceau d'exigence de la nature, ne pouvaient être expliqués par cette exigence seule. Le désir n'étant en réalité que le secours décisif et puissant qu'apporte la nature à quelque chose qui existait avant elle et sans elle. La main de la nature délivrant, des viscères de l'avenir, la substance toute humaine et morale des choses futures.

« En somme » pensa-t-il comme s'il voulait réduire et refroidir l'exaltation extraordinaire qui s'était emparée de lui, — « ce que je désire, c'est abandonner ma femme pendant notre voyage de noces, déserter mon poste durant ma mission, pour devenir l'amant de Lina et vivre avec elle à Paris, et je ferai certainement tout cela si je suis assuré que Lina m'aime comme je l'aime, avec la même intensité et pour les mêmes motifs. »

Si quelque doute lui restait encore sur le sérieux de sa décision, il disparut entièrement quand, arrivé en haut de l'avenue de la Grande-Armée, il put contempler de près l'Arc de triomphe. Par analogie, la vue de ce monument élevé en l'honneur des victoires d'une glorieuse tyrannie lui inspira une sorte de regret pour cette autre tyrannie qu'il avait jusqu'alors servie et qu'il s'apprêtait à trahir. Devant cette trahison anticipée, le rôle qu'il avait joué jusqu'à ce matin se trouvait allégé et rendu presque innocent ; il lui apparaissait en ce moment plus compréhensible, plus acceptable aussi ; non plus — ainsi qu'il l'avait pensé — comme le fruit d'une volonté extérieure de conformisme et de rédemption, mais comme une vocation ou tout au moins une inclination presque naturelle. Par ailleurs, le regret qu'il venait d'éprouver, ce regret si détaché et déjà rétrospectif, était un indice sûr de l'irrévocabilité de sa décision.

Il attendit un bon moment que le carrousel des autos qui tournaient autour du monument s'interrompît et, traversant la place, il alla droit à l'Arc de triomphe, pénétrant, tête nue, sous la voûte où se trouve la dalle du Soldat inconnu. Autour de lui, gravée sur les parois du monument, la liste des victoires, dont chacune avait signifié pour d'innombrables hommes une fidélité et un dévouement semblables à ceux qui jusqu'ici l'avait lié à son gouvernement. À ses pieds la tombe veillée par la flamme perpétuellement allumée, symbole d'autres sacrifices non moins absolus. En lisant les noms des batailles napoléoniennes, la phrase d'Orlando lui revint en mémoire : « Tout pour la famille et pour la patrie », et il comprit tout à coup que ce qui le distinguait de l'agent si convaincu et en même temps si impuissant à expliquer rationnellement sa propre conviction, c'était seulement la capacité qu'il avait de choisir, épié, guidé par cette mélancolie qui le persécutait depuis l'enfance. Oui, pensa-t-il, il avait déjà choisi dans le passé et il s'apprêtait de nouveau à choisir. Et sa mélancolie, toute empreinte de regret, était bien celle que suscite la pensée des choses qui auraient pu être et auxquelles son choix le forçait à renoncer.

Il quitta l'Arc de triomphe, attendit une fois de plus que s'arrêtât la circulation des voitures et atteignit le trottoir de l'avenue des Champs-Élysées. Il lui sembla que l'Arc de triomphe étendait une ombre invisible sur l'avenue riche et animée qui en descendait et qu'un lien certain existait entre ce monument guerrier et la prospérité pacifique et heureuse de la foule qui peuplait les trottoirs. Tout ceci, pensa-t-il alors, était encore un aspect de ce à quoi il renonçait : une grandeur sanguinaire et injuste se transformant par la suite en joie et richesse ignorantes de leur origine ; un sacrifice sanglant qui, avec le temps, devenait pour les générations postérieures puissance, liberté, aisance. Autant d'arguments en faveur de Judas, se dit-il avec une ironie amère.

Mais désormais sa décision était prise et il n'avait plus qu'un seul désir : penser à Lina, définir et analyser son amour. L'âme pleine de ce désir, il descendit lentement les Champs-Élysées, s'arrêtant à chaque pas pour contempler les devantures des magasins, les journaux exposés dans les kiosques, les gens assis aux cafés, les affiches des cinémas, les programmes des théâtres. La foule qui, sur les trottoirs, devenait de plus en plus dense, l'entourait d'un flux incessant qu'il compara à la pulsation même de la vie. À mesure qu'il avançait il pressait le pas, comme désireux de laisser derrière lui l'Arc de triomphe ; en se retournant il le vit déjà loin et tout à fait immatériel dans l'éloignement et la brume estivale. En arrivant au bas de l'avenue, il chercha un banc à l'ombre des arbres du jardin et s'y assit avec soulagement, content de pouvoir se consacrer en paix à l'image de Lina.

Mentalement il voulut remonter à la première fois où il avait pris conscience qu'un être comme elle pouvait exister : à la visite faite à la maison close de S. Pourquoi la femme entrevue dans la salle commune, à côté de l'agent Orlando, lui avait-elle inspiré un sentiment si nouveau et puissant ? Il se rappela avoir été frappé par son front lumineux et comprit que ce qui l'avait immédiatement attiré chez cette femme, puis subjugué chez Lina, c'était la pureté qu'il avait cru deviner, humiliée et profanée en la prostituée, triomphante en Lina. Ce dégoût pour la déchéance, la corruption et l'impureté qui l'avait poursuivi toute sa vie, et que son mariage avec Julie n'avait pas atténué, ne pouvait être dissipé — il s'en persuadait maintenant — que par la radieuse clarté dont était auréolé le front de Lina. Soudain la coïncidence des deux noms s'imposa à lui : Lino qui lui avait appris le frisson du dégoût pour la première fois ; Lina qui l'en délivrait ; et cette coïncidence lui parut un signe favorable. Ainsi, naturellement, spontanément, par la seule force de l'amour, il retrouvait à travers Lina la normalité tant souhaitée ; non pas ce conformisme conventionnel qu'il avait recherché pendant des années, mais un autre conformisme de nature en quelque sorte angélique. En face de cette normalité lumineuse et éthérée, le lourd harnachement de ses engagements politiques, de son mariage avec Julie, de sa vie raisonnable et terne d'homme d'ordre, ne se révélait pas autre chose qu'un déguisement encombrant, adopté dans l'attente inconsciente d'un plus digne destin. Maintenant il s'en débarrassait et se retrouvait lui-même, grâce à ces mêmes motifs qui, à contrecœur, le lui avaient fait adopter.

Pendant qu'assis sur un banc il s'abandonnait à ces pensées, ses yeux se fixèrent inopinément sur une grosse auto qui descendait en direction de la place de la Concorde, paraissant ralentir, et qui s'arrêta en effet, à quelques pas de là, le long du trottoir. C'était une vieille voiture noire qui avait dû être luxueuse, avec sa carrosserie démodée, accusée par le brillant et l'élégance presque excessive des nickels et des cuivres. Une Rolls Royce, pensa-t-il ; et tout à coup il fut assailli par une appréhension angoissée, mélangée, il ne savait pourquoi, d'un horrible sentiment de chose familière. Où et quand avait-il vu cette voiture ? L'auto arrêtée, le chauffeur, un homme maigre et grisonnant en livrée bleu sombre, fut prompt à en descendre et ouvrit rapidement la portière ; ce geste fit alors jaillir dans la mémoire de Marcel l'image qui répondait à sa question. La même voiture, de la même couleur et de la même marque, arrêtée au coin de la rue, sur l'avenue voisine de l'école et Lino se penchant pour lui ouvrir la portière afin qu'il montât à ses côtés... Pendant ce temps, tandis que le chauffeur se tenait, la casquette à la main, prêt à venir en aide, une jambe masculine en pantalon de flanelle grise avec un pied chaussé d'un soulier jaune aussi reluisant que les cuivres de la voiture, s'allongea avec précaution en dehors. Puis le chauffeur tendit la main à quelqu'un qui apparut et descendit péniblement sur le trottoir. C'était un homme âgé — Marcel le jugea ainsi — maigre et très grand, avec une figure écarlate, des cheveux encore vaguement blonds ; malgré une allure pourtant singulièrement juvénile, il vacillait en s'appuyant sur une canne à bout de caoutchouc. Marcel l'observa attentivement pendant qu'il s'approchait du banc avec lenteur, se demandant d'où venait à ce vieillard son air de jeunesse. Cela devait tenir à la coupe de ses cheveux coiffés avec une raie de côté, au nœud papillon vert porté sur une chemise à rayures roses et blanches. Le vieillard marchait les yeux baissés, mais comme il atteignait le banc, il leva les yeux et Marcel les vit bleu clair, d'une dureté ingénue, juvéniles aussi. L'homme s'assit finalement avec peine à côté de Marcel et le chauffeur, qui l'avait suivi pas à pas, lui tendit aussitôt un petit paquet enveloppé de papier blanc. Puis s'étant incliné légèrement, il remonta sur le siège de l'auto et y demeura immobile derrière le pare-brise.

Marcel, qui avait suivi du regard l'arrivée du vieillard,

baissa les yeux et se plongea dans ses réflexions. Avoir éprouvé tant d'horreur à la seule vue d'une voiture pareille à celle de Lino, cela seul était pour lui un motif de trouble. Mais ce qui l'épouvantait davantage, c'était le vif, confus, âpre sentiment de sujétion, d'impuissance, d'esclavage qui en lui s'ajoutait au dégoût. Comme si tant d'années venaient de s'abolir, ou pis encore avaient passé en vain, qu'il fût encore le jeune garçon d'autrefois, que dans cette auto l'attendît Lino et qu'obéissant à son invitation il fût prêt à monter près de lui. Une fois de plus, il se sentait la proie du même chantage, seulement Lino n'en était plus l'auteur avec l'appât d'un revolver, mais bien sa propre chair qui se souvenait et se troublait. Atterré par cette flamme soudaine et bouleversante d'un feu qu'il croyait éteint, il poussa un soupir et machinalement fouilla ses poches pour chercher ses cigarettes. Aussitôt une voix lui dit en français : — Des cigarettes ?... Tenez...

Il se tourna et vit que le vieillard, de sa main rouge et un peu tremblante, lui tendait un paquet encore intact de cigarettes américaines. En même temps, il le regardait avec une expression singulière, à la fois impérieuse et bienveillante. Marcel, assez embarrassé, prit le paquet sans remercier, l'ouvrit rapidement, en sortit une cigarette, restitua le paquet au vieillard. Mais celui-ci prenant le paquet et le fourrant d'une main autoritaire dans la poche de la veste de Marcel, dit d'un ton insinuant : — Elles sont pour vous... gardez-les.

Marcel se sentit rougir puis pâlir de colère et de honte à la fois. Heureusement ses yeux se portèrent sur ses souliers, blancs de poussière et déformés par un long usage. Alors il pensa que l'inconnu le prenait probablement pour un miséreux, un chômeur, et sa colère tomba. Sans ostentation, simplement, il sortit le paquet de sa poche et le posa sur le banc, entre l'homme et lui.

Mais le vieux ne s'aperçut pas de la restitution ; il s'occupait de tout autre chose. Marcel le vit ouvrir le paquet remis par le chauffeur et en retirer un petit pain, le rompre lentement, laborieusement, de ses mains tremblantes et en jeter par terre quelques morceaux de mie. Aussitôt d'un des arbres touffus qui ombrageaient le banc, un gros moineau s'abattit sur le sol, tout rond et familier. Il sautillait, tourna la tête deux ou trois fois pour regarder autour de lui, saisit une miette dans son bec et l'avala. Le vieillard continua à émietter son pain et d'autres moineaux vinrent se poser, des branches, sur le trottoir. La cigarette entre les lèvres, les yeux mi-clos, Marcel observait la scène. L'inconnu, malgré son dos courbé et ses mains tremblantes, gardait quelque chose d'un adolescent, ou plutôt pouvait-on, sans grand effort, se l'imaginer adolescent. De profil, avec sa bouche rouge et mobile, son nez long et droit, ses cheveux blonds dont une mèche retombait sur son front, on voyait qu'il avait été un très beau jeune homme ; peut-être un de ces athlètes nordiques qui unissent la grâce d'une jeune fille à la force virile. Replié sur lui-même, la tête pensivement inclinée sur sa poitrine, il émietta tout le petit pain pour les oiseaux, puis, sans bouger, ni tourner la tête, toujours en français, il demanda :
— De quel pays êtes-vous ?

— Italien — répondit brièvement Marcel.

— Comment n'y ai-je pas pensé plus tôt ! — s'exclama le vieillard en se frappant le front avec une vivacité bizarre, — je me demandais justement où j'avais pu voir un visage comme le vôtre, si parfait... stupide que je suis... en Italie, que diable !... et comment vous appelez-vous ?

— Marcel Clerici — répondit Marcel après une minute d'hésitation.

— Marcel... — répéta le vieillard en levant la tête, les yeux fixés dans le vague. Un silence passa. Le vieux monsieur paraissait réfléchir, ou plutôt, pensa Marcel, paraissait s'efforcer de se rappeler quelque chose. Enfin, d'un air triomphant, il se tourna vers Marcel et récita : — Heu miserando puer, si qua fata aspera rumpas, tu Marcellus eris.

Ces vers, Marcel les connaissait bien pour les avoir traduits autrefois à l'école et parce qu'ils lui avaient alors attiré les plaisanteries de ses camarades. Mais, prononcés à ce moment, après l'offre des cigarettes, ces vers célèbres lui donnèrent une impression désagréable d'avance mal déguisée. Cette impression se changea en irritation quand il vit le vieillard l'envelopper d'un coup d'œil qui le résumait de la tête aux pieds, puis expliquer : — Virgile...

— Oui, Virgile — répéta sèchement Marcel. — Et vous, de quel pays êtes-vous ?

— Britannique — dit le vieillard. Puis, bizarrement, mélangeant le napolitain à l'italien : — J'ai vécu plusieurs années à Naples... es-tu napolitain ?

— Non — dit Marcel déconcerté par ce brusque tutoiement. Les moineaux ayant mangé toutes les miettes s'étaient envolés ; à quelques pas de là, au bord du trottoir, la Rolls Royce attendait. Le vieux monsieur prit sa canne, se mit péniblement debout et dit à Marcel d'un ton autoritaire, en français, cette fois : — Voulez-vous m'accompagner jusqu'à ma voiture ?... Vous déplairait-il de me donner le bras ?

Machinalement, Marcel offrit son bras. Le paquet de cigarettes était resté sur le banc, où il avait été posé. — Vous oubliez les cigarettes — dit le vieillard en désignant l'objet du bout de sa canne. Marcel, faisant mine de n'avoir pas entendu, fit un pas en direction de la voiture. Cette fois l'autre n'insista pas et s'achemina avec lui.

Il marchait lentement, plus lentement même que lorsqu'il le faisait seul, un moment auparavant, et sa main s'appuyait sur le bras de Marcel. Mais cette main n'y restait pas immobile ; elle allait et venait sur la manche du jeune homme, dans une caresse qui déjà prenait possession. Tout à coup Marcel sentit le cœur lui manquer et, levant les yeux, il comprit pourquoi : la voiture était là, les attendant tous deux et il comprit que, comme autrefois, on allait l'inviter à monter. Et ce qui l'atterrait, c'était son intime certitude qu'il ne refuserait pas l'invitation. Avec Lino, outre le désir du revolver, il y avait eu de sa part une sorte de coquetterie inconsciente ; cette fois, il se rendait compte avec stupeur qu'il accepterait avec la soumission de quelqu'un qui se souvient, qui ayant déjà cédé une fois dans le passé à une obscure tentation, se trouve par surprise, bien des années après, devant la même embûche sans motif pour y résister. Ces pensées traversèrent son esprit comme un éclair. Puis il vit qu'ils se trouvaient devant la voiture. Le chauffeur était descendu et attendait, la casquette à la main, près de la portière ouverte.

Sans abandonner son bras, le vieillard demanda alors à Marcel : — Eh bien ! voulez-vous monter ?

Marcel répondit aussitôt, intimement content de sa propre fermeté : — Merci, mais je dois retourner à mon hôtel, ma femme m'attend.

— Pauvre petite femme — dit le vieillard d'un ton malicieux et familier, — faites-la attendre... cela ne lui fera pas de mal...

Il fallait donc mettre les points sur les i, pensa Marcel. — Vous vous êtes mépris — dit-il. Il hésita, puis apercevant du coin de l'œil un jeune vagabond arrêté près du banc sur lequel était resté le paquet de cigarettes, il ajouta : — Je ne suis pas ce que vous croyez... Celui-ci ferait probablement votre affaire... — et il indiqua le vagabond qui, à ce moment, d'un geste rapide, empochait furtivement le paquet. Le vieillard suivit son regard, sourit et répondit avec un cynisme malicieux : — De ceux-ci... j'en ai tant que j'en veux.

— Je regrette — dit froidement Marcel, tout à fait maître

de lui maintenant, et il fit mine de s'en aller. Le vieillard le retint : — Permettez-moi, au moins, de vous raccompagner.

Marcel hésita, regarda sa montre : — Entendu... accompagnez-moi puisque cela vous fait plaisir.

— Cela me fait grand plaisir.

Ils montèrent dans l'auto, Marcel d'abord, le vieillard ensuite. Le chauffeur ferma la portière et reprit rapidement sa place. — Où allons-nous ? — demanda le vieillard.

Marcel donna le nom de son hôtel et le vieillard, s'adressant au chauffeur, dit quelques mots en anglais. L'auto démarra.

C'était une voiture silencieuse et bien suspendue, remarqua Marcel, tandis qu'ils roulaient rapidement, sans bruit, sous les arbres en direction de la place de la Concorde. L'intérieur était capitonné de drap gris ; fixé sur la portière, un vase de fleurs en cristal, d'une forme ancienne, contenait quelques gardénias. Après un moment de silence, le vieillard se tourna vers Marcel et dit : — Excusez-moi pour les cigarettes... je vous ai traité comme un pauvre...

— C'est sans importance — répliqua Marcel.

— Je me trompe rarement — reprit le vieillard après un instant de silence, — j'aurais juré que vous... j'en étais si sûr que j'étais presque confus de recourir au prétexte des cigarettes... convaincu qu'un regard devait suffire.

Il parlait avec une désinvolture cynique, légère, polie ; mais visiblement continuait à considérer Marcel comme un inverti. Ce ton de complicité était si assuré que Marcel fut presque tenté d'y répondre par une affirmation : — Oui... vous avez raison... peut-être suis-je ainsi sans le savoir... malgré moi... et j'en ai eu la confirmation en acceptant de monter dans votre voiture. — Au contraire, il prononça sèchement : — Vous vous êtes trompé, voilà tout.

— Évidemment.

La voiture faisait maintenant le tour de l'obélisque de la place de la Concorde. Puis en face du pont eut un brusque arrêt. Le vieillard dit alors : — Savez-vous ce qui m'a poussé ?

— Quoi donc ?

— Vos yeux... leur douceur caressante quoiqu'ils s'efforcent de paraître courroucés... ils parlent malgré vous...

Marcel ne dit rien. Après une brève halte, l'auto reprit sa course, passa le pont et au lieu de prendre le quai, se faufila dans une rue derrière la Chambre des députés. Marcel eut un soubresaut et se retournant vers le vieillard : — Mais, mon hôtel est sur le quai.

— Nous allons chez moi — dit le vieillard, — vous voulez bien venir boire quelque chose... vous resterez un moment, puis retournerez auprès de votre femme.

Tout à coup Marcel pensa qu'il éprouvait le même sentiment d'humiliation et de fureur impuissante, ressenti autrefois lorsque ses camarades l'avaient affublé d'une jupe en l'appelant Marcellina. Le vieillard comme eux ne croyait pas à sa virilité, comme eux il le considérait en être féminin. Il dit, les dents serrées : — Je vous prie de me ramener à mon hôtel.

— Mais, voyons... qu'est-ce que cela peut vous faire... juste un moment...

— Je ne suis monté dans votre voiture que parce que j'étais en retard et trouvais commode de me faire raccompagner... maintenant, conduisez-moi à l'hôtel.

— C'est curieux... j'aurais cru au contraire que vous vouliez vous faire enlever... vous êtes tous pareils, vous avez besoin qu'on vous fasse violence.

— Je vous affirme que vous vous trompez en adoptant ce ton avec moi... je ne suis en rien ce que vous croyez... je vous l'ai dit et vous le répète.

— Comme vous êtes susceptible... je ne crois rien... allons, ne me regardez pas comme cela.

— Vous l'aurez voulu — dit Marcel, et il porta la main à la poche intérieure de son veston. En partant de Rome, il avait emporté un petit revolver ; et au lieu de le laisser dans la valise, pour ne pas éveiller d'inquiétude chez Julie, il le portait toujours sur lui. Il tira l'arme de sa poche et, afin que le chauffeur ne puisse rien voir, il la braqua discrètement en direction du vieillard. Celui-ci le considérait d'un air d'amicale ironie ; puis il abaissa son regard et Marcel le vit devenir grave avec, brusquement, une expression perplexe et presque hébétée.

— Vous avez vu — dit Marcel, — et maintenant, ordonnez à votre chauffeur de me reconduire à l'hôtel.

Sur-le-champ le vieillard cria dans le porte-voix le nom de l'hôtel de Marcel. La voiture ralentit, prit une rue transversale. Marcel remit le revolver dans sa poche : — C'est bien — fit-il.

Le vieillard ne dit rien. Il paraissait être revenu de sa surprise et regardait attentivement Marcel, comme s'il étudiait son visage. La voiture déboucha sur la Seine et se mit à rouler le long du quai. Marcel reconnut tout à coup l'entrée de l'hôtel avec sa porte tournante sous la marquise de verre. La voiture s'arrêta.

— Permettez-moi de vous offrir cette fleur — dit le vieillard prenant un gardénia dans le vase et le lui tendant. Et comme Marcel hésitait : — Pour votre femme.

Marcel prit la fleur, remercia et sauta de la voiture, devant le chauffeur qui attendait, tête nue, près de la portière ouverte. Il crut entendre — ou peut-être fût-ce une hallucination — la voix du vieillard qui prononçait en italien : — Adieu, Marcel. — Sans se retourner, tenant la fleur entre deux doigts, il pénétra dans l'hôtel.

# VII

Revenu à l'hôtel, Marcel alla droit au bureau-caisse pour demander la clé de sa chambre. — Elle est en haut — dit le portier après avoir regardé au tableau : — Madame l'a prise... elle est montée avec une dame.

— Une dame ?

— Oui.

Extrêmement troublé et en même temps immensément heureux, après l'incident du vieillard, d'être ainsi troublé à la seule nouvelle que Lina était dans la chambre de Julie, Marcel se dirigea vers l'ascenseur. Regardant l'heure à son bracelet-montre, il vit qu'il n'était que six heures. Il avait tout le temps d'emmener Lina, sous un prétexte quelconque, dans un salon de l'hôtel, pour décider avec elle de leur avenir. Aussitôt après il se débarrasserait définitivement de l'agent Orlando qui devait téléphoner à sept heures. Les circonstances lui semblèrent favorables. Comme il montait dans l'ascenseur, il regarda le gardénia qu'il tenait toujours entre ses doigts et se sentit brusquement certain que le vieillard le lui avait donné, non pour Julie, mais pour sa vraie femme : Lina. C'était à lui maintenant de le lui remettre, comme gage de leur amour.

Il traversa rapidement le couloir et arrivé à sa chambre entra sans frapper. C'était une vaste chambre à grand lit avec une petite entrée dans laquelle donnait la salle de bains. Marcel referma la porte sans bruit et s'attarda un instant dans l'obscurité de l'entrée. Il s'aperçut alors que la porte de la chambre était entrouverte et qu'un rai de lumière filtrait au travers. Le désir lui vint d'épier Lina sans être vu, comme s'il pouvait ainsi s'assurer qu'elle l'aimait véritablement. Il mit l'œil à l'entrebâillement de la porte et regarda.

Une lampe était éclairée sur la table de chevet, le reste de la pièce était dans l'ombre. Assise sur le lit, le dos appuyé aux oreillers, il vit Julie toute enveloppée de blanc, dans le peignoir éponge de sa sortie de bain. De ses deux mains elle retenait le peignoir sur sa poitrine sans pouvoir ou vouloir empêcher qu'il ne s'ouvrît largement dans le bas, découvrant son ventre et ses jambes. Accroupie par terre, son ample jupe blanche étalée autour d'elle, Lina, aux pieds de Julie, lui entourait les jambes de ses bras, le front contre ses genoux, la poitrine contre ses mollets. Sans nulle réprobation et même, eût-on dit, avec une sorte de curiosité amusée et indulgente, Julie tendait le cou pour regarder la femme qu'elle ne pouvait voir complètement étant renversée en arrière. À voix basse, sans bouger, Lina dit : — Cela ne te déplaît pas que je reste un peu comme cela ?

— Non, mais il va falloir que je m'habille.

Lina reprit après un moment de silence, comme si elle reprenait une conversation interrompue : — tu es un peu bête, tu sais... qu'est-ce que cela ferait ?... tu as dit toi-même que si tu n'étais pas mariée, tu n'y verrais aucune objection...

— Si je l'ai dit — répondit Julie avec une certaine coquetterie, — c'était pour ne pas te vexer, et puis, je suis mariée...

Marcel, qui regardait toujours, vit que, tout en parlant, Lina n'encerclait plus que d'un bras les jambes de Julie et que son autre main remontait, lentement, obstinément, le long de la cuisse, repoussant le bord du peignoir. — Mariée ! — dit-elle d'un ton sarcastique et sans interrompre son sournois mouvement d'approche, — mais il faut voir avec qui !

— Moi, je l'aime — dit Julie. La main de Lina, remontant le long de la cuisse nue, s'approchait maintenant du pli de l'aine, hésitante, insinuante comme la tête d'un serpent. Mais Julie la saisit par le poignet et la ramena fermement en arrière en disant avec l'accent indulgent d'une gouvernante réprimandant un enfant turbulent : — Si tu crois que je ne te vois pas ?...

Lina se saisit de la main de Julie et se mit à la couvrir de baisers, avec une douceur calculée, se chiffonnant le visage dans sa paume comme eût pu le faire un chien.

— Petite sotte — fit-elle dans un souffle, avec une tendresse intense.

Un long silence suivit. La passion concentrée qui émanait de chaque geste de Lina contrastait singulièrement avec la distraction et l'indifférence de Julie. Celle-ci ne montrait même plus de curiosité et, tout en abandonnant sa main aux baisers et aux caresses de Lina, elle regardait autour d'elle comme si elle cherchait une échappatoire. Enfin, elle retira sa main et fit mine de vouloir se lever en disant : — Cette fois, il faut vraiment que je m'habille !

Lina bondit aussitôt sur ses pieds en s'écriant : — Ne bouge pas... dis-moi seulement où sont tes affaires... je t'habillerai moi-même.

Debout, le dos tourné à la porte, elle cachait complètement Julie. Marcel entendit la voix de sa femme dire en riant : — Tu veux me servir de femme de chambre ?

— Que t'importe ?... cela t'est bien égal... et à moi cela fait tant plaisir !

— Non, je m'habillerai seule. — Dans le fond de la pièce, Julie se démasquant derrière la silhouette de Lina, comme par dédoublement, apparue nue aux yeux de Marcel ; et sa voix lui parvint : — Ne me regarde pas, je t'en prie... et même retourne-toi... cela me fait honte !

— Honte ? devant moi ? Mais je suis une femme, comme toi !

— Une femme... si l'on veut... tu as une façon de vous regarder comme un homme...

— Alors, dis-moi tout de suite que tu veux que je m'en aille.

— Non, tu peux rester, mais ne me regarde pas.

— Mais je ne te regarde pas, sotte !... pourquoi te regarderais-je ?

— Ne te fâche pas... comprends-moi... si tu ne m'avais pas dit tout ce que tu m'as dit, je n'aurais pas honte maintenant et tu pourrais me regarder tant que tu voudrais. — Ceci dit d'une voix étouffée, comme au travers d'une robe enfilée par la tête.

— Tu ne veux pas que je t'aide ?

— Oh ! mon Dieu, si vraiment tu le désires tant !

Décidée bien qu'incertaine dans ses mouvements, hésitante et pourtant agressive, ardente mais humiliée, Lina se profila une seconde devant les yeux de Marcel puis disparut à sa vue dans le coin de la pièce d'où partait la voix de Julie. Il y eut un instant de silence, puis une exclamation impatiente de Julie, sans hostilité pourtant : — Ouf ! que tu es ennuyeuse ! — Lina, elle, ne dit rien. La lumière de la lampe éclairait le lit vide et le creux laissé par les flancs de Julie dans le peignoir humide.

Marcel s'écarta de la porte entrebâillée et revint dans le couloir.

Ayant fait quelques pas, il s'aperçut que, dans sa surprise et son désarroi, il avait d'un geste inconscient mais significatif, machinalement froissé entre ses doigts le gardénia offert par le vieillard et destiné à Julie. Il jeta la fleur sur le tapis et se dirigea vers l'escalier.

Arrivé au rez-de-chaussée, il sortit sur le quai dans la clarté fausse et brumeuse du crépuscule. Des lumières s'éclairaient déjà : lampadaires des ponts, semblables dans le lointain à des grappes blanches, phares jaunes et accouplés des autos, rectangles rouges des fenêtres... et la nuit montait comme une fumée sombre dans le ciel vert et pur, derrière le noir profil des clochers et des toits de la rive opposée. Marcel alla s'accouder au parapet, regardant en dessous de lui couler la Seine obscurcie qui paraissait entraîner dans ses eaux sombres des rangs de pierres précieuses et des anneaux de brillants. Ce qu'il éprouvait était déjà plus semblable à l'insensibilité mortelle qui suit le désastre qu'à l'égarement du désastre même. Pendant quelques heures, cet après-midi, il avait cru à l'amour ; maintenant il se voyait au contraire errer dans un monde profondément bouleversé et aride où le véritable amour n'existait pas, mais seulement les rapports sexuels, du plus naturel et commun au plus anormal et insolite. Certes, le sentiment de Lino pour lui n'avait pas été de l'amour non plus ; ce n'était pas l'amour, que le désir de Lina pour Julie ; dans le ménage de Marcel ; l'amour n'avait pas de place ; et Julie elle-même, si indulgente pour Lina et peut-être tentée par ses avances, n'aimait sans doute pas son mari d'un véritable amour. En ce monde obscur et traversé d'éclairs, comparable à un crépuscule orageux, ces figures ambiguës d'hommes-femmes et de femmes-hommes qui s'entrecroisaient, doublant et mêlant leur ambiguïté, semblaient signifier pour lui quelque chose d'également ambigu, lié — lui semblait-il — à son propre destin et à l'impossibilité absolue d'en changer.

Puisque l'amour n'existait pas, et pour cette raison seule, il continuerait à suivre la voie qu'il avait suivie jusqu'alors, il irait jusqu'au bout de sa mission ; il persisterait dans son intention de se créer une famille avec la déconcertante et primitive Julie. C'était cela le conformisme ; ce pis-aller, cette forme vide. En dehors, tout n'était que confusion et arbitraire.

La conduite de Lina le poussait à choisir cette voie. Ainsi qu'elle le lui avait déclaré en un moment de sincérité, elle le méprisait et le haïssait probablement ; mais pour ne pas briser leurs relations et se ménager la possibilité de revoir Julie dont elle s'était éprise, elle avait su feindre un sentiment d'amour pour lui. Marcel comprenait qu'il ne pouvait attendre d'elle ni compréhension ni pitié. En face de cette hostilité irrémédiable, définitive, renforcée par l'anormalité sexuelle, l'antagonisme politique et le mépris moral, une douleur aiguë et impuissante l'envahissait. Ainsi, jamais ces yeux et ce front lumineux, si pur et intelligent, qui l'avait séduit, ne se pencheraient sur lui pour l'éclairer et le calmer amoureusement. Lina préférerait toujours s'abaisser, s'humilier en des flatteries, des insistances, des caresses diaboliques. En la voyant presser son visage contre les genoux de Julie, il avait été frappé par le même sentiment de profanation éprouvé à la maison de S. en voyant cette prostituée, cette Louise, répondre aux baisers d'Orlando. Certes Julie n'était pas Orlando, mais il eût souhaité que ce front ne s'abaissât devant personne ; et il avait été déçu.

Tandis qu'il restait, perdu dans ses pensées, la nuit était venue. Marcel se redressa et se retourna vers l'hôtel. Il eut juste le temps d'apercevoir la silhouette blanche de Lina qui en sortait et se dirigeait rapidement vers une auto arrêtée à peu de distance au bord du trottoir. Son air satisfait et en même temps furtif évoquait l'image d'une fouine ou d'une belette s'enfuyant du poulailler en emportant sa proie. Ce n'était pas là, pensa Marcel, l'attitude de quelqu'un qui a été repoussé, au contraire. Peut-être Lina avait-elle réussi à arracher une promesse à Julie ou celle-ci, par lassitude ou sensuelle passivité, s'était-elle laissée aller à quelque caresse que dans son indulgence pour elle-même et pour les autres elle jugeait sans importance, mais qui avait été précieuse pour Lina. Ccpendant la femme était montée dans la voiture et Marcel la vit passer, de profil, les mains sur le volant, son beau visage altier et fin regardant droit devant elle. La voiture s'éloigna et il rentra à l'hôtel.

Il entra dans la chambre sans frapper. La pièce était en ordre, Julie, tout habillée, était assise devant la coiffeuse, finissant de se coiffer. Sans se retourner, elle demanda tranquillement : — C'est toi ?

— Oui, c'est moi — répondit Marcel en venant s'asseoir sur le lit.

Il attendit un peu, puis : — Tu t'es amusée ? — dit-il.

La jeune femme se retourna à demi avec vivacité : — Oh ! oui, nous avons vu tant de belles choses !... j'ai laissé mon cœur dans une dizaine de magasins, au moins...

Marcel ne répondit pas. Julie finit de se coiffer en silence, puis vint à son tour s'asseoir sur le lit. Elle avait mis une robe noire dont le large décolleté laissait apercevoir la naissance de ses seins solides et bruns, reposant dans son corsage comme deux beaux fruits dans une corbeille. Une rose de soie rouge était piquée près de son épaule. Son visage jeune et doux, aux grands yeux souriants, à la bouche épanouie, était empreint de son habituelle expression d'euphorie sensuelle. En un sourire peut-être inconscient, Julie découvrait entre ses lèvres fardées d'un rouge vif, des dents régulières, d'une blancheur transparente et éclatante. Elle lui prit la main affectueusement : — Tu ne peux te figurer ce qui m'est arrivé... — dit-elle.

— Quoi donc ?

— Cette femme, Mme Quadri, eh bien, figure-toi que ce n'est pas une femme normale !

— Que veux-tu dire ?

— C'est une de ces femmes qui aiment les femmes... et figure-toi qu'elle s'est amourachée de moi... comme cela, au premier coup d'œil... elle me l'a dit sitôt que tu es parti... c'est pour cela qu'elle avait tant insisté afin que je me repose chez elle... elle m'a fait une déclaration en règle... qui aurait pu penser cela ?

— Et toi ?

— Moi, je ne m'y attendais vraiment pas... j'allais m'assoupir parce que j'étais réellement lasse... tout d'abord je n'y ai rien compris... et puis j'ai fini par comprendre et alors je ne savais plus quelle figure faire... tu sais, une vraie passion, furieuse, une passion d'homme... dis-moi la vérité, te serais-tu attendu à cela de la part d'une femme comme elle, si froide, si maîtresse d'elle-même !

— Non — répondit Marcel doucement, je ne m'y serais pas attendu... comme d'ailleurs — ajouta-t-il, — je ne m'attendais pas à ce que tu répondes à ces effusions.

— Mais comment ? Serais-tu jaloux, par hasard ? — s'exclama-t-elle dans un rire charmé et joyeux, — jaloux d'une femme ? Et même en admettant que je l'aie écoutée, tu n'aurais pas à être jaloux... une femme n'est pas un homme... mais rassure-toi, entre nous il n'y a presque rien eu...

— Presque ?

— Je dis presque — répondit-elle d'un ton réticent, — parce qu'en la voyant si enragée, je lui ai permis, tandis qu'elle m'accompagnait en auto ici, de me serrer la main.

— Seulement de te serrer la main ?

— Mais tu es jaloux — s'écria-t-elle de nouveau avec un certain contentement, — tu es jaloux pour de bon... je ne te connaissais pas sous ce jour... eh bien, si tu veux vraiment le savoir — ajouta-t-elle au bout d'un instant, — je lui ai permis aussi de me donner un baiser, mais un baiser de sœur... et puis, comme elle insistait et m'importunait, je l'ai envoyée promener... c'est tout... maintenant, dis-moi, es-tu encore jaloux ?

Marcel avait insisté afin que Julie lui parlât de Lina, et surtout pour s'assurer une fois encore de la différence existant entre sa femme et lui : lui dont toute la vie était bouleversée par une chose qui n'avait pas eu lieu ; elle, ouverte à toutes les expériences, indulgente et oublieuse plus encore dans sa chair que dans son âme. Doucement, il interrogea : — Et toi, autrefois, tu n'as jamais connu ce genre de rapports ?

— Non, jamais — dit-elle résolument. Ce ton tranchant était si insolite chez elle que Marcel ne douta pas un instant qu'elle ne mentît. Il insista : — Allons... pourquoi mentir ?... Quand on ne connaît pas ce genre de choses, on ne se comporte pas comme tu l'as fait avec Mme Quadri... sois franche...

— Mais que t'importe ?

— Je veux le savoir.

Julie se tut un moment, les yeux baissés, puis dit lentement : — Tu sais mon histoire avec cet homme, cet avocat... Jusqu'au jour où je t'ai rencontré, il m'avait inspiré une véritable horreur des hommes... c'est ainsi que j'ai eu une amitié, qui a peu duré d'ailleurs... c'était une jeune fille, une étudiante de mon âge... elle m'aimait vraiment et ce fut surtout son affection qui me toucha, en un moment où j'en avais tant besoin... puis elle devint exclusive, exigeante, jalouse... alors je rompis nos relations... de temps en temps, çà et là, je la revois à Rome, la pauvrette, elle m'aime toujours ! — Après le premier moment de réticence et d'embarras, son visage avait recouvré sa placidité habituelle. Elle ajouta en prenant la main de son mari : — Ne crains rien, ne sois pas jaloux... tu sais bien que je n'aime que toi.

— Je le sais — dit Marcel. Il se rappelait maintenant les larmes de Julie dans le wagon-lit, sa tentative de suicide, et il la sentait sincère. Si, conventionnellement, elle avait envisagé sa virginité perdue comme une trahison, elle considérait par contre ses fautes passées comme des peccadilles.

Cependant Julie reprenait : — Je te dis que cette femme est positivement folle !... sais-tu ce qu'elle voulait ?... que, dans quelques jours nous partions tous ensemble en Savoie où ils possèdent une maison... et même, figure-toi, elle a déjà fait tout son programme...

— Et quel est ce programme ?

— Son mari part demain ; elle, au contraire, reste quelques jours encore à Paris... pour des affaires personnelles, dit-elle, mais moi je suis convaincue qu'elle reste pour moi... elle nous propose de partir ensemble et d'aller passer une semaine en montagne avec eux... l'idée que nous sommes en voyages de noces ne l'effleure même pas... pour elle, c'est comme si tu n'existais pas... elle m'a écrit l'adresse de leur maison en Savoie et m'a fait jurer de faire mon possible pour te persuader d'accepter cette invitation...

— Et cette adresse ?...

— La voici — dit Julie en montrant un bout de papier sur le marbre de la commode, — mais quoi, voudrais-tu accepter, par hasard ?

— Non, mais toi, peut-être ?

— Je t'en prie... mais crois-tu donc que j'attache de l'importance à cette femme... puisque je te dis que je l'ai envoyée promener parce qu'elle m'importunait par son insistance... — Tout en parlant, elle s'était levée du lit et avait ouvert la porte : — À propos — cria-t-elle de la salle de bains, — il y a une demi-heure, quelqu'un t'a demandé au téléphone... une voix d'homme, un Italien... il n'a pas voulu dire qui il était... il m'a laissé son numéro en demandant que tu lui téléphones aussitôt que possible... J'ai marqué le numéro sur le même bout de papier.

Marcel alla prendre le papier, tira un carnet de sa poche et y inscrivit l'adresse savoyarde de Quadri ainsi que le numéro d'Orlando. Après sa passagère exaltation de l'après-midi, il avait l'impression d'être redevenu lui-même ; l'automatisme de ses gestes et la mélancolie résignée qui les accompagnait en étaient une preuve. Ainsi donc, tout était fini, pensa-t-il en remettant son carnet dans sa poche et, dans la mise en ordre définitive de sa vie, cette fugace apparition de l'amour n'aurait été qu'un mirage. Un moment, sa pensée revint à Lina et dans la subite passion de cette femme pour Julie, il crut reconnaître un signe manifeste du destin lui permettant de savoir l'adresse des Quadri en Savoie et permettant en même temps que Lina ne s'y trouvât pas encore quand Orlando et ses hommes s'y présenteraient. Le départ de Quadri, la décision de Lina de rester à Paris cadraient parfaitement avec le plan de sa mission. Si les choses s'étaient passées autrement, il ne voyait guère comment Orlando et lui auraient pu la conduire à bonne fin.

Il se leva, cria à sa femme qu'il descendait l'attendre dans le hall et sortit. Presque automatiquement il se dirigea vers la cabine téléphonique qui était au fond du corridor. À la voix de l'agent qui dans l'écouteur lui demandait d'un ton enjoué : — Alors, Monsieur, où faisons-nous ce petit dîner ? — il parut sortir de la brume de ses pensées. Calmement, à voix basse mais claire, il donna à Orlando ses informations au sujet du voyage de Quadri.

# VIII

Comme ils descendaient du taxi dans une petite rue du quartier Latin, Marcel leva les yeux sur l'enseigne *« Le Coq au vin »* inscrite en lettres blanches sur fond brun à hauteur du premier étage d'une ancienne maison grise. Ils entrèrent dans le restaurant ; une banquette de velours rouge faisait le tour des murs de la salle, devant les tables alignées de vieilles glaces rectangulaires aux cadres dorés reflétaient dans une calme clarté le lustre central et les têtes des rares clients. Du premier coup d'œil Marcel reconnut Quadri, assis dans un coin à côté de sa femme, plus petit qu'elle de toute la tête, et en costume noir ; il consultait le menu par-dessus ses lunettes. Lina au contraire, droite et immobile dans une robe de velours noir qui faisait ressortir sa pâleur et la blancheur de ses bras et de sa poitrine, paraissait surveiller anxieusement la porte. Elle se leva brusquement à la vue de Julie et derrière elle, presque masqué, le professeur se leva également. Les deux femmes se serrèrent la main. Marcel leva les yeux et, dans le reflet jaune et terne de l'une des glaces, il vit alors, comme une invraisemblable apparition, la tête d'Orlando qui le regardait. Au même instant on entendit grincer les viscères métalliques de l'horloge à balancier et huit coups sonnèrent. — Huit heures — s'écria Lina d'un ton joyeux, — que vous êtes ponctuels ! — Marcel eut une sorte de frisson et pendant que les coups de l'horloge s'égrenaient, pleins d'une sonorité lugubre et solennelle, il serra la main que Quadri lui tendait. Le dernier coup résonnait encore et la poignée de main ne s'était pas dénouée que Marcel se remémorait les accords passés avec Orlando : le geste qu'il venait de faire devait désigner la victime et il fut presque tenté de se pencher pour embrasser Quadri sur la joue gauche ainsi que l'avait fait Judas ; car ne s'était-il pas comparé lui-même à Judas, quelques heures auparavant, dans une amère réflexion d'humour ? Il eut même l'impression de sentir sous ses lèvres le rude contact de la joue du professeur et s'étonna que la suggestion fût aussi forte. Puis il leva de nouveau les yeux vers la glace : la tête d'Orlando était toujours là, comme suspendue dans le vide, les regards fixés sur Quadri et lui. Finalement ils s'assirent tous les quatre, Marcel et Quadri sur des chaises, les deux femmes en face d'eux sur la banquette.

Le sommelier apporta la carte et Quadri sembla s'absorber complètement dans la commande minutieuse des vins ; il eut une longue discussion avec le sommelier sur la qualité de tels crus qu'il paraissait fort bien connaître. Enfin, il commanda un vin blanc sec pour accompagner le poisson, du rouge pour le rôti et du champagne frappé. Le maître d'hôtel vint remplacer le sommelier et la même scène se répéta : discussions compétentes sur les mets, hésitations, réflexions, questions, réponses et, pour finir, la commande de trois plats : une entrée, un poisson, et un rôti. Pendant ce temps Lina et Julie causaient à voix basse et Marcel, les yeux

fixés sur Lina, s'était absorbé dans une morne rêverie. Il lui semblait encore entendre résonner en lui les coups vibrants de l'horloge tandis qu'il serrait la main de Quadri ; il croyait revoir la tête décapitée d'Orlando le regardant dans la glace et il sentait que jamais autant qu'en ce moment il ne s'était trouvé en face de son destin ; comme s'il eût été une borne de pierre au centre d'un carrefour avec, de chaque côté, deux routes différentes, également définitives. Il tressaillit à la voix de Quadri qui lui demandait d'un ton indifférent :
— Vous êtes-vous un peu promené dans Paris ?

— Oui, un peu.

— Paris vous plaît ?

— Beaucoup.

— Oui, c'est une agréable ville — dit Quadri comme s'il se parlait à lui-même et faisait une concession à Marcel, — mais je voudrais attirer votre attention sur un point que je vous ai déjà signalé aujourd'hui. C'est que Paris n'est pas la ville de vices et de corruption que décrivent les journaux en Italie... Vous avez certainement ce préjugé qui ne correspond pas du tout à la réalité.

— Mais je ne l'ai pas — dit Marcel un peu surpris.

— Cela m'étonnerait ! — dit le professeur sans le regarder, — tous les jeunes de votre génération ont des idées de ce genre... ils pensent que l'on n'est fort que si l'on est austère et pour s'assurer de leur austérité ils se créent d'imaginaires têtes de Turcs.

— Je ne pense pas être particulièrement austère — dit sèchement Marcel.

— Vous l'êtes, j'en suis sûr et je vais vous le démontrer — dit le professeur. Il attendit que le garçon eût apporté les assiettes et les hors-d'œuvre, puis reprit : — Voyons, je parie que pendant que je commandais les vins, vous vous étonniez en vous-même que je puisse m'arrêter à de telles choses... n'est-ce pas ?

Comment l'avait-il deviné ? Marcel admit à contrecœur :

— Il peut se faire que vous ayez raison... mais il n'y a aucun mal à cela... si je l'ai pensé, c'est que justement vous avez l'air... austère, suivant le mot que vous avez employé.

— Pas autant que vous, mon cher enfant, pas autant que vous — répéta gentiment le professeur, — et puis, continuons... dites-moi la vérité : vous n'aimez pas le vin et vous n'y connaissez rien.

— Non, à dire vrai, je ne bois presque jamais — dit Marcel, — mais quelle importance cela a-t-il ?

— Beaucoup d'importance — dit Quadri tranquillement, — une très grande importance... et de même je parie que vous n'appréciez que peu la bonne chère ?

— Je mange — commença Marcel.

— Pour me nourrir — finit le professeur d'un accent de triomphe, — c'est ce qu'il fallait démontrer... enfin, vous avez certainement une prévention contre l'amour... par exemple, si vous apercevez dans un jardin public un couple qui s'embrasse, votre première impulsion sera de la réprobation ; vous serez choqué et selon toute probabilité conclurez que la ville où se trouve ce jardin est une ville dépravée... n'est-ce pas ?

Marcel voyait maintenant où Quadri voulait en venir. Il dit avec effort : — Je n'en conclurai rien... Je penserai seulement que je n'ai pas de goût pour ce genre de choses, et cela de naissance, probablement.

— Et, de plus, ceux qui ont ce goût sont à vos yeux coupables, par conséquent méprisables... allons, avouez...

— Non, ils sont différents de moi, voilà tout.

— Qui n'est pas avec moi est contre moi — dit le professeur, faisant une brusque intrusion dans la politique, — c'est là une maxime que l'on répète volontiers aujourd'hui en Italie et ailleurs, n'est-il pas vrai ? — Tout en parlant le professeur s'était mis à manger et de si bon cœur que ses lunettes n'étaient plus d'aplomb sur son nez.

— Il me semble — dit sèchement Marcel, — que la politique n'a rien à faire dans cette histoire.

— Edmond... !

— ... ma chère ?

— Tu m'avais promis que nous ne parlerions pas de politique...

— Mais nous n'en parlons pas en effet — dit Quadri, — nous parlons de Paris... et je conclurai en disant que Paris étant une ville dont les habitants aiment boire, manger, danser, s'embrasser dans les parcs et, pour tout dire, prendre du bon temps, je suis sûr que votre jugement sur Paris ne peut être que défavorable.

Cette fois Marcel garda le silence. Julie répondit pour lui en souriant : — Eh bien ! au contraire, Paris me plaît beaucoup à moi !... c'est si gai !

— Bien parlé ! — approuva le professeur ; Madame, vous devriez soigner votre mari.

— Mais il n'est pas malade...

— Il est malade d'austérité — dit le professeur, la tête penchée sur son assiette. Et il ajouta entre ses dents : — ou plutôt, son austérité n'est qu'un symptôme.

Marcel n'avait plus aucun doute : le professeur qui, d'après les dires de Lina, savait tout de son ancien élève, s'amusait à jouer avec lui comme un chat avec une souris. Et il ne put s'empêcher de penser que ce jeu était bien innocent en comparaison de celui, si tragique, qui avait commencé dans l'après-midi chez les Quadri, pour se terminer de façon sanglante dans une villa en Savoie. Avec une coquette mélancolie, il s'adressa à Lina : — Je parais donc tellement austère ?... vous aussi avez cette impression ?

Elle le considéra d'un regard froid et revêche où il devina avec douleur l'aversion profonde qu'elle nourrissait à son égard. Puis, visiblement, Lina reprit ce rôle de femme amoureuse qu'elle avait décidé de jouer, car elle répondit avec un sourire forcé : — Je ne vous connais pas suffisamment... certes, vous donnez l'impression d'être très sérieux.

— Ah ! pour cela, oui !... — dit Julie avec un tendre regard à l'adresse de son mari, — sérieux, c'est le mot !... pensez que je ne l'ai peut-être vu sourire qu'une douzaine de fois !

Lina s'était mise à le regarder fixement, avec une attention concentrée : — Non — dit-elle lentement, — non, je me suis trompée... sérieux n'est pas le mot... il faudrait dire préoccupé.

— Préoccupé de quoi ?

Marcel la vit hausser les épaules d'un air indifférent. — Ça, je ne sais pas. — Mais en même temps, à sa profonde surprise, il sentit son pied effleuré, puis pressé, sous la table, par celui de la jeune femme. Quadri dit avec bonté : — Ne vous préoccupez pas trop, Clerici, de ce que nous vous disons de votre air de préoccupation... tout ceci n'est que conversation pour passer le temps... vous êtes en voyage de noces... cela seul doit vous préoccuper, n'est-ce pas, Madame ? — Il sourit à Julie, de ce sourire qui paraissait la grimace d'une bouche mutilée ; et Julie sourit à son tour en disant gaiement : — C'est peut-être justement ce qui le préoccupe, qu'en penses-tu, Marcel ?

Le pied de Lina continuait à presser celui du jeune homme et à ce contact il éprouvait une impression de dédoublement comme si l'ambiguïté de ces rapports amoureux se transmettait à toute sa vie et qu'il se trouvait en face d'une double situation. D'une part, il désignait Quadri à Orlando et retournait en Italie avec Julie ; de l'autre, il sauvait Quadri, abandonnait Julie et restait à Paris avec Lina. Telles deux photographies superposées, les deux situations s'entrecroisaient et se confondaient comme les sentiments mêmes qu'elles suscitaient : regret et horreur, espoir et mélancolie, résignation et révolte. Il savait fort bien que Lina ne lui faisait du pied que pour le leurrer et rester fidèle au rôle de femme amoureuse qu'elle entendait jouer ; toutefois, comme dans une démonstration par l'absurde, Marcel espérait qu'elle ne lui jouait pas la comédie et était véritablement attirée vers lui. Cependant il se demandait pourquoi, parmi tant de gestes, elle avait précisément choisi celui-ci, d'une complicité sentimentale si traditionnelle et vulgaire, et il crut y voir une fois de plus le mépris dans lequel elle le tenait. Elle pensait sans doute qu'il était inutile d'user de grandes subtilités pour lui donner le change. Donc, tout en continuant son manège et le regardant fixement, avec intention, elle dit :

— À propos de votre voyage de noces... j'en ai déjà parlé à Julie, mais comme elle n'aura pas le courage de vous mettre au courant, c'est moi qui vais faire la proposition... pourquoi ne finiriez-vous pas votre voyage en Savoie ?... chez nous ?... Nous y demeurons tout l'été... nous avons une grande chambre d'amis... vous resterez une semaine, dix jours, tant que vous voudrez... et puis, de là, vous retournerez directement en Italie.

Ainsi, se dit Marcel, désappointé malgré tout, c'était donc là l'explication de ce pied pressant le sien. Il pensa de nouveau, et cette fois avec dépit, que l'invitation en Savoie coïncidait trop bien avec le plan d'Orlando : en l'acceptant, ils retiendraient Lina à Paris et pendant ce temps Orlando aurait le temps là-bas, en montagne, de se défaire de Quadri. Il dit lentement : — Pour mon compte, je ne vois pas d'objection à aller faire un tour en Savoie... mais pas avant une semaine... quand nous aurons un peu vu Paris.

— Parfait — répliqua Lina triomphante, — comme cela, vous voyagerez avec moi... mon mari me précède demain... mais je dois aussi rester une semaine de plus à Paris.

Marcel sentit que le pied de la jeune femme s'était écarté du sien. Le geste enjôleur cessait en même temps que la nécessité qui l'avait inspiré ; et Lina n'avait même pas daigné le remercier d'un regard. Ses yeux allèrent à sa femme et il vit qu'elle paraissait mécontente. Puis elle dit :
— Je regrette de contredire mon mari... et je regrette aussi de paraître peu aimable envers vous, chère Madame... mais il nous est impossible d'aller en Savoie.

— Pourquoi ? — s'exclama Marcel malgré lui, — après Paris...

— Après Paris, tu sais bien que nous devons aller sur la Côte d'Azur retrouver nos amis. — C'était tout à fait faux : ils n'avaient pas d'amis sur la Côte d'Azur. Marcel comprit que Julie mentait pour se débarrasser de Lina et montrer à son mari son indifférence pour la jeune femme. Mais alors, Lina, vexée par le refus de Julie, pouvait partir avec Quadri. Il fallait donc parer au plus pressé ; faire accepter l'invitation par sa récalcitrante épouse : — Oh ! — s'empressa-t-il d'ajouter, — cette visite, nous pouvons y renoncer, nous aurons toujours le temps de les voir.

— La Côte d'Azur... quelle horreur ! — s'écria impétueusement Lina, d'une voix rieuse, chantante, ravie qu'elle était de l'appui de Marcel : — mais qui va sur la Côte d'Azur... les métèques... les cocottes...

— Peut-être... mais nous avons promis — s'obstina Julie.

Marcel sentit le pied de Lina qui revenait à la rescousse. Avec effort il s'adressa à sa femme : — Allons, Julie, pourquoi n'accepterions-nous pas ?

— Si tu le désires vraiment — répondit-elle en baissant la tête.

À ces mots, Lina tourna vers Julie un visage inquiet, attristé, irrité, surpris. — Mais pourquoi cette hésitation ? — s'écria-t-elle — et il y avait de la consternation dans son accent, — pourquoi ? Pour voir cette horrible Côte d'Azur ?... c'est vraiment une envie de provinciaux... il n'y a qu'eux pour vouloir visiter la Côte d'Azur... à votre place, je vous assure que personne n'hésiterait... voyons, voyons... — ajouta-t-elle tout à coup avec l'ardeur du désespoir : — il doit y avoir une raison là-dessous... mon mari et moi vous sommes peut-être antipathiques.

Marcel ne put s'empêcher d'admirer la violence de cette passion qui permettait à Lina de faire en quelque sorte une scène d'amour à Julie en sa présence et en celle de son mari. Un peu surprise, Julie protesta : — Mais, de grâce, que dites-vous ?

Quadri, qui mangeait en silence, paraissant savourer les mets plus qu'écouter la conversation, observa avec son habituelle indifférence : — Lina, tu mets Mme Clerici dans l'embarras... même si nous lui sommes antipathiques, comme tu le prétends, elle ne l'avouera pas !

— Oui, nous lui sommes antipathiques — continua la jeune femme sans prêter attention aux paroles de son mari, — ou plutôt c'est moi qui lui suis antipathique, n'est-ce pas, ma chère ? — et s'adressant à Marcel, elle ajouta vivement, mondaine et allusive : — on croit être sympathique et ce sont justement les personnes dont on souhaiterait la sympathie qui ne vous peuvent souffrir... parlez franchement, ma chère, vous ne pouvez pas me voir... et pendant que je suis là à parler et à insister pour vous emmener en Savoie, vous êtes en train de penser : — mais que me veut cette folle ?... comment ne se rend-elle pas compte que tout me déplaît en elle, sa figure, sa voix, ses manières, toute sa personne en somme... — allons, avouez que c'est à peu près ce que vous pensez en ce moment ?

Elle avait véritablement oublié toute prudence, pensa Marcel ; et si le mari pouvait peut-être ne pas attribuer d'importance à ces insinuations désolées, lui, à qui elles étaient fictivement adressées pouvait difficilement ne pas s'apercevoir de leur véritable intention. Julie protesta mollement, stupéfaite : — Mais voyons, qu'allez-vous penser là ? Je me demande ce qui vous donne de pareilles idées ?

— C'est donc vrai — s'écria la jeune femme, crispée, — je vous suis antipathique ! — Puis se tournant vers son mari, avec une complaisance fébrile et amère : — Tu vois, Edmond, tu disais que Madame ne l'avouerait pas... eh bien, elle l'avoue : je lui suis antipathique !

— Je n'ai pas dit cela — dit Julie en souriant, — je ne l'ai même pas pensé une seconde...

— Vous ne l'avez pas dit, mais vous l'avez laissé comprendre.

Sans lever les yeux de son assiette, Quadri s'interposa : — Je ne comprends pas ton insistance, Lina... pourquoi serais-tu antipathique à Mme Clerici ? Elle ne te connaît que depuis quelques heures, elle n'a probablement à ton égard aucun sentiment particulier.

Marcel comprit que cette fois encore il devait intervenir ; les yeux de Lina, irrités, presque insultants de mépris et de domination, lui enjoignaient de le faire. Elle avait cessé de lui frôler le pied, mais d'un geste imprudent et impulsif, comme il avait la main sur la table, elle feignit de vouloir prendre du sel et en profita pour lui serrer les doigts au passage. Il dit d'un ton conciliant et définitif : — Julie et moi avons au contraire beaucoup de sympathie pour vous... et nous acceptons avec plaisir votre aimable invitation... nous viendrons tout simplement... n'est-ce pas, Julie ?

— Volontiers — dit Julie se rendant subitement, — c'était uniquement à cause de notre engagement antérieur... mais nous avions grande envie d'accepter...

— Très bien... alors, c'est entendu, dans une semaine nous partons tous ensemble... — Lina, radieuse, se mit aussitôt à parler des excursions qu'ils feraient en Savoie, de la beauté des sites, de leur maison. Marcel remarqua toutefois qu'elle parlait confusément, avec volubilité, obéissant, eût-on dit, plutôt au besoin d'exprimer sa joie par des paroles qu'à la nécessité de dire certaines choses ou de donner certains renseignements ; tel un oiseau en cage qu'un rayon de soleil vient subitement égayer et qui se met à chanter. Et de même que l'entrain de l'oiseau grandit à mesure qu'il chante, elle paraissait s'enivrer de sa propre voix où tremblait et s'exaltait une joie imprudente et déchaînée.

Se sentant exclu de la conversation, Marcel leva les yeux vers la glace qui se trouvait dans le dos de Quadri : l'honnête, débonnaire figure d'Orlando était toujours là, suspendue dans le vide, décapitée et pourtant vivante. Mais elle n'était plus seule : de profil, non moins nette et non moins absurde, se voyait une autre tête parlant à celle d'Orlando. C'était une tête d'oiseau de proie qui pourtant n'avait rien d'un aigle, mais d'une espèce inférieure et triste de rapace : petits yeux éteints profondément enfoncés sous le front bas, grand nez mélancolique et recourbé, bouche serrée, menton rentré. Marcel observa longuement ce personnage en se demandant s'il l'avait déjà vu ; puis il tressaillit à la voix de Quadri qui lui demandait : — À propos, Clerici, si je vous demandais de me rendre un service, accepteriez-vous ?

La demande était inattendue et Marcel remarqua que pour la formuler Quadri avait attendu que sa femme eût enfin fini de bavarder. — Certainement — dit-il, — si c'est en mon pouvoir.

Il crut voir qu'avant de parler Quadri regardait sa femme comme pour recevoir confirmation d'un accord déjà discuté et établi : — Voici ce dont il s'agit — poursuivit Quadri d'un ton à la fois doux et cynique, — vous n'ignorez pas quelle est mon activité ici à Paris et pourquoi je ne suis pas retourné en Italie... Or, nous avons des amis là-bas, avec lesquels nous communiquons comme nous le pouvons... un de nos moyens consiste à confier des lettres à des personnes étrangères à la politique et qu'on ne peut par conséquent soupçonner d'une activité au sein d'un parti quelconque... j'ai pensé que vous pourriez m'emporter une de ces lettres en Italie et la mettre à la poste dans la première gare où vous vous arrêterez, Turin, par exemple...

Un silence s'ensuivit. Marcel comprenait que la requête de Quadri n'avait d'autre but que de le mettre à l'épreuve ou tout au moins de l'embarrasser ; et il s'apercevait que cette requête était faite d'accord avec Lina. Quadri, fidèle à son système de la persuasion, avait probablement convaincu sa femme de l'opportunité d'une telle manœuvre. Ce qui n'impliquait pas pour autant un changement dans l'hostilité de Lina envers Marcel. Ceci, il le devina à l'air tendu, froid, presque irrité de la jeune femme. Quelles fins se proposait Quadri, Marcel n'arrivait pas, pour l'instant, à le deviner. Il répondit pour gagner du temps : — et si je suis découvert, j'irai finir au bagne...

Quadri sourit et sur le ton de la plaisanterie : — Ce ne serait pas un grand malheur... ce serait même un bien pour nous... ne savez-vous pas que les partis politiques ont besoin de martyrs et de victimes ?

Lina fronça les sourcils sans mot dire. Julie regarda Marcel avec anxiété ; visiblement elle espérait que son mari allait refuser. Marcel reprit lentement : — Au fond, vous ne seriez pas loin de désirer que la lettre soit découverte.

— Non, pas cela — dit le professeur en se versant du vin avec une allègre désinvolture qui inspira tout à coup à Marcel une vague compassion, — nous désirons par-dessus tout que le plus grand nombre possible de gens se compromettent et luttent à nos côtés... aller en prison pour notre cause n'est qu'une des nombreuses manières de se compromettre et de combattre... ce n'est évidemment pas la seule. — Il but lentement puis ajouta avec une gravité inattendue : — Mais je ne vous ai fait cette proposition que pour la forme... si je puis dire... je sais que vous refuserez.

— Vous avez deviné — dit Marcel qui, entre-temps, avait pesé le pour et le contre de la proposition, — je regrette, mais je ne crois pas possible de vous rendre ce service.

— Mon mari ne s'occupe pas de politique — expliqua Julie avec un empressement craintif, — en tant que fonctionnaire, il est en dehors de ces choses.

— Cela se comprend — dit Quadri d'un air indulgent et presque affectueux, — cela se comprend... il est fonctionnaire.

Marcel eut l'impression que Quadri était étrangement satisfait de sa réponse. Sa femme au contraire semblait contrariée et elle s'adressa à Julie sur un ton agressif : — Pourquoi avez-vous si peur que votre mari s'occupe de politique ?

— Pour ce à quoi cela sert — répondit Julie ingénument, — il doit penser à son avenir, non à la politique.

— Voilà comment raisonnent les femmes en Italie — dit Lina, se tournant vers son mari, — et tu t'étonnes du train dont vont les choses !

— Vraiment — dit Julie froissée, — vraiment l'Italie n'a rien à faire là-dedans... dans certaines conditions toutes les femmes de n'importe quel pays raisonneraient de même... si vous viviez en Italie, vous penseriez comme moi.

— Allons, ne vous fâchez pas — dit Lina avec un rire sombre, triste et affectueux et passant dans une rapide caresse sa main sur le visage boudeur de Julie : — j'ai plaisanté... il se peut que vous ayez raison... de toute façon, vous êtes délicieuse quand vous défendez votre mari et que vous vous fâchez à son propos... n'est-ce pas, Edmond, qu'elle est délicieuse ?

Quadri fit un signe d'assentiment, distrait et un peu ennuyé, comme s'il pensait : « paroles de femmes ! » puis il reprit sérieusement : — Vous avez raison, Madame, on ne devrait jamais mettre un homme dans la situation d'avoir à choisir entre la vérité et son pain.

L'argument, pensa Marcel, était épuisé. Il lui restait la curiosité de connaître le vrai motif de la proposition. Le garçon changea les assiettes et posa sur la table un compotier plein de fruits. Le sommelier s'approcha pour demander s'il pouvait déboucher la bouteille de champagne. — Oui — opina Quadri, — vous pouvez la déboucher. — Le sommelier tira la bouteille du seau, entoura le col d'une serviette, retira le bouchon et, rapidement, versa le vin mousseux dans les coupes. Quadri se leva, sa coupe à la main :

— Buvons à la santé de la cause — dit-il ; puis se tournant vers Marcel : — Vous n'avez pas voulu vous charger de ma lettre, mais vous ne refuserez pas de trinquer avec moi. — Il semblait ému, ses yeux brillants de larmes. Cependant Marcel remarqua que son geste comme l'expression de son visage sentaient la fourberie et presque le calcul. Avant de répondre au toast, Marcel regarda sa femme, puis Lina. Julie, qui s'était déjà levée, lui fit signe des yeux comme pour lui dire : « tu peux bien faire cela » ; Lina, sa coupe à la main, les yeux baissés, avait un air maussade, froid, ennuyé. Marcel se leva : — À la santé de la cause — dit-il, et il choqua son verre contre celui de Quadri. Par un scrupule quasi puéril, il ajouta mentalement « de ma cause », bien qu'il lui parût désormais n'avoir plus de cause à défendre, mais seulement un douloureux et incompréhensible devoir à accomplir. Julie, au contraire, exagérant la cordialité, cherchait le verre de chacun d'eux, en prononçant chaque fois leur nom : — Lina, monsieur Quadri, Marcel...

Le tintement clair et léger du cristal fit encore frissonner Marcel autant que les coups de l'horloge. Regardant en l'air, dans la glace, il vit la tête d'Orlando qui le fixait avec des yeux brillants et inexpressifs, de vrais yeux de décapité. Quadri tendit son verre au sommelier qui le remplit de nouveau ; puis mettant dans son geste une certaine emphase sentimentale, il se tourna, levant sa coupe, vers Marcel : — Et, maintenant, à votre santé personnelle, Clerici, et... merci. — Il accentua le mot « merci » comme s'il y mettait une allusion spéciale, vida sa coupe d'un trait et se rassit.

Pendant quelques instants ils burent en silence. Julie avait vidé deux fois son verre et regardait maintenant son mari avec une expression attendrie, reconnaissante, légèrement ivre. Soudain, elle s'écria : — Ce que c'est bon !... Dis, Marcel, tu aimes le champagne ?

— Oui, c'est un excellent vin — admit-il.

— Tu ne l'apprécies pas à sa juste valeur — dit Julie. — celui-ci est vraiment exquis... et je suis déjà ivre ! — Elle rit en secouant la tête puis ajouta tout à coup en levant sa coupe : — Allons, Marcel, buvons à notre amour !

Grise, hilare, elle tendait sa coupe. Le professeur regardait dans le vague ; Lina, froide, l'air choqué, ne cachait pas sa réprobation. Subitement Julie changea d'idée. — Non, — s'écria-t-elle, — tu es décidément trop austère... tu as honte de boire à notre amour... eh bien ! je lèverai mon verre toute seule, à la vie que j'aime tant et qui est si belle... à la vie ! — Elle but avec un entrain joyeux et si maladroit qu'une partie du champagne se répandit sur la table : — cela porte chance ! — cria-t-elle et, trempant ses doigts dans le vin répandu, elle fit mine d'en toucher les tempes de Marcel. Il ne put s'empêcher d'ébaucher un mouvement de recul. Alors

Julie se leva en s'exclamant : — Tu n'oses pas... eh bien ! moi, j'ose... — et faisant le tour de la table, elle vint embrasser Marcel ; dans un équilibre instable, elle se raccrocha à lui et lui donna un long baiser sur la bouche. — Nous sommes en voyage de noces — dit-elle sur un ton de défi en retournant à sa place, toute haletante et rieuse ; — nous sommes ici en voyage de noces et non pour faire de la politique ou nous charger de lettres pour l'Italie.

Quadri, à qui ces paroles semblaient s'adresser, dit tranquillement : — Vous avez raison, Madame. — Marcel, entre l'allusion voulue de Quadri et celle de sa femme, inconsciente et naïve, préféra se taire et baisser les yeux. Lina laissa le silence planer un moment puis demanda, comme au hasard : — Que faites-vous demain ?

— Nous allons à Versailles — répondit Marcel qui passait son mouchoir sur ses lèvres pour enlever le rouge de Julie.

— J'irai volontiers moi aussi — dit Lina avec empressement, — nous pourrions partir le matin et déjeuner làbas... j'aiderai mon mari à faire ses valises et puis je viendrai vous prendre.

— Très bien — dit Marcel. Lina ajouta comme prise d'un scrupule : — j'aurais voulu vous y conduire en auto, mais mon mari la prend pour partir, il nous faudra aller en train... ce sera plus gai... — Quadri ne parut pas avoir entendu ; il payait l'addition, tirant, avec une gaucherie de bossu, des billets de banque pliés en quatre de la poche de son pantalon rayé. Marcel voulut à son tour tirer son portefeuille, mais Quadri arrêta son geste en disant : — Ce sera votre tour... en Italie. — Soudain Julie dit d'une voix ivre et très haute : — En Savoie, il est entendu que nous serons ensemble, mais à Versailles, je veux aller seule avec mon mari...

— Merci — dit ironiquement Lina en se levant de table, — voilà qui s'appelle parler clairement.

— Ne vous vexez pas — s'excusa Marcel embarrassé, — c'est le champagne !

— Non, bêta, c'est mon amour pour toi ! — s'écria Julie. Et, tout en riant, elle s'achemina vers la porte avec le professeur. Marcel l'entendit qui disait : — cela ne vous paraît pas juste que je désire rester seule avec mon mari pendant mon voyage de noces ?

— Si, ma chère — répondit Quadri avec douceur, — c'est tout à fait juste. — Lina, cependant, commentait d'un ton aigre : — Je n'y avais pas songé, stupide que je suis... la promenade à Versailles, c'est rituel pour de jeunes époux... — À la porte Marcel s'effaça pour laisser passer Quadri. Tandis qu'il sortait, il entendit de nouveau sonner l'horloge : il était dix heures.

# IX

Le professeur s'assit au volant de la voiture, laissant la portière ouverte. — Votre mari va se mettre devant avec le mien — dit Lina à Julie, — et vous, vous venez derrière avec moi. — Mais Julie, excitée par sa griserie, répondit d'un ton moqueur : — Pourquoi ? Pour mon compte, je préfère aller devant — et avec décision elle monta à côté de Quadri. Marcel et Lina se trouvèrent donc l'un près de l'autre sur le siège arrière.

Marcel résolut d'entrer dans le jeu de la jeune femme en se comportant avec elle comme s'il croyait vraiment à son amour pour lui. Il y avait dans cette résolution, outre un désir de vengeance, presque un reste d'espoir ; comme si, malgré tout, il s'illusionnait encore contradictoirement et involontairement sur les sentiments de Lina. L'auto démarra, ralentit dans un passage mal éclairé pour tourner dans une rue transversale. Alors, profitant de l'obscurité, Marcel saisit la main que Lina gardait sur ses genoux et la posa sur le siège, entre eux deux. À ce contact, elle se tourna vivement vers lui dans un sursaut de colère qu'elle surmonta aussitôt et transforma hypocritement en un geste complice et suppliant comme pour recommander la prudence. L'auto roulait à travers les petites rues du quartier Latin et Marcel serrait toujours la main de Lina. Il la sentait se crisper dans la sienne, se refusant non seulement de tous ses muscles, mais encore, eût-on dit, de toute sa peau, dans un frémissement impuissant des doigts qui semblait exprimer à la fois répulsion, indignation et colère. Dans un tournant l'auto dérapa et ils tombèrent l'un sur l'autre. Marcel saisit l'occasion pour prendre Lina par la nuque, ainsi qu'on le fait à un chat de peur qu'il ne se retourne pour vous griffer et, lui tournant la tête de force, il l'embrassa sur les lèvres. D'abord, elle tenta de se débattre ; mais Marcel serra plus fort la nuque rasée, mince comme celle d'un garçonnet ; alors, étouffant un gémissement de douleur, Lina cessa de résister et subit le baiser. Mais Marcel sentait ces lèvres se convulser en une grimace de dégoût ; en même temps, la main qu'il continuait à serrer dans les siennes lui enfonçait ses ongles acérés dans la paume ; geste apparemment voluptueux, mais que Marcel savait être en réalité plein de répugnance et d'aversion. Il prolongea le baiser aussi longtemps qu'il le put, tantôt plongeant ses yeux dans ceux de Lina, étincelants de haine et de répulsion refrénées ; tantôt regardant devant lui les deux têtes noires et immobiles de Julie et de Quadri. Les phares d'une auto qui arrivait en sens inverse illuminèrent vivement le pare-brise ; Marcel s'écarta de Lina et se rejeta vivement en arrière.

Du coin de l'œil il la vit retomber aussi sur les coussins, puis porter lentement son mouchoir à sa bouche, s'essuyant d'un geste appliqué et dégoûté. Et en voyant avec quel soin elle frottait ces lèvres qui, d'après le rôle qu'elle assumait, eussent dû être palpitantes et avides encore de baiser, il fut saisi d'une douleur désespérée, obscure, épouvantable.

Un cri montait à ses lèvres : « Aime-moi, aime-moi, de grâce ! » Car il lui semblait soudain que de cet amour si désiré et si impossible dépendait non seulement sa propre vie, mais celle de la jeune femme. En effet, comme si l'aversion irréductible de Lina l'avait contaminé, il éprouvait maintenant lui-même une haine sanglante, homicide, toute mélangée à son amour et inséparable de lui. À ce moment, il l'aurait tuée volontiers, ne pouvant plus supporter de la sentir vivante et ennemie. La pensée l'effleura même — et il en fut épouvanté — que la mort de Lina lui apporterait peut-être plus de joie que ne pourrait lui donner son amour. Puis, dans un mouvement subit de générosité intérieure, il regretta cette pensée : « Grâce au ciel » se dit-il, « elle ne sera pas en Savoie quand Orlando et les autres y arriveront... grâce au ciel ! » Et il sentit qu'un instant il avait véritablement souhaité qu'elle mourût en même temps et de la même manière que son mari.

L'auto s'arrêta et ils descendirent. Marcel entrevit une rue de faubourg, mal éclairée, bordée d'un côté de maisonnettes inégales, de l'autre, d'un mur de jardin. — Vous allez voir — dit Lina prenant Julie sous son bras, — ce n'est évidemment pas un endroit pour petite pensionnaire, mais c'est amusant. — Au-dessus de la porte éclairée, un étroit rectangle de verre rouge portait en lettres bleues l'inscription « *La Cravate noire* ». Et Lina expliqua : — La cravate noire que portent les hommes avec le smoking et qu'ici portent toutes les femmes, depuis les serveuses jusqu'à la patronne.

En effet, à peine entrés dans le vestibule, ils aperçurent derrière une banque une tête aux traits durs et aux cheveux courts, imberbe, et qu'à sa physionomie et la blancheur de son teint on reconnaissait pour une tête de femme. — Vestiaire — dit une voix sèche. Julie, amusée, fit glisser de ses épaules nues sa cape qu'elle laissa aux mains de cette femme en jaquette noire, chemise amidonnée et nœud papillon. Puis ils passèrent dans la salle de danse où l'atmosphère était lourde de fumée, assourdissante de musique et de voix.

Une femme plantureuse, d'un âge incertain, mais déjà mûr, le visage empâté, pâle et lisse, serré sous le menton par l'inévitable cravate noire, vint à leur rencontre à travers les tables déjà toutes occupées. Elle salua la femme de Quadri avec une cordiale familiarité, puis portant à son œil impérieux un monocle qu'un cordon de soie attachait au revers de sa veste, elle dit : — Quatre personnes... j'ai ce qu'il vous faut, madame Quadri... suivez-moi, je vous prie. — Lina, que l'ambiance paraissait remettre de bonne humeur, dit en se penchant sur l'épaule de la femme au monocle quelque chose de malicieux et de plaisant et, avec des façons masculines, l'autre répondit par un haussement d'épaules et une grimace de dédain. À sa suite, ils trouvèrent une table libre au fond de la salle. — Voilà — dit la patronne. À son tour elle se pencha au-dessus de Lina qui s'était assise et lui murmura quelques mots à l'oreille d'un air badin et goguenard ; puis, reprenant son air gourmé, redressant altièrement sa petite tête calamistrée, elle s'éloigna parmi les tables.

Une serveuse s'approcha, petite, trapue, très brune, dans la même tenue masculine, et Lina, avec l'aplomb désinvolte et plein d'entrain de la personne qui trouve un cadre selon ses goûts, commanda les rafraîchissements. Puis, gaiement, se tournant vers Julie : — Vous avez vu leur uniforme ? Comme dans un monastère... n'est-ce pas cocasse ?

Au sourire forcé de Julie, Marcel crut s'apercevoir qu'elle éprouvait une certaine gêne. Dans un espace circulaire ménagé entre les tables, sous un énorme réflecteur au néon en forme de champignon renversé, se pressaient de nombreux couples dont plusieurs formés par des femmes dansant entre elles. L'orchestre, composé de femmes également en tenue masculine, était relégué sous l'escalier conduisant à la galerie. — Je n'aime pas cet endroit — dit le professeur d'un air distrait, — ces femmes me semblent plus dignes de compassion que de curiosité. — Lina ne parut pas avoir entendu la réflexion de son mari. Les yeux brillants d'une lueur dévorante, fascinée et impatiente, elle ne détachait pas son regard de Julie. Finalement, avec un rire nerveux et comme cédant à un désir irrésistible, elle lui proposa : — Si nous dansions ensemble ? On nous prendra pour deux d'entre elles... ce sera drôle... nous serons dans le ton... Venez, venez...

Rieuse, excitée, elle s'était déjà levée et invitait Julie à en faire autant en lui posant sa main sur l'épaule. Julie la regarda, regarda son mari, hésitante. — Pourquoi me regardes-tu ? — dit Marcel sèchement, — il n'y a rien de mal à cela. — Il sentait que, cette fois encore, il lui fallait seconder Lina. Julie se leva lentement avec un soupir, comme à contrecœur. L'autre, qui perdait la tête, répétait : — Mais puisque votre mari n'y voit rien de mal, voyons... venez !

— À dire vrai — répliqua Julie, de mauvaise grâce, — je ne tiens pas à passer pour l'une d'elles. — Elle précéda cependant Lina jusqu'à l'espace réservé aux danseurs, puis se retourna vers elle, les bras tendus, pour se faire enlacer. Marcel vit Lina s'approcher, prendre Julie par la taille avec une sûreté et une autorité toutes masculines, puis l'entraîner sur la piste parmi les autres couples de danseurs.

Un moment, en proie à une stupeur douloureuse et obscure, il regarda les deux femmes qui dansaient ensemble, enlacées. Julie était plus petite que Lina ; elles dansaient joue contre joue et à chaque pas le bras de Lina semblait étreindre plus étroitement la taille de Julie. Ce spectacle emplissait Marcel de tristesse et lui paraissait presque inconcevable. C'était donc là cet amour qui, dans un monde et une existence autres, aurait pu lui être destiné, aurait fait son bonheur, son salut... Mais une main se posait sur son bras. Il se tourna et vit le visage rouge et informe de Quadri qui se tendait vers le sien et prononçait d'une voix émue : — Ne croyez pas, Clerici, que je ne vous aie pas deviné...

Marcel le regarda et lentement : — Excusez-moi, mais c'est moi à mon tour qui ne vous comprends pas...

— Clerici — reprit l'autre, très vite, — vous savez qui je suis, mais je sais également qui vous êtes. — Il le fixait intensément et avait pris des deux mains les revers de la veste de Marcel. Ce dernier, troublé, glacé par une sorte de terreur, le fixa à son tour. Non, il n'y avait pas de haine dans les yeux de Quadri, mais une émotion sentimentale, larmoyante et morbide, et pourtant, pensa Marcel, mystérieusement calculée et rusée. Puis Quadri reprit : — Je sais qui vous êtes et me rends compte qu'en vous parlant comme je le fais, je puis vous donner l'impression d'un rêveur, d'un naïf... pour tout dire, d'un imbécile... peu importe... malgré tout, Clerici, je veux vous parler avec sincérité et je vous dis : merci !

Marcel le regarda sans mot dire. Les mains de Quadri continuaient à le tenir par les revers de sa veste et il sentait son col tiré comme lorsqu'on est saisi par quelqu'un qui va vous repousser durement. — Je vous dis : merci — poursuivit Quadri — pour avoir refusé d'emporter cette lettre en Italie... si vous aviez fait votre devoir, vous auriez pris la lettre et l'auriez portée à vos supérieurs afin de la déchiffrer et de faire arrêter les destinataires... vous ne l'avez pas fait, Clerici, vous n'avez pas voulu le faire... par loyauté, brusque scrupule, doute subit, par honnêteté... je ne sais... mais je sais que vous avez refusé et je vous en remercie encore une fois.

Marcel allait répondre, mais Quadri, lâchant enfin les revers de la veste, lui ferma promptement la bouche de sa main : — Non, n'allez pas me dire qu'en refusant d'emporter une lettre, votre seule raison était de vous en tenir à votre rôle forcé de jeune marié en voyage de noces pour ne pas éveiller mes soupçons... ne me le dites pas, car ce ne serait pas vrai... en réalité vous avez fait le premier pas sur le chemin de votre salut... je vous remercie de m'avoir donné l'occasion de vous aider à faire ce premier pas... continuez, Clerici... et vous pourrez renaître à une nouvelle vie. — Quadri se laissa aller sur sa chaise et feignit de vouloir étancher sa soif en buvant une grande gorgée. — Mais voici ces dames — dit-il en se levant, et Marcel, abasourdi, se leva également.

Il remarqua que Lina paraissait de méchante humeur. Une fois assise, elle ouvrit son poudrier d'un air maussade et affairé et, à petits coups répétés et rageurs, se poudra le nez et les joues. Placide, au contraire, indifférente, Julie vint s'asseoir à côté de son mari et lui serra la main sous la table d'un geste affectueux qui voulait réaffirmer sa propre antipathie pour Lina. La femme au monocle s'approcha, un sourire de miel plissant ses joues pâles et lisses et s'enquit, d'une voix sucrée, de la satisfaction de ses clients.

— Tout va pour le mieux — répondit Lina brièvement. La patronne se pencha alors vers Julie : — C'est la première fois, Madame, que vous venez ici ?... puis-je vous offrir une fleur ?

— Mais... merci — fit Julie étonnée.

— Christine — appela la patronne ; une fille, dans l'uniforme de la maison s'approcha, pâle, presque blême, sans fard, avec un visage d'Orientale aux grosses lèvres, un front dénudé et osseux sous des cheveux coupés très court et rares comme s'ils étaient tombés après une maladie. Elle tendit une corbeille d'œillets et la patronne, en choisissant un, l'épingla sur la poitrine de Julie en disant : — Hommage de la direction.

— Merci — dit Julie.

— Il n'y a pas de quoi — dit la patronne, — je parie que Madame est espagnole... n'est-ce pas ?

— Italienne — dit Lina.

— Ah ! Italienne... j'aurais dû le penser... avec ces yeux noirs... — Ces paroles se perdirent dans le brouhaha de la foule, tandis que la femme au monocle et la maigre et mélancolique Christine s'éloignaient ensemble.

L'orchestre, après une pause, jouait de nouveau. Lina se tourna vers Marcel et lui dit presque violemment : — Pourquoi ne m'invitez-vous pas ? Je danserais volontiers. — Sans un mot, il se leva et la suivit sur la piste de danse.

Ils se mirent à danser. Lina se tenait à distance de Marcel et il ne put s'empêcher de se rappeler avec tristesse l'ardeur qu'elle montrait un moment auparavant à se serrer contre Julie. Ils dansaient en silence, puis tout à coup, Lina dit avec une rage à la fois feinte de par son rôle de complicité amoureuse et réelle à cause de sa colère et de son aversion : — Au lieu de m'embrasser dans l'auto au risque de nous faire surprendre par mon mari, tu aurais pu imposer ta volonté à ta femme pour la promenade à Versailles...

Marcel fut stupéfait du naturel avec lequel elle greffait sa réelle colère sur son soi-disant dépit amoureux, et non moins stupéfait de ce tutoiement cynique et brutal, de femme qui trompe son mari sans scrupule ; il ne sut que répondre. Interprétant ce silence à sa façon, Lina insista : — Pourquoi ne dis-tu rien ? C'est cela, ton amour ? Tu n'es même pas capable de te faire obéir de ta sotte de femme !

— Ma femme n'est pas une sotte — répliqua-t-il doucement, plus surpris qu'offensé par cette sortie.

Elle saisit aussitôt le prétexte de cette réponse pour enchaîner avec emportement : — Comment ? pas sotte !... mais, mon cher, un aveugle le verrait... elle est belle, c'est entendu, mais parfaitement stupide... un bel animal... comment peux-tu ne pas t'en rendre compte ?

— Telle qu'elle est, elle me plaît — dit-il au hasard.

— Une oie... une sotte... la Côte d'Azur !... une petite provinciale sans un brin de cervelle... la Côte d'Azur, voyez-vous cela ?... pourquoi pas Monte-Carlo ou Deauville ou à tout prendre la tour Eiffel ! — Elle paraissait hors d'elle et c'était, pensa Marcel, une preuve qu'entre elle et Julie il y avait eu, pendant qu'elles dansaient, une discussion pénible. Il dit avec douceur : — Ne t'inquiète pas de ma femme... demain matin, viens à notre hôtel... il faudra bien que Julie accepte ta présence... et nous irons tous trois à Versailles.

Elle le regarda presque avec espoir. Puis la colère l'emporta : — Quelle idée absurde !... ta femme a clairement manifesté qu'elle ne voulait pas de ma présence... je n'ai pas l'habitude de m'imposer lorsque je ne suis pas accueillie de bonne grâce.

Marcel repartit simplement : — Mais moi, je désire que tu viennes.

— Peut-être, mais ta femme, non.

— Que t'importe ma femme ? Ne te suffit-il pas que nous nous aimions tous deux ?

Inquiète, méfiante, elle le considérait en renversant la tête en arrière, ses seins doucement gonflés frôlant la poitrine de Marcel : — Vraiment, tu parles comme si nous étions des amants de longue date... crois-tu donc sérieusement que nous nous aimions ?

Marcel aurait voulu supplier : — Pourquoi ne m'aimes-tu pas ? Je t'aimerais tant ! — Mais les paroles moururent sur ses lèvres comme des échos que l'éloignement finit par éteindre. Il lui sembla ne l'avoir pas encore aimée autant qu'en ce moment où, forçant son rôle jusqu'à la parodie, elle lui demandait hypocritement s'il était sûr de l'aimer. — Tu le sais... je voudrais tant que nous nous aimions ! — répondit-il avec tristesse.

— Moi aussi — fit-elle distraitement ; il était clair qu'elle pensait à Julie. Puis comme s'éveillant à la réalité, elle ajouta dans un accès d'irritation : — En tout cas, je te prie de ne plus m'embrasser en auto ou ailleurs... je n'ai jamais pu souffrir ce genre d'effusions... à mes yeux, c'est un manque d'égards et même d'éducation.

Il serra les dents : — En attendant, tu ne m'as pas encore dit si tu viendrais demain à Versailles ?

Il la vit hésiter, puis elle demanda, incertaine : — Penses-tu vraiment que ta femme ne sera pas furieuse en me voyant arriver... ne m'insultera-t-elle pas comme elle l'a fait ce soir au restaurant ?

— Je suis sûr que non... peut-être sera-t-elle surprise, c'est tout... je me charge de la persuader avant ton arrivée.

— C'est vrai ?

— Oui.

— J'ai l'impression que ta femme ne peut me souffrir — dit-elle d'un ton interrogateur comme si elle s'attendait à être rassurée.

— Tu te trompes — dit-il pour répondre à ce désir si manifeste, — elle a au contraire beaucoup de sympathie pour toi.

— Vraiment ?

— Oui, vraiment... elle me le disait tout à l'heure.

— Et que disait-elle ?

— Oh ! mon Dieu, rien de particulier... que tu es belle, que tu sembles intelligente... la vérité, en somme.

Elle se décida brusquement : — Alors, je viendrai... tout

de suite après le départ de mon mari... vers neuf heures... de façon à pouvoir prendre le train à dix heures... je serai à votre hôtel.

Cette promptitude et ce soulagement visible parurent à Marcel une offense de plus pour son sentiment. Et poussé par il ne savait quel désir d'un amour quel qu'il fût, fût-il simulé et hypothétique : — Je suis si content que tu aies accepté de venir ! — dit-il.

— Vrai ?

— Oui, parce que je pense que si tu ne m'aimais pas...

— Je pourrais aussi accepter pour d'autres raisons — insinua-t-elle méchamment.

— Par exemple ?

— Nous autres femmes, nous avons l'esprit de contradiction... uniquement pour contrarier ta femme.

Ainsi elle pensait toujours et seulement à Julie. Marcel ne répondit pas, mais tout en dansant l'entraîna vers l'entrée. Deux tours encore et ils se trouvèrent devant le vestiaire, à un pas de la porte. — Où me conduis-tu ? — demanda-t-elle.

— Écoute — supplia-t-il à voix basse pour que la préposée au vestiaire, debout derrière sa table, ne l'entendît pas, — sortons un moment dans la rue.

— Pourquoi ?

— Il n'y a personne... je voudrais que tu me donnes un baiser... spontanément... pour me montrer vraiment que tu m'aimes.

— Je n'en ai pas la moindre envie — dit-elle dans une colère subite.

— Mais pourquoi ? ... la rue est déserte... noire...

— Je t'ai déjà dit que je détestais ces expansions audehors.

— Je t'en prie.

— Laisse-moi — dit-elle d'une voix dure et aiguë ; et

elle se dégagea, se dirigea rapidement vers la salle de danse. Comme emporté par son impulsion, Marcel franchit le seuil et sortit dans la rue.

Elle était noire et déserte, comme il l'avait dit à Lina ; personne sur les trottoirs faiblement éclairés par de rares réverbères. De l'autre côté de la rue, sous le mur de clôture du jardin quelques autos attendaient à la file. Marcel sortit son mouchoir de sa poche et essuya son front en sueur en regardant les arbres touffus qui s'élevaient au-dessus du mur. Il se sentait étourdi comme s'il avait reçu un coup violent sur la tête. Jamais il ne lui était arrivé de supplier ainsi une femme et il en avait presque honte. En même temps il sentait que tout espoir s'était évanoui d'inciter Lina non pas même à l'aimer, mais seulement à le comprendre.

À ce moment, il entendit derrière lui un bruit de moteur, puis une auto glissa près de lui et s'arrêta. L'intérieur en était éclairé et Marcel vit au volant l'agent Orlando en personne, avec son air de chauffeur de maison particulière. Le camarade d'Orlando, l'homme à la face longue et triste d'oiseau de proie, était à son côté. — Monsieur Clerici — dit Orlando à voix basse. Machinalement Marcel s'approcha : — Nous partons, Monsieur... lui, il quitte Paris demain matin en auto et nous le suivrons... il est toutefois probable que nous n'attendrons pas d'être arrivés en Savoie...

— Pourquoi ? — demanda Marcel comme malgré lui.

— La route est longue et la Savoie est loin... pourquoi attendre d'être là-bas si nous pouvons agir auparavant dans de meilleures conditions... au revoir, Monsieur... nous nous reverrons en Italie. — Orlando fit un geste d'adieu et son compagnon inclina légèrement la tête. La voiture démarra, tourna au fond de la rue et disparut.

Marcel remonta sur le trottoir et rentra dans la salle. L'orchestre continuait à jouer et Quadri était seul à la table. Lina et Julie dansaient de nouveau ensemble et Marcel les aperçut confusément parmi la foule qui encombrait la piste. Il s'assit, prit son verre encore plein de citronnade glacée et le vida lentement, les yeux fixés sur le morceau de glace qui était au fond. Tout à coup, il entendit que Quadri lui adressait la parole : — Savez-vous, Clerici, que vous pourriez nous être très utile ?

— Je ne comprends pas — dit Marcel en reposant son verre sur la table.

Quadri expliqua sans l'ombre d'embarras : — À tout autre que vous, je proposerais de rester à Paris... il y a de quoi faire pour tout le monde, je vous assure... et nous avons surtout besoin de jeunes gens comme vous... mais vous pourriez être plus utile encore en restant où vous êtes, à votre poste...

— Et en vous servant d'informateur — compléta Marcel en le regardant dans les yeux.

Précisément.

À ces mots, Marcel revit par la pensée les yeux humides, brillants d'émotion, sincèrement affectueux que Quadri lui montrait, quelques instants auparavant, tandis qu'il le tenait par les revers de sa veste. Cette émotion, c'était, pensa-t-il, la patte de velours dissimulant les griffes du froid calcul politique. Il avait eu lieu de l'observer déjà dans les yeux de certains de ses supérieurs, mais différente alors, chauvine au lieu d'être humanitaire. Qu'importaient d'ailleurs ces nuances si dans tous les cas on n'avait aucune considération pour lui, pour sa personne humaine, envisagée avec désinvolture comme un simple moyen parmi tant d'autres pour atteindre certaines fins. Avec une indifférence presque administrative, il songea que, par cette requête, Quadri avait signé sa propre condamnation à mort. Puis il leva les yeux et dit : — Vous parlez comme si je partageais vos idées... ou que je sois sur le point de m'y convertir... s'il en était ainsi, je vous aurais moi-même offert mes services... mais les choses étant telles qu'elles sont, je veux dire, ne partageant pas vos idées et me refusant à les partager, je considère que vous me demandez purement et simplement de trahir.

— Trahir, non pas — dit Quadri promptement, — pour nous, les traîtres n'existent pas... il n'y a que des hommes qui s'aperçoivent de leurs erreurs et se rachètent... j'étais et je suis encore convaincu que vous êtes de ceux-là.

— Vous vous trompez.

— Dans ce cas, mettons que je n'aie rien dit... rien dit... Mademoiselle ? — Hâtivement, peut-être pour cacher sa déception, Quadri appela une serveuse et paya l'addition. Puis ils gardèrent le silence, Quadri regardant la salle en spectateur indifférent ; Marcel assis le dos tourné à la piste, les yeux baissés. Enfin il sentit une main se poser sur son épaule et la voix lente et calme de Julie lui dire : — Eh bien, partons-nous ?... je suis si lasse !

Marcel se leva aussitôt : — Je crois que nous sommes tous d'accord pour avoir sommeil. — Il lui sembla déceler sur le visage de Lina une expression bouleversée et une pâleur intense, qu'il mit sur le compte de la lassitude de la soirée et de la lumière livide du néon. Ils sortirent et allèrent reprendre la voiture au bout de la rue. Marcel feignit de ne pas entendre sa femme qui lui murmurait : — gardons les mêmes places — et monta résolument à côté de Quadri. Pendant toute la durée du trajet, aucun d'entre eux ne parla. À mi-chemin, pourtant, Marcel dit d'un ton vague : — Combien de temps mettez-vous pour aller en Savoie ? — Et Quadri, sans se détourner, répondit : — c'est une voiture rapide... comme je serai seul, sans rien d'autre à faire qu'à appuyer sur l'accélérateur, je pense arriver à Annecy à la tombée de la nuit... le jour suivant, je repartirai à l'aube.

Devant l'hôtel, tous quatre descendirent et se dirent adieu. Quadri après avoir rapidement serré la main de Mar-

cel et de Julie revint à sa voiture. Lina s'attarda un instant pour échanger quelques mots avec Julie ; puis celle-ci lui serra la main et entra dans l'hôtel. Un instant, Lina et Marcel restèrent seuls sur le trottoir. Il dit avec embarras :
— Alors, à demain ?

— À demain — fit-elle en écho, avec un signe de tête et un sourire mondain. Il la quitta et rejoignit Julie dans le hall.

# X

Quand Marcel se réveilla et fixa les yeux au plafond dans l'ombre incertaine des volets à demi clos, il se rappela aussitôt qu'à cette heure Quadri roulait déjà sur les routes de France, suivi de près par Orlando et ses hommes. Et il comprit que cela marquait la fin de son voyage à Paris. Le voyage était fini avant presque d'avoir commencé. Fini parce qu'avec la mort virtuellement consommée de Quadri s'achevait toute une période de sa propre vie ; cette période durant laquelle il avait cherché par tous les moyens à se libérer du poids de solitude et d'anormalité qui pesait sur lui depuis la mort de Lino. Il y était parvenu au prix d'un crime, ou plutôt de ce qui eût pu être considéré comme un crime s'il n'avait su le justifier et lui donner un sens. En ce qui le concernait personnellement, il était certain de la justification qu'il saurait donner à son acte : bon mari, bon père, bon citoyen, grâce à la mort de Quadri qui lui interdirait définitivement tout retour en arrière, il verrait sa vie acquérir progressivement et sûrement ce caractère absolu qui lui avait manqué jusqu'alors. Ainsi la mort de Lino qui avait été la cause première de son obscure tragédie, aurait un résultat, serait effacée par celle de Quadri, de la même manière qu'autrefois le sacrifice expiatoire d'une innocente victime humaine effaçait l'impiété d'un forfait passé. Mais il n'était pas seul en cause ; et la justification de sa vie et du meurtre de Quadri ne dépendait pas seulement de lui.

« Il faut maintenant que les autres fassent leur devoir à leur tour » pensa-t-il avec lucidité, « autrement je resterai tout seul avec cette mort sur la conscience et finalement je n'aurai ajouté que du néant au néant. » « Les autres », c'était le gouvernement qu'il avait entendu servir par ce meurtre, la société qui s'exprimait par ce gouvernement, la nation elle-même qui acceptait d'être dirigée par cette société. Il ne lui suffirait pas de dire : — J'ai fait mon devoir, j'ai agi de cette manière parce que l'on me l'avait commandé. — Une telle justification pouvait suffire pour l'agent Orlando, non pour lui. Ce qu'il lui fallait c'était le succès complet de ce gouvernement, de cette société, de cette nation ; et non seulement un succès extérieur, mais intime et obligatoire. À ce prix seulement ce qui était considéré normalement comme un crime ordinaire deviendrait pour lui un acheminement positif dans une direction indiscutable. En d'autres termes, grâce à des forces qui ne dépendaient pas de lui, devait s'opérer une transmutation complète des valeurs où l'injuste deviendrait juste, la trahison, héroïsme, la mort, vie. Arrivé à ce point de ses réflexions, il sentit le besoin d'exprimer crûment sa propre situation et, sarcastique, il résuma avec froideur : — En somme, si le fascisme fait fiasco, si toutes les canailles, les incapables et les imbéciles qui siègent à Rome conduisent la nation italienne à sa perte, alors je ne suis qu'un misérable assassin. — Mais il corrigea aussitôt sa pensée en ajoutant mentalement : — pourtant, étant donné les circonstances, je ne pouvais agir autrement.

À ses côtés Julie dormait encore ; elle remua et d'un geste lent, instinctif, elle s'enlaça peu à peu à lui, d'abord avec les bras, puis les jambes, posant enfin la tête sur sa poitrine. Marcel la laissa faire et étendit le bras pour prendre le réveil lumineux posé sur la table de chevet, afin de regarder l'heure : il était neuf heures et quart. Si tout avait marché selon les prévisions d'Orlando, à cette heure, dans un endroit quelconque, sur une route de France, la voiture de Quadri gisait abandonnée dans un fossé, avec un cadavre au volant.

— Quelle heure est-il ? — questionna Julie à voix basse.

— Neuf heures et quart.

— Oh ! que c'est tard ! — dit-elle sans faire un mouvement, — nous avons dormi au moins neuf heures.

— Cela prouve que nous étions las...

— Nous n'allons plus à Versailles ?

— Bien sûr que si... il faut même nous habiller — dit-il avec un soupir, — d'ici peu Mme Quadri va arriver.

— Je préférerais qu'elle ne vînt pas, elle ne me laisse pas une minute de paix avec sa toquade.

Marcel ne dit rien. Julie reprit : — Et quel va être le programme des jours prochains ?

La réponse de Marcel vint avant qu'il prît le temps de réfléchir : — Partir — dit-il d'une voix qui lui parut lugubre à force de mélancolie.

Cette fois Julie eut un brusque mouvement et renversant la tête en arrière, sans se détacher de son mari, elle demanda d'une voix stupéfaite et déjà alarmée :

— Partir ? si vite ? nous sommes à peine arrivés et déjà il nous faut repartir...

Il mentit : — Je ne t'ai rien dit hier soir, pour ne pas

gâter ta soirée, mais dans l'après-midi j'avais reçu un télégramme me rappelant à Rome.

— C'est dommage ! vraiment dommage... — dit Julie d'un ton placide et déjà résigné, — juste quand je commençais à m'amuser à Paris... et puis nous n'avons encore rien vu.

— Tu es fâchée ? — demanda-t-il avec douceur en lui caressant la tête.

— Non, mais j'aurais aimé rester au moins quelques jours... ne fût-ce que pour avoir une idée de Paris.

— Nous y reviendrons.

Il y eut un silence. Puis Julie d'un mouvement vif des bras et de tout le corps se serra plus étroitement contre lui : — Dis-moi au moins ce que nous ferons en rentrant... dis-moi ce que va être notre vie.

— Pourquoi veux-tu le savoir ?

— Parce que — répondit-elle en se serrant contre lui, — parce que j'aime tant parler de l'avenir, au lit... dans le noir.

— Eh bien ! — commença-t-il d'une voix calme et unie : — nous allons retourner à Rome et nous nous chercherons un appartement.

— De combien de pièces ?

— Quatre ou cinq plus les dépendances... une fois que nous l'avons trouvé, nous achetons tout ce qu'il faut pour le meubler.

— Je rêve d'un appartement au rez-de-chaussée — dit-elle d'une voix rêveuse, — avec un jardin, si petit soit-il, mais où il y ait des arbres et des fleurs, pour pouvoir nous y tenir dans la belle saison.

— Rien de plus facile — affirma Marcel, — donc nous nous installons. Je pense que j'aurai assez d'argent pour nous meubler complètement... sans luxe, bien entendu...

— Tu t'arrangeras un beau bureau ?

— Pourquoi un bureau, puisque je ne travaille pas chez moi... un grand living-room sera préférable...

— Oui, un living-room, tu as raison... salon et salle à manger réunis... et nous aurons aussi une belle chambre à coucher, n'est-ce pas ?

— Bien sûr.

— Si nous n'avons pas assez de disponibilités, nous pourrons tout acheter à tempérament.

— C'est cela... à tempérament.

— Et dis-moi encore, que ferons-nous chez nous ?

— Nous y vivrons et nous serons heureux.

— J'ai tant besoin d'être heureuse — dit-elle en se blottissant davantage encore contre lui, — tant besoin, si tu savais... il me semble que j'ai besoin d'être heureuse depuis que je suis née !

— Eh bien ! nous serons heureux — dit Marcel avec une assurance presque agressive.

— Et nous aurons des enfants ?

— Certes.

— J'en voudrais beaucoup — dit-elle d'une voix chantante, — je veux une famille le plus vite possible... Il est inutile d'attendre, il me semble... ensuite ce sera trop tard... et quand on a une famille, tout le reste vient de soi-même, n'est-ce pas ?

— Certainement, tout le reste vient de soi-même.

— Tu es beau et on ne peut pas dire que je sois laide... entre nous deux, nous aurons sûrement de beaux enfants.

Marcel ne répondit pas et Julie reprit : — Pourquoi restes-tu muet ? Tu n'aimerais pas avoir des enfants de moi ?

— Oh ! si — répondit-il ; et soudain, il sentit avec stupeur deux larmes s'échapper de ses yeux et rouler sur ses joues. Puis deux autres, chaudes, brûlantes, comme si elles s'étaient formées en un temps passé et lointain, et étaient demeurées dans ses yeux à s'imprégner d'ardente douleur.

Et c'était ce que venait de dire Julie à propos du bonheur qui avait fait jaillir ces larmes, sans qu'il comprît vraiment pourquoi. Peut-être parce que ce bonheur avait été d'avance trop chèrement payé ; peut-être parce qu'il se rendait compte qu'il ne pourrait jamais être heureux, tout au moins de ce bonheur simple et sentimental décrit par Julie. Avec effort il réprima son envie de pleurer et, sans que Julie s'en aperçut, essuya ses yeux du revers de sa main. Cependant Julie l'étreignait de plus en plus étroitement, collant avidement son propre corps contre le sien, cherchant à guider ses mains inertes et distraites vers des caresses et un embrassement plus total. Puis elle tendit son visage vers celui de Marcel et se mit à lui couvrir de baisers les joues, la bouche, le front, le menton, dans une ardeur frénétique et comme enfantine. Finalement, elle murmura, sur un ton de plainte : — Pourquoi ne viens-tu pas contre moi ? Prends-moi... — et dans cette voix implorante, il crut sentir qu'elle lui reprochait de s'abstraire dans ses réflexions au lieu de penser au bonheur de sa femme. Alors, tandis qu'il l'embrassait et doucement pénétrait en elle, sous lui, sa tête aux yeux clos enfoncés dans l'oreiller, elle répondait de tout son corps en un mouvement régulier, calme, obscurément réfléchi, semblable à celui de l'onde marine qui s'enfle et se détend suivant le flux et le reflux... un coup violent fut frappé à la porte.

— Qu'est-ce ? — murmura-t-elle haletante, entrouvrant à demi les yeux, — ne bouge pas... c'est sans importance. — Marcel se détourna et aperçut sur le parquet, dans la clarté venant de l'entrée, une lettre que l'on venait de glisser sous la porte. Au même moment, Julie retomba en arrière et se raidit sous lui en renversant la tête avec un soupir profond et en lui enfonçant ses ongles dans le bras. Sa tête se tourna et retourna sur l'oreiller dans un souffle : — Tue-moi ! — soupira-t-elle.

Brusquement le cri de Lino « Tue-moi comme un chien » retentit dans la mémoire de Marcel et il sentit une horrible angoisse envahir son âme. Il attendit patiemment que les mains de Julie eussent dénoué leur étreinte, puis il éclaira la lampe, alla prendre la lettre et revint s'étendre auprès de sa femme. Julie lui tournait le dos maintenant, toute repliée sur elle-même et les yeux fermés. Marcel regarda la lettre avant de la poser sur le bord du lit près des lèvres encore ouvertes et frémissantes de sa femme. L'enveloppe était adressée à Mme Julie Clerici et l'écriture en était évidemment féminine. — Une lettre de Mme Quadri — dit-il.

Sans ouvrir les yeux, Julie murmura : — Donne-la-moi.

Un long silence s'ensuivit. La lettre posée près de la bouche de Julie recevait en plein la clarté de la lampe ; Julie, anéantie et immobile, semblait dormir. Enfin, elle poussa un soupir, ouvrit les yeux et, tenant d'une main un coin de l'enveloppe, elle la déchira avec ses dents, en retira la lettre et se mit à lire.

Marcel la vit sourire, puis elle dit presque à voix basse : — On dit qu'en amour le vainqueur est celui qui fuit... comme je l'ai mal traitée hier, elle m'informe qu'elle a changé d'idée et qu'elle est partie ce matin, avec son mari, espérant que je la rejoindrais... bon voyage !

— Elle est partie — répéta Marcel.

— Oui, ce matin, à sept heures, avec son mari, pour la Savoie... et sais-tu la raison de son départ ? Tu te souviens quand j'ai dansé avec elle hier, pour la seconde fois ? C'est moi qui lui avais demandé de danser et elle s'en réjouissait, espérant qu'enfin je me rendais à ses prières, et moi, au contraire... je lui dis avec la plus grande franchise qu'il ne lui fallait pas compter sur moi... que si elle continuait, je cesserais totalement de la voir... que je n'aimais que toi et que je la priais de me laisser tranquille, ajoutant qu'elle devrait avoir honte... enfin, je lui en ai tant et tant dit qu'elle était sur le point de pleurer... alors aujourd'hui elle est partie... tu as compris son calcul... je pars afin que tu me rejoignes... eh bien ! elle attendra un moment.

— Oui, elle attendra un moment — répéta Marcel.

— Du reste, je suis contente qu'elle soit partie — reprit Julie, — elle était si ennuyeuse avec son insistance... quant à la rejoindre, nous n'en parlerons même pas... je ne veux plus voir cette femme.

— Tu ne la verras jamais plus — dit Marcel.

# XI

La pièce dans laquelle Marcel travaillait au ministère donnait sur une cour secondaire ; toute petite, de forme asymétrique, elle ne contenait qu'un bureau et deux étagères. Elle était située au fond d'un corridor sans issue, loin des antichambres ; pour s'y rendre Marcel prenait un escalier de service qui débouchait derrière la maison, dans une petite rue peu fréquentée. Un matin, une semaine après son retour de Paris, Marcel était assis devant son bureau. Malgré la grosse chaleur, il n'avait pas ôté sa veste ni desserré sa cravate, comme le faisaient la plupart de ses collègues. C'était presque une manie chez lui de ne pas modifier dans son bureau la tenue qu'il adoptait dehors. Tout habillé donc, le cou serré dans un faux-col haut, il se mit à examiner les journaux italiens et étrangers avant de se mettre au travail. Bien que six jours se fussent écoulés, ce matin-là encore, son premier regard fut pour l'affaire Quadri. Il remarqua que l'importance des titres et des informations sur le crime était très réduite, signe indubitable que l'enquête ne faisait aucun progrès. Deux journaux français, de gauche, retraçaient encore une fois l'histoire des événements, insistant sur l'interprétation de certains détails plus étranges ou significatifs : Quadri tué à l'arme blanche, dans un fourré épais ; sa femme, au contraire, frappée de trois balles de revolver au bord de la route, puis traînée, déjà morte, à côté de son mari ; la voiture, elle aussi amenée dans le bois et dissimulée parmi les buissons. Cette précaution d'avoir caché les cadavres et l'auto parmi les fourrés, loin de la route, n'avait permis de découvrir le crime que deux jours après.

Les journaux de gauche se tenaient pour assurés que les deux époux avaient été assassinés par des sicaires venus tout exprès d'Italie. Quelques journaux de droite se risquaient à répéter, mais dubitativement, la thèse officielle des journaux italiens, c'est-à-dire que le meurtre avait été commis par des partisans antifascites à la suite de dissensions au sujet de la conduite de la guerre en Espagne. Marcel repoussa les journaux et prit une revue française illustrée. Immédiatement ses yeux furent attirés par une photographie publiée en seconde page et faisant partie d'un reportage sur le crime. Le titre en était « la tragédie de la forêt de Gévaudan » et elle avait dû être prise au moment de la découverte ou aussitôt après. On y voyait un sous-bois avec des troncs d'arbres droits et hérissés de branches, les taches claires de soleil entre les troncs et les deux morts, enfouis dans l'herbe haute, presque invisibles à première vue, parmi ce fouillis confus de clartés et d'ombres forestières. Quadri était étendu sur le dos ; on n'apercevait de lui que les épaules et la tête, et du visage seulement le menton, avec la gorge traversée par le trait noir de la blessure. Au contraire, on voyait le corps entier de Lina, jeté un peu en travers de celui de son mari. Marcel posa calmement sa cigarette allumée sur le bord du cendrier, prit une loupe et scruta la photographie avec attention. Bien qu'elle fût grise et floue et de plus brouillée par les taches d'ombre et de lumière du sous-bois, on reconnaissait fort bien le corps de Lina à la fois mince et bien en chair, pur et voluptueux, beau et bizarre ; les épaules larges, sous la nuque délicate et le cou étroit, la poitrine florissante, la taille d'une minceur de guêpe, les flancs larges et la longueur élégante des jambes. Elle couvrait son mari d'une partie de son corps et de sa robe largement déployée et semblait vouloir lui parler à l'oreille, le visage enfoui dans l'herbe, la bouche contre la joue de Quadri. Longuement Marcel regarda la photographie à la loupe, étudiant chaque ombre, chaque ligne, chaque détail. Il lui semblait qu'une atmosphère de paix enviable s'exhalait de cette image exprimant une immobilité bien au-delà de l'immobilité mécanique de l'instantané puisqu'elle rejoignait celle, définitive, de la mort. Cette photographie était pleine du profond silence qui devait avoir suivi la terrible, foudroyante agonie. Quelques instants auparavant tout avait été confusion, violence, terreur, haine, espoir et désespoir ; et quelques instants après tout était fini et la paix s'était établie. Marcel se rappela que les corps étaient restés longtemps dans le sous-bois, presque deux jours, et il imagina que le soleil après les avoir chauffés pendant des heures, attirant sur eux la vie grouillante des insectes, s'en était allé lentement en les laissant aux ténèbres silencieuses de la douce nuit estivale. La rosée nocturne avait répandu ses larmes sur leurs joues, le vent léger avait murmuré dans les hautes branches et les buissons du sous-bois. Avec les premiers rayons du soleil, les reflets et les ombres du jour étaient revenus, comme à un rendez-vous, jouer sur les deux figures étendues et immobiles. Réjoui par la fraîcheur et la pure splendeur du matin, un oiseau s'était posé sur une branche et s'était mis à chanter. Une abeille avait bourdonné autour de la tête de Lina ; une fleur s'était entrouverte près du front renversé de Quadri. Pour eux, si silencieux et immobiles, les eaux babillardes des ruisseaux qui serpentaient dans la forêt avaient continué leur murmure ; autour d'eux avaient pris leurs ébats les hôtes de la forêt ; les écureuils furtifs et les lapins sautillants. Et sous eux la terre foulée avait épousé lentement, comme un moelleux lit d'herbe et de mousse, la forme rigide de leur corps ; s'était préparée, accueillant leur muette requête, à les recevoir dans son sein.

On frappa un coup à la porte ; il tressaillit, jeta la revue et cria d'entrer. Alors dans l'entrebâillement de la porte, apparut, circonspecte, l'honnête, pacifique, large figure de l'agent Orlando.

— Puis-je entrer, Monsieur ?

— Entrez, Orlando — dit Marcel d'un ton officiel, — avancez... vous avez quelque chose à me dire ?

Orlando entra, referma la porte et s'approcha en regardant fixement Marcel. Alors, pour la première fois celui-ci remarqua que tout était débonnaire dans le visage prospère et échauffé de l'agent, tout sauf les yeux, qui, petits et enfoncés sous le front dégarni, avaient une lueur singulière. « C'est étrange » pensa Marcel en le regardant, « que je ne m'en sois jamais aperçu jusqu'ici. » Il fit signe à l'agent de s'asseoir et l'autre obéit sans dire un mot, le fixant toujours de ses yeux brillants.

— Une cigarette ? — proposa Marcel en poussant son étui vers Orlando.

— Merci, monsieur Clerici — dit l'agent en prenant une cigarette. Il y eut un silence. Puis Orlando, soufflant sa fumée par la bouche, regarda un instant le bout allumé de sa cigarette et dit : — Savez-vous, Monsieur, quel est le côté le plus curieux de l'affaire Quadri ?

— Non.

— C'est qu'elle n'était pas nécessaire.

— Que voulez-vous dire ?

— Je veux dire que la mission accomplie, aussitôt après avoir passé la frontière, j'allai trouver Gabrio, à S. pour le mettre au courant. Savez-vous quelle est la première chose qu'il me dit ? Avez-vous reçu le contrordre ? Quel contrordre, demandai-je... le contrordre, dit-il, de suspendre la mission... — Et pourquoi la suspendre ?... — Parce que, répondit-il, un rapprochement avec la France serait souhaitable en ce moment et que, dans ces conditions, ils pensent que l'intervention projetée pourrait compromettre les pourparlers... je dis alors : je n'ai reçu aucun contrordre jusqu'à mon départ de Paris, il faut croire qu'il a été expédié trop tard... de toute façon la mission a été accomplie, comme vous pourrez le voir dans les journaux de demain... à ces mots, il commence à hurler : vous êtes des brutes, vous avez ruiné ma carrière, cette affaire peut gâter les rapports franco-italiens dans un moment aussi délicat de la politique internationale, vous êtes des criminels... que vais-je dire à Rome, maintenant ?... vous direz, lui ai-je répondu calmement, vous direz la vérité : que le contrordre a été envoyé trop tard... vous avez compris, monsieur Clerici ?... Tant de peine, deux morts, et puis ce n'était pas nécessaire, et même contre-indiqué.

Marcel garda le silence. L'agent aspira encore une bouffée de fumée puis prononça avec l'emphase ingénue et complaisante de l'homme inculte qui aime se gargariser de mots solennels : — La fatalité...

Un nouveau silence passa. L'agent reprit : — Mais c'est la dernière fois que j'accepte une mission de ce genre... la prochaine fois, je me fais porter malade... Gabrio criait : vous êtes des brutes... et ça, ce n'est pas vrai... nous sommes des hommes et non des brutes.

Marcel éteignit sa cigarette fumée à moitié et en alluma une autre. — On a beau dire — continua l'agent, — certaines choses ne font pas plaisir... et pour n'en citer qu'une : Cirrincione.

— Qui est Cirrincione ?

— Un des hommes qui étaient avec moi... aussitôt le coup fait, dans cette confusion, je me retourne par hasard, et qu'est-ce que je vois ? Cirrincione en train de lécher le poignard... je lui crie : que fais-tu, tu es fou !... et lui : « sang de bossu porte fortune »... vous saisissez... un vrai sauvage... pour un peu je lui aurais tiré dessus.

Marcel baissa les yeux et remit machinalement en ordre les papiers épars sur sa table. L'agent secoua la tête comme pour chasser une vision pénible, puis reprit : — Ce qui m'a ennuyé le plus, c'est le cas de la dame, qui n'avait rien à voir là-dedans et qui ne devait pas mourir... mais elle s'est jetée devant son mari pour le protéger et elle a attrapé les deux coups de revolver qui lui étaient destinés lui s'est enfui dans le bois où l'a rejoint justement ce sauvage de Cirrincione... elle vivait encore, et moi, j'ai été obligé de lui donner le coup de grâce... une femme courageuse, plus que bien des hommes...

Marcel leva les yeux sur l'agent comme pour lui faire comprendre que la visite était terminée. L'agent comprit et se leva ; mais il ne s'en alla pas aussitôt. Il posa les deux mains sur le bureau, regarda longuement Marcel de ses yeux scintillants, puis avec la même emphase avec laquelle il avait dit « la fatalité », il prononça — Tout pour la famille et la patrie, Monsieur...

Alors, brusquement, Marcel comprit où il avait déjà vu ce regard aussi brillant et insolite. Ces yeux avaient la même expression que ceux de son père, toujours enfermé dans la clinique pour maladies mentales. Il dit froidement : — La patrie n'en demandait peut-être pas tant ?

— Si elle ne le demandait pas — demanda Orlando se

penchant un peu vers lui et haussant la voix, — pourquoi nous l'a-t-elle commandé ?

Marcel hésita et dit sèchement : — Vous avez fait votre devoir, Orlando, cela doit vous suffire. — L'agent, mi-mortifié, mi-approbateur, esquissa une légère inclination déférente. Alors, après un moment de silence, sans même savoir pourquoi, peut-être pour dissiper en quelque sorte cette angoisse semblable à la sienne, Marcel ajouta avec douceur : — Avez-vous des enfants, Orlando ?

— Et comment... Monsieur !... j'en ai cinq. — Il tira de sa poche un gros portefeuille déchiré, en retira une photographie et la tendit à Marcel qui la prit et la regarda. On y voyait, alignés par ordre de taille, cinq enfants de treize à six ans, trois filles et deux garçons, tous endimanchés, les filles vêtues de blanc, les garçons en marins. Tous les cinq avaient des figures rondes, pacifiques, sages, ressemblant assez à celle de leur père. — Ils sont au pays avec leur mère — dit l'agent en reprenant la photographie que Marcel lui tendait, — la plus grande fait déjà la couturière.

— Ils sont beaux et vous ressemblent — dit Marcel.

— Merci, monsieur Clerici... alors, au revoir. — L'agent, ragaillardi, s'inclina deux fois, en marchant à reculons. À ce moment, la porte s'ouvrit et Julie apparut sur le seuil.

— Au revoir, Monsieur... au revoir ; — l'agent s'effaça pour laisser passer Julie et disparut. Julie s'approcha et dit rapidement : — Je passais sous tes fenêtres, alors j'ai pensé à te rendre visite. Comment vas-tu ?

— Très bien — dit Marcel.

Debout devant le bureau, elle le regarda indécise, incertaine, inquiète. Et finalement : — Ne crois-tu pas que tu travailles trop ? — demanda-t-elle.

— Non — répondit Marcel regardant à la dérobée la fenêtre ouverte. — Pourquoi ?

— Tu as l'air fatigué. — Julie fit le tour du bureau et

s'immobilisa, appuyée contre le bras du fauteuil, regardant les journaux épars sur le bureau. Puis elle demanda : — Qu'y a-t-il de nouveau ?

— À propos de quoi ?

— Dans les journaux, sur l'histoire Quadri.

— Non, rien.

Elle dit après un moment de silence : — Je suis de plus en plus convaincue qu'il a été tué par des hommes de son parti... Et toi, qu'en penses-tu ?

C'était la version officielle du crime, fournie aux journaux italiens par les offices de propagande, le matin même où la nouvelle était arrivée de Paris. Marcel remarqua que Julie y avait fait allusion avec une espèce de bonne volonté, comme si elle espérait se convaincre elle-même.

Il répondit brièvement : — je ne sais pas... cela est possible.

J'en suis convaincue — répéta-t-elle résolument. Et puis, après un moment d'hésitation, ingénument : — Quelquefois, je pense que si ce fameux soir, dans la boîte de nuit, je n'avais pas si mal traité la femme de Quadri, elle serait restée à Paris et ne serait pas morte... et il m'en vient du remords... mais que pouvais-je faire ? C'était de sa faute puisqu'elle ne me laissait pas un moment tranquille.

Marcel se demanda si Julie suspectait quelque chose de la part qu'il avait eue dans le meurtre de Quadri, puis après une courte réflexion il écarta cette idée. Aucun amour, pensa-t-il, n'aurait résisté à une semblable découverte. Julie disait la vérité : elle éprouvait du remords pour la mort de Lina, parce que, d'une manière innocente, elle en avait été la cause indirecte. Il voulut la rassurer, mais ne sut rien trouver de mieux que la parole prononcée avec tant d'emphase par Orlando. — N'aie pas de remords — dit-il en lui prenant la taille et en l'attirant à lui : — c'était la fatalité.

Elle répondit en lui caressant légèrement les cheveux : — Moi, je ne crois pas à la fatalité... c'est au contraire, parce que je t'aimais... si je ne t'avais pas aimé, qui sait, je ne l'aurais peut-être pas si durement traitée, et elle ne serait pas partie et elle ne serait pas morte... qu'y a-t-il de fatal dans tout ceci ?

Marcel pensa à Lino, cause première de toutes les aventures de sa vie et expliqua, d'un ton concentré : — En disant fatalité, on entend toutes ces choses : l'amour et le reste... tu ne pouvais agir autrement que tu n'as agi et elle, ne pouvait pas ne pas partir avec son mari...

— Alors, nous ne pouvons rien ? — demanda Julie d'une voix rêveuse en regardant les papiers épars sur le bureau.

Marcel hésita et répondit avec une amertume profonde : — Si, nous pouvons savoir que nous ne pouvons rien...

— Et à quoi cela sert-il ?

— Cela nous sert... pour la prochaine fois... ou cela sert aux autres, après nous.

Elle s'écarta de lui avec un soupir et alla à la porte : n'oublie pas que tu ne dois pas rentrer trop tard aujourd'hui — dit-elle sur le seuil ; — maman nous a préparé un bon déjeuner... et rappelle-toi aussi qu'il ne faut pas prendre de rendez-vous pour cet après-midi... nous devons aller ensemble voir des appartements. — Elle lui fit un signe d'adieu et disparut.

Demeuré seul, Marcel prit une paire de ciseaux, découpa avec soin la photographie de la revue française et la rangea à côté d'autres papiers dans un tiroir qu'il ferma à clé. À ce moment, dans le ciel embrasé on entendit le hululement déchirant de la sirène de midi et la cour en résonna toute. Aussitôt après les cloches des églises voisines et distantes se mirent à sonner.

# ÉPILOGUE

# I

Le soir était venu et Marcel, qui avait passé la journée étendu sur son lit à fumer et à réfléchir, se leva et alla à la fenêtre. Sombres dans la clarté verdâtre du crépuscule d'été, les maisons qui enserraient la sienne de toutes parts servaient de cadres à des cours nues, cimentées, ornées de petites plates-bandes de verdure et de haies de buis taillé. Çà et là, une fenêtre éclairée, resplendissait d'une lumière rouge ; dans les offices et les cuisines on apercevait les valets de chambre en gilet rayé, les cuisinières en tablier blanc qui vaquaient à leurs besognes domestiques. Marcel leva les yeux au-dessus des terrasses des maisons : les dernières nuées pourpres du couchant s'éteignaient dans le ciel crépusculaire. Puis son regard s'abaissa et il vit une auto entrer dans la cour, s'y arrêter, et le conducteur en descendre en même temps qu'un gros chien blanc qui se mit à courir entre les plates-bandes en jappant et aboyant gaiement.

Le quartier était tout neuf, riche, de construction récente, et, à regarder ces cours intérieures et ces fenêtres, nul n'aurait pu penser que la guerre durait depuis quatre ans et que le jour même un gouvernement établi depuis vingt ans venait de tomber. Personne, pensa Marcel, sauf lui-même et ceux qui se trouvaient dans les mêmes conditions. Un instant l'image fulgurante lui apparut d'une foudre divine qui, suspendue au-dessus de la cité pacifiquement étendue sous le ciel serein, frappait çà et là quelques familles, les jetant dans la terreur, la consternation et le deuil ; tandis que leurs voisins restaient indemnes. Parmi les familles frappées, se trouvait la sienne, ainsi qu'il l'avait prévu depuis le début de la guerre ; une famille comme toutes les autres pourtant, avec les mêmes attaches et la même intimité ; absolument normale, de cette normalité que lui-même avait recherchée pendant des années avec tant de ténacité et qui se révélait maintenant uniquement extérieure et toute faite de choses anormales. Il se souvint que le jour où la guerre européenne avait éclaté, il avait dit à sa femme : — si j'étais logique, je devrais me suicider — et il se rappela aussi la terreur que ces paroles avaient provoquée chez elle, comme si elle avait deviné leur sens caché, au-delà de la simple prévision d'une issue défavorable du conflit. Encore une fois, il se demanda ce que Julie savait de son être véritable et de la part qu'il avait eue dans le meurtre de Quadri ; et encore une fois il lui sembla impossible qu'elle fût renseignée, bien qu'à certains signes il pût parfois supposer le contraire. Désormais il se rendait compte, et avec une lucidité parfaite, qu'il avait, comme on dit, misé sur le cheval perdant ; mais la raison de son choix et pourquoi le cheval n'était pas arrivé vainqueur ne lui apparaissait pas clairement ; en dehors des constatations de fait, visibles pour tous. Il aurait voulu être sûr qu'il n'aurait pu miser différemment et avec un autre résultat ; de cette certitude il avait plus besoin que de se libérer d'un remords qu'il n'éprouvait pas. En effet, pour lui, le seul remords possible était de s'être trompé, d'avoir fait ce qu'il avait fait sans une nécessité absolue et fatale. D'avoir, en somme, ignoré délibérément ou involontairement qu'il aurait pu agir autrement. S'il pouvait acquérir une certitude sur ce dernier point, il lui paraissait qu'alors il pourrait être en paix avec lui-même, fût-ce de la manière éteinte et inerte qui lui était propre. En d'autres termes, continuait-il à penser, il lui fallait être sûr d'avoir reconnu son propre destin et de l'avoir accepté tel qu'il était, utile aux autres et à lui-même, négativement peut-être, mais utile tout de même. Dans le doute, une pensée le consolait ; c'était que même s'il y avait eu erreur et ceci ne pouvait être exclu — il s'était engagé plus que quiconque, plus que tous ceux qui se trouvaient aujourd'hui dans les mêmes conditions. C'était une consolation d'orgueil, la seule qui lui restât. D'autres pourraient demain changer d'idées, de parti, d'existence, de caractère même ; pour lui au contraire tout changement était impossible non seulement vis-à-vis des autres, mais aussi de lui-même. Il avait fait ce qu'il avait fait pour des motifs qui lui étaient personnels et en dehors de toute communauté avec les autres ; changer, même si cela lui était concédé, signifierait pour lui s'annuler lui-même ? Or, parmi tant d'anéantissements, il voulait éviter celui-ci.

Il pensa alors que s'il y avait eu erreur de sa part, la première et la plus grande avait été de vouloir sortir de son caractère propre, d'avoir cherché un conformisme quel qu'il fût, à travers lequel il pût se sentir pareil aux autres. Cette erreur était née d'un instinct puissant ; malheureusement le conformisme vers lequel son instinct l'avait aiguillé n'était qu'une forme vide à l'intérieur de laquelle tout était anormal et gratuit. Au premier choc, cette forme s'en était allée en morceaux et son instinct si justifié et si humain avait fait, de la victime qu'il avait été, un bourreau. Son erreur en somme, avait été moins d'assassiner Quadri que d'avoir voulu oblitérer le vice d'origine de sa propre vie par de mauvais moyens.

Mais, se demanda-t-il de nouveau, les choses auraient-elles pu se passer autrement ? Non, impossible..., se répondit-il à lui-même. Il était dans son destin que Lino mît son innocence en péril et que lui, pour se défendre, le tuât et que ce meurtre l'emplissant du sentiment obsédant d'être anormal, il voulût se libérer de cette obsession en recherchant un conformisme sauveur. Les moyens qu'il avait employés pour trouver ce conformisme et pour s'y adapter, s'y accorder, l'avaient conduit fatalement à payer un prix correspondant au fardeau d'anormalité dont il avait voulu décharger son âme et ce prix avait été la mort de Quadri. Ainsi tout avait été fatal bien que librement accepté, de même que tout avait été à la fois juste et injuste.

Il sentait tout cela plus qu'il ne le raisonnait, avec la perception aiguë et douloureuse d'une angoisse qu'il refusait d'admettre et contre laquelle il se rebellait. En face du désastre de sa vie, il aurait voulu être détaché et calme comme devant un spectacle funeste mais lointain. Au contraire, cette angoisse lui faisait entrevoir un rapport de panique entre lui et les événements, malgré la lucidité avec laquelle il s'efforçait de les examiner. Il n'était d'ailleurs pas facile, en l'occurrence, de distinguer la lucidité de la peur ; et le meilleur parti à prendre était peut-être de garder, comme toujours, une attitude digne et impassible. Après tout, pensa-t-il encore, presque sans ironie, comme faisant le compte de ses modestes ambitions, il n'avait rien à perdre, à moins que par ces mots on n'entendît la renonciation à sa médiocre situation de fonctionnaire, à cette maison qu'il devait payer en vingt-cinq ans par versements successifs, à son auto payable également en deux ans et à quelques autres conforts de la vie qu'il avait cru devoir concéder à

Julie. Il n'avait vraiment rien à perdre et si, à ce moment, on était venu l'arrêter, la modicité des avantages matériels qu'il avait retirés de sa fonction aurait étonné ses ennemis eux-mêmes.

Il s'écarta de la fenêtre et se retournant ses yeux firent le tour de la chambre. C'était bien la chambre à coucher qu'avait désirée Julie. En acajou sombre et brillant, avec ornements et poignées en bronze, d'un approximatif style Empire. Elle aussi avait été achetée à tempérament et Marcel se rappela que le dernier versement avait été fait l'année auparavant. « Toute notre vie », pensa-t-il, sarcastique, en enfilant sa veste qu'il avait prise sur une chaise, « toute notre vie est à échéance... mais les dernières sont les plus lourdes et nous ne réussirons jamais à les payer. » Du pied il remit en place la descente de lit et sortit de la pièce, se dirigeant vers une porte entrouverte qui laissait apparaître un peu de lumière.

C'était la chambre de sa fille et, en entrant, il s'attarda un instant sur le seuil, comme incrédule en face de la scène familière et quotidienne qui s'offrait à ses yeux. La pièce était petite, arrangée dans ce style gracieux et coloré que l'on donne aux chambres où vivent et dorment les enfants. Les meubles étaient laqués rose, les rideaux bleu pâle, le papier peint des murs était décoré de corbeilles de fleurs. Sur le tapis également rose, des poupées de différentes tailles et d'autres jouets étaient épars, en désordre. Julie était assise au chevet de la petite Lucile qui était déjà au lit. Quand Marcel entra, sa femme, qui parlait avec l'enfant, se retourna à peine et lui lança un long regard, sans dire un mot. Marcel prit une des petites chaises laquées et s'assit lui aussi près du lit. — Bonsoir, papa, — dit la petite fille.

— Bonsoir, Lucile — répondit Marcel en la regardant. C'était une enfant brune, délicate, avec un visage rond, de très grands yeux d'une expression languissante, des traits extrêmement fins, presque mièvres dans leur excessive suavité. Sans qu'il pût se l'expliquer, elle lui parut en cet instant, presque trop gracieuse, d'une grâce qui laissait soupçonner un début d'innocente coquetterie et qui rappela désagréablement à Marcel sa mère, à laquelle la petite ressemblait beaucoup. Cette coquetterie se remarquait à la façon dont, en parlant à son père et à sa mère, elle tourna ses grands yeux de velours, avec des effets étranges chez une enfant de six ans ; et aussi à son extrême et étonnante facilité de parole. Dans sa chemise bleu pâle aux manches bouffantes et toute garnie de dentelles, elle était assise sur son lit, les mains jointes en train de faire sa prière du soir que l'arrivée de son père avait interrompue. — Allons, Lucile, ne sois pas distraite, — dit la mère doucement, — dis ta prière avec moi.

— Je ne suis pas distraite — dit la petite levant les yeux au plafond dans une grimace d'impatiente suffisance, — c'est toi qui t'es arrêtée quand papa est entré... alors moi non plus je n'ai pas continué.

— Tu as raison — dit Julie flegmatiquement, — mais tu sais bien ta prière... tu pouvais continuer toute seule... quand tu seras plus grande je ne serai plus là pour te la faire répéter... et pourtant tu devras la dire.

— Tu vois, tu me fais perdre mon temps... je suis lasse — dit l'enfant en haussant un peu les épaules sans pour cela disjoindre ses mains — tu te mets à discuter, et pendant ce temps, nous aurions déjà fini la prière.

— Allons — répéta Julie en souriant malgré elle, — recommençons tout : — Je vous salue Marie pleine de grâce.

La petite répéta d'une voix traînante : — Je vous salue Marie pleine de grâce...

— Maintenant, étends-toi et dors — dit Julie en se levant et s'efforçant de faire coucher la petite fille. Elle y parvint non sans mal, car l'enfant ne paraissait pas disposée à dormir, puis elle remonta jusqu'au petit menton le drap qui composait toute la couverture du lit. — J'ai chaud — dit la petite en donnant des coups de pied dans le drap, — j'ai trop chaud.

— Demain nous allons chez grand-mère et tu n'auras plus trop chaud, — répondit Julie.

— Où est-elle grand-mère ?

— En montagne... et il y fait frais.

— Mais où cela ?

— Je te l'ai déjà dit bien des fois : Tagliacozzo ; c'est un endroit très frais et nous y resterons tout l'été.

— Et les avions n'y viendront pas ?

— Les avions ne viendront plus.

— Pourquoi ?

— Parce que la guerre est finie.

— Et pourquoi la guerre est-elle finie ?

— Parce que deux et deux ne font pas trois — dit Julie brusquement mais sans se fâcher, — assez de questions maintenant... dors, car demain matin nous partirons de bonne heure... je vais aller chercher ton médicament. — Elle sortit, laissant son mari seul avec leur fille. — Papa — demanda soudain la petite, s'asseyant de nouveau sur son lit, — tu te rappelles la chatte des gens qui habitent en dessous ?

— Oui — répondit Marcel quittant sa chaise pour aller s'asseoir sur le bord du lit.

— Elle a fait quatre petits chats.

— Eh bien ?

— La gouvernante des petites filles m'a dit que si je voulais, on pourrait me donner un de ces petits chats... puis-je le prendre ? Comme cela je l'emporterai à Tagliacozzo.

— Mais quand sont-ils nés, ces petits chats ?

— Avant-hier.

— Alors ce n'est pas possible — dit Marcel en caressant la tête de sa fille,— les petits chats doivent rester avec leur mère tant qu'ils boivent son lait... tu le prendras quand tu reviendras de Tagliacozzo.

— Et si nous ne revenons pas de Tagliacozzo ?

— Pourquoi ne reviendrions-nous pas ? Nous reviendrons à la fin de l'été — répondit Marcel dont les doigts jouaient dans les cheveux bruns et souples de l'enfant.

— Aïe ! tu me fais mal — eut tôt fait de crier la petite.

Marcel laissa les cheveux et dit en souriant : — Pourquoi dis-tu que je t'ai fait mal ?... Tu sais bien que cela n'est pas vrai.

— Mais si, tu m'as fait mal — répliqua-t-elle en accentuant sa plainte. Et elle porta les mains à ses tempes d'un geste tout à fait féminin. — Je vais avoir très mal à la tête maintenant.

— Alors je te tirerai les oreilles — dit Marcel gaiement. Délicatement il souleva les cheveux sur la petite oreille rose et ronde et la tira légèrement, la secouant comme une sonnette. — Aïe, aïe, aïe ! — cria la petite d'une voix aiguë, son visage se couvrant d'une faible rougeur et prenant un air de souffrance : — Aïe, aïe, tu me fais mal !

— Tu vois comme tu es menteuse — dit Marcel d'un ton de reproche en laissant l'oreille, — tu sais pourtant qu'on ne doit pas dire de mensonges.

— Oui, mais cette fois, je peux te jurer que tu m'as vraiment fait mal.

— Veux-tu que je te donne une de tes poupées pour la nuit ? — demanda Marcel en jetant un coup d'œil sur le tapis où gisaient les jouets.

Elle eut un regard de tranquille mépris pour les poupées et répondit avec suffisance : — Si tu veux.

— Comment, si je veux ? — demanda Marcel en souriant, — tu parles comme si tu voulais me faire plaisir... tu n'aimes pas dormir avec une de tes poupées ?

— Si, j'aime bien — concéda-t-elle, — donne-moi

— elle hésita, les yeux fixés sur le tapis, — donne-moi celle qui a une robe rose.

Marcel regarda le tapis : — elles ont toutes une robe rose.

— Il y a rose et rose — dit la petite d'un ton sentencieux et impatient — le rose de cette poupée est tout à fait pareil à celui des roses roses qui sont sur le balcon.

— Celle-ci ? — demanda Marcel ramassant sur le tapis la plus belle et la plus grande des poupées.

— Tu vois bien que tu n'y comprends rien — dit-elle sévèrement. Tout à coup elle sauta de son lit, et courut les pieds nus sur le tapis pour ramasser une poupée de chiffons, assez laide, avec une figure écrasée et salie, et d'un bond se recoucha en disant : — Voilà. — Cette fois elle s'étendit sagement sur le dos, son visage rose et calme affectueusement pressé contre la face sale et inexpressive de la poupée. Julie entra, portant une fiole et une cuiller.

— Allons — dit-elle en s'approchant, — prends ton médicament. — La petite ne se fit pas prier. Obéissante, elle se redressa à demi, tendant son visage, la bouche ouverte, dans un geste d'oiseau qui prend la becquée.

— Bonne nuit — dit Julie en se penchant pour embrasser l'enfant.

— Bonne nuit, maman, bonne nuit, papa — dit la petite d'une voix pointue. Marcel l'embrassa à son tour sur la joue et suivit sa femme. Julie éteignit la lumière et ferma la porte.

Une fois dans le corridor, elle se retourna à demi vers son mari : — Je crois que c'est servi — dit-elle. Pour la première fois, Marcel remarqua alors, dans l'ombre accusatrice, que Julie avait les yeux gonflés comme si elle avait pleuré. Les moments passés avec sa petite fille l'avaient réconforté, mais, en voyant les yeux de sa femme, il eut de nouveau peur de ne pas savoir se montrer aussi calme et ferme qu'il l'aurait voulu. Cependant Julie l'avait précédé dans la salle à manger, une petite pièce avec une table ronde et un buffet. Le couvert était mis, le lustre éclairé ; par la fenêtre ouverte arrivait la voix de la radio qui décrivait dans le style haletant et triomphant employé d'ordinaire pour les matches de football, la chute du gouvernement fasciste. La bonne entra et après avoir servi le potage, sortit de nouveau. Ils commencèrent à manger lentement, avec des gestes compassés. La radio, brusquement, devint frénétique. Le speaker racontait maintenant en termes exaltés et d'une voix fébrile qu'une grande foule s'amassait dans les rues de la ville pour acclamer le roi.

— C'est dégoûtant ! — dit Julie en posant sa cuiller et regardant la fenêtre.

— Pourquoi dégoûtant ?

— Jusqu'à hier, ils applaudissaient le duce... il y a quelques jours ils acclamaient le pape dans l'espoir qu'il leur épargnerait les bombardements... aujourd'hui ils font des ovations au roi qui a renversé Mussolini... !

Marcel garda le silence. Les opinions et les réactions de Julie à propos des affaires publiques lui étaient connues au point de pouvoir les prédire à coup sûr. C'étaient les opinions et les réactions d'une âme simple, sans aucune curiosité pour les motifs profonds qui engendrent les événements, guidée presque uniquement par ses sentiments et ses raisons personnelles. Ils finirent de manger leur potage en silence, tandis que la radio continuait à vociférer torrentiellement. Puis, brusquement, après que la bonne eut apporté le second plat, la radio s'éteignit et il se fit un grand silence, et avec le silence, la chaleur suffocante de l'immobile nuit estivale parut s'accroître. Ils se regardèrent et puis Julie demanda : — Et maintenant, que vas-tu faire ?

Marcel répondit brièvement : — Je ferai ce que feront tous ceux qui se trouvent dans le même cas que moi... nous sommes un bon nombre en Italie à avoir cru à ce qui finit aujourd'hui.

Julie hésita avant de parler, puis elle ajouta lentement : — Non, je veux dire : que feras-tu pour l'affaire Quadri ?

Ainsi elle savait, elle avait peut-être toujours su, après tout. Marcel, en entendant ces mots, sentit le cœur lui manquer comme il lui aurait manqué dix ans auparavant si quelqu'un lui avait demandé : — Que vas-tu faire pour l'affaire de Lino ? — S'il avait eu le don de prophétie, sa réponse aurait dû être alors : « Tuer Quadri. » Mais maintenant ? Il posa sa fourchette à côté de son assiette, attendit d'être sûr que sa voix ne tremblerait pas et répondit : — Je ne sais pas de quoi tu parles.

Il la vit baisser les yeux et faire une grimace comme si elle allait pleurer. Puis elle dit d'une voix lente et triste : — À Paris, Lina, peut-être pour me détacher de toi, m'a dit que tu faisais partie de la police du régime.

— Et que lui avais-tu répondu ?

— Que cela m'était égal ; que j'étais ta femme et que je t'aimais quoi que tu fisses... que ce que tu faisais, tu devais penser qu'il était bien de le faire.

Marcel se tut, ému malgré lui par cette fidélité si aveugle et inébranlable. Julie continua d'une voix hésitante : — Mais lorsque Quadri et Lina furent assassinés, j'eus tellement peur que tu y sois pour quelque chose... et depuis, je n'ai fait qu'y penser... mais je ne t'en parlais pas parce que tu ne m'avais jamais rien dit de ta profession, et qu'à plus forte raison je ne pouvais te parler de cela.

— Et maintenant que penses-tu ? — demanda Marcel après un court silence.

— Moi ? — dit Julie levant les yeux et le regardant. Marcel lui vit les yeux humides et comprit que ces larmes étaient déjà une réponse. Cependant elle ajouta avec effort : — Toi-même, à Paris, tu m'avais dit que ta visite à Quadri était très importante pour ta carrière... je pense donc que ce peut être vrai...

— C'est vrai — affirma-t-il promptement.

En même temps il comprit que jusqu'au bout Julie avait espéré un démenti. Car, à ses paroles, comme à un signal, elle se jeta la tête entre ses bras sur la table et se mit à sangloter. Marcel se leva, et alla donner un tour de clé à la porte ; puis il revint auprès de sa femme et, sans se pencher, lui posa sa main sur les cheveux en disant : — Si tu veux, dès demain nous pouvons nous séparer... je t'accompagnerai à Tagliacozzo avec la petite et puis je m'en irai et tu ne me verras plus... veux-tu qu'il en soit ainsi ?

Les sanglots de Julie s'arrêtèrent subitement comme si ce qu'elle entendait la frappait de stupeur. Puis le visage toujours entre ses bras elle murmura d'une voix triste et surprise : — Mais que dis-tu ? Nous séparer ? Ce n'est pas cela... j'ai tellement peur pour toi... que va-t-on te faire maintenant ?

Ainsi, pensa-t-il, Julie n'éprouvait ni horreur à son égard, ni remords pour la mort de Quadri et de Lina ; seulement de la crainte pour lui, pour sa propre vie, pour son avenir. Cette insensibilité doublée de tant d'amour lui produisit un étrange effet comme lorsque montant en escalier dans le noir et croyant trouver une marche sous son pied on trouve au contraire la surface du palier. En réalité, il avait prévu et même espéré l'horreur et un jugement sévère. Or il ne trouvait que le même amour aveugle et fidèle. Avec quelque impatience, il déclara : — On ne me fera rien... il n'y a pas de preuve... et puis je n'ai fait qu'exécuter des ordres. — Il hésita un peu, par une sorte de pudeur mêlée de répugnance pour le lieu commun ; puis il finit avec effort : — je n'ai fait que mon devoir... comme un soldat.

Julie se raccrocha à cette phrase usée qui, une fois déjà, n'avait pas suffi à tranquilliser l'agent Orlando lui-même.

— Oui, c'est bien ce que j'ai pensé — dit-elle en relevant la tête ; puis elle lui saisit la main et l'embrassant frénétiquement : — Je me suis toujours dit : Marcel au fond n'est qu'un soldat... les soldats aussi tuent parce qu'on le leur commande... ce n'est pas de sa faute si on lui fait faire certaines choses... mais ne crains-tu pas qu'on vienne te prendre ?... Je suis sûre que ceux qui te donnaient des ordres seront sauvés... et toi, un simple comparse, qui n'as fait que ton devoir, tu seras inculpé... — Après lui avoir embrassé le dos de la main, elle lui embrassait maintenant la paume, avec la même ardeur.

— Calme-toi — dit Marcel en la caressant, — pour le moment, ils ont autre chose à faire qu'à me chercher.

— Mais les gens sont si méchants... il suffit que quelqu'un t'en veuille... on te dénoncera... et puis c'est toujours comme cela : les grands, ceux qui commandent et qui se sont enrichis à millions, se sauvent ; et les petits comme toi, qui ont fait leur devoir et n'ont pu mettre un sou de côté, paient pour les autres... ah ! Marcel, j'ai si peur !

— N'aie pas peur, tout s'arrangera.

— Ah ! je sais que cela ne s'arrangera pas, je le sens... et puis je suis si lasse. — Julie parlait, le visage contre la main de son mari, sans l'embrasser : — Après que j'eus Lucile, et bien que j'eusse appris en quoi consistait ton métier, je pensais : maintenant, ma vie s'est organisée, j'ai une petite fille, un mari que j'aime, j'ai une maison, une famille, je suis heureuse, vraiment heureuse... c'était la première fois de ma vie que j'étais heureuse... et cela me paraissait un rêve... je ne pouvais presque pas y croire... j'avais toujours peur que cela finisse et que le bonheur ne dure pas... et, en effet, il n'a pas duré et il faut maintenant nous enfuir... et tu perdras ton emploi et qui sait ce qu'ils te feront... et notre pauvre petite, ce sera pire que si elle était orpheline... il faudra tout recommencer... et peut-être ne sera-ce même plus possible de recommencer et notre famille sera détruite. — Elle éclata en sanglots et cacha de nouveau son visage entre ses bras.

Brusquement Marcel se rappela l'image qui un instant avait traversé son esprit : la foudre divine frappant impitoyablement sa famille tout entière, aussi bien lui qui était coupable que sa femme et sa fille innocentes, et il frissonna. Quelqu'un frappa à la porte ; il cria à la domestique qu'ils avaient fini de dîner et n'avaient plus besoin d'elle. Puis, penché vers Julie, il lui dit doucement : — Ne pleure plus, calme-toi, je t'en prie... notre famille ne sera pas détruite... nous nous en irons en Amérique, en Argentine... et nous nous y referons une nouvelle vie ; là-bas aussi nous aurons une maison et je serai avec toi et nous aurons Lucile... aie confiance, tu verras que tout s'arrangera.

Cette fois Julie leva son visage baigné de larmes et dit pleine d'une subite espérance : — Nous irons en Argentine... mais quand ?

— Dès que ce sera possible... dès que la guerre sera finie pour de bon.

— Et en attendant ?

— En attendant, nous partirons de Rome et irons habiter à Tagliacozzo... là, personne n'ira nous chercher... tu verras, tout ira bien...

Julie parut réconfortée par ces paroles et surtout, pensa Marcel en la voyant se lever et se moucher, par le ton ferme avec lequel il les avait prononcées. — Excuse-moi — dit-elle, — je suis stupide... je devrais t'aider et au contraire je ne sais faire autre chose que de pleurer comme une sotte que je suis ! — Elle se mit à enlever le couvert, prenant les assiettes sur la table pour les empiler sur le buffet. Marcel alla à la fenêtre et penché sur l'appui regarda dehors. À travers les verrières opaques de la maison d'en face, étage après étage, jusqu'en haut, brillaient, amorties, les lampes de l'escalier. Dans les profondes cours cimentées, l'ombre s'amassait, noire comme du charbon. La nuit était calme et chaude, même en tendant l'oreille on ne distinguait d'autre rumeur que le bruissement d'une pompe du jardin : en bas dans la cour quelqu'un arrosait dans l'obscurité l'herbe des plates-bandes. Marcel dit en se retournant :

— Si nous allions faire un tour dans le centre ?

— Pourquoi ? — demanda-t-elle, — dans quel but ? Il doit y avoir foule !

— Tu verras ainsi — répondit-il presque légèrement, — comment tombe une dictature.

— Et puis, il y a Lucile... je ne puis la laisser seule... si les avions venaient...

— Sois tranquille, cette nuit, ils ne viendront pas.

— Mais pourquoi aller dans le centre ? — protesta-t-elle tout à coup, — je ne te comprends pas... tu cherches à souffrir... quel plaisir peux-tu y trouver ?

— Eh bien ! reste — dit-il, — j'irai seul.

— Non, j'y vais aussi — fit-elle aussitôt, — s'il t'arrive quelque chose je veux être avec toi... la bonne surveillera la petite.

— En tout cas ne crains rien... cette nuit, nous n'aurons pas de raid aérien.

— Je vais m'habiller — dit-elle en sortant.

Demeuré seul, Marcel s'approcha de nouveau de la fenêtre. Quelqu'un, un homme, descendait l'escalier de la maison d'en face. On voyait son ombre se profiler d'un étage à l'autre, derrière les verrières opaques. Il descendait nonchalamment, à en juger par la minceur de sa silhouette, ce devait être un jeune homme ; peut-être sifflotait-il, pensa Marcel qui l'envia. Puis la radio se remit à vociférer. Marcel entendit la même voix qui concluait comme en péroraison d'un discours : — La guerre continue. — C'était la proclamation du nouveau gouvernement, déjà entendue une fois, Marcel tira son étui de sa poche et alluma une cigarette.

## II

Les rues de la périphérie étaient désertes, silencieuses et obscures, presque mortes, comme les extrémités d'un grand corps dont tout le sang s'est porté sur un seul point. Mais à mesure que l'auto s'approchait du centre, Marcel et Julie virent de plus en plus fréquemment des groupes de gens qui gesticulaient et criaient. À un carrefour, Marcel ralentit et stoppa pour laisser passer une file de camions bourrés de jeunes gens et de jeunes filles qui déployaient des drapeaux et brandissaient des pancartes. Ces camions pavoisés et surchargés, avec des gens agrippés jusque sur les garde-boue et les marchepieds, furent salués par les applaudissements de la foule qui encombrait les trottoirs. Un homme, s'approchant de la voiture de Marcel, cria par la fenêtre, en pleine figure de Julie : — Vive la liberté ! — puis disparut comme englouti par la multitude environnante. — Ne vaudrait-il pas mieux revenir chez nous ? — dit Julie.

— Pourquoi ? — répondit Marcel qui surveillait la rue

à travers la vitre du pare-brise, — ils sont si contents, ils ne pensent certainement pas à faire du mal... nous allons garer la voiture en quelque endroit et nous irons à pied, nous aussi, pour voir ce qui se passe.

— On ne va pas voler notre voiture ?

— Quelle absurdité !

Sans se départir de son attitude réfléchie, calme, patiente, Marcel conduisit l'auto à travers les rues bondées du centre. Dans la pénombre du black-out, on voyait distinctement les mouvements de la foule, ses multiples façons de se grouper, de se rencontrer, de s'étendre, de courir, toujours différentes, mais emplies du même et sincère transport en face de la chute de la dictature. Des gens s'embrassaient sans se connaître, au milieu de la rue ; d'autres, après être demeurés longtemps immobiles, muets et attentifs au passage d'un camion pavoisé, enlevaient brusquement leur chapeau en hurlant quelque vivat ; certains couraient, comme des estafettes, colportant d'un groupe à l'autre des phrases d'encouragement et d'allégresse, d'autres encore, comme saisis subitement d'une fureur haineuse, levaient le poing d'un air de menace contre quelque palais noir et fermé qui récemment était le siège d'un office gouvernemental. Marcel remarqua que de nombreuses femmes étaient au bras de leur mari et souvent suivies de leurs enfants, chose que depuis longtemps on ne voyait plus dans les manifestations forcées du régime. Des colonnes d'hommes résolus, comme unis par le lien secret d'un parti, se formaient et défilaient un moment parmi les applaudissements, puis paraissaient se perdre dans la foule. Çà et là des groupes entouraient un orateur improvisé ; d'autres se rassemblaient pour chanter à tue-tête un hymne libertaire. Marcel conduisait au ralenti, patiemment, respectueux de tout rassemblement avançant avec lenteur. — Comme ils sont contents ! — dit Julie d'un ton qui exprimait l'indulgence et la sympathie, en même temps que l'oubli de ses craintes et de son propre intérêt.

— À leur place, je le serais aussi.

Toujours parmi la foule, ils remontèrent une grande partie du « Corso », derrière deux ou trois voitures qui, elles aussi, avançaient lentement. Au débouché d'une impasse, Marcel tourna et réussit à y pénétrer après avoir attendu la fin d'une colonne de manifestants. Rapidement il conduisit sa voiture au fond de l'impasse dans une petite ruelle absolument déserte, s'arrêta, stoppa le moteur et dit à sa femme : — descendons maintenant.

Julie descendit en silence et Marcel, ayant fermé soigneusement les portières, se dirigea avec elle vers l'avenue par laquelle ils étaient venus. Il se sentait tout à fait calme, maître de lui, détaché comme il avait désiré l'être durant toute la journée. Cependant il continuait à se surveiller et comme il s'approchait de la grande artère envahie par la foule dont la joie explosait en face d'eux, irrésistible, tumultueuse, sincère, agressive, il se demanda subitement, non sans anxiété, si cette joie n'éveillait pas dans son âme quelque sentiment moins serein. Non, pensa-t-il, après s'être mûrement examiné, il était vraiment calme, indifférent, presque insensible, disposé à contempler la joie des autres, sans y participer il est vrai, mais aussi sans la ressentir comme une menace ou un affront.

Sans but, ils se mêlèrent à la foule, d'un groupe à l'autre, d'un trottoir à l'autre. Les craintes de Julie avaient disparu ; elle paraissait, comme son mari, tranquille et en possession d'elle-même ; mais c'était, pensa Marcel, pour des motifs différents : parce qu'en bonne fille, elle était capable de s'identifier avec les sentiments d'autrui.

La foule au lieu de diminuer semblait s'accroître de minute en minute. Une foule, remarqua Marcel, presque uniquement joyeuse d'une joie stupéfaite, incrédule, maladroite à s'exprimer, pas encore absolument sûre de pouvoir le faire impunément. Des camions continuaient à passer, s'ouvrant une brèche à travers la cohue, pleins d'ouvriers, hommes et femmes, qui brandissaient des drapeaux, les uns tricolores, les autres rouges. Une petite automobile découverte passa avec deux officiers allemands tranquillement assis sur les sièges et un soldat en tenue de campagne accroché au bord de la portière, mitraillette au poing ; des trottoirs s'élevèrent des sifflets et des lazzi. Marcel remarqua qu'on voyait de nombreux soldats débraillés et sans armes qui s'embrassaient, leurs lourdes figures de paysans illuminées d'un espoir enivré. Pour la première fois, à la vue de deux de ces soldats qui marchaient en se tenant par la taille comme des promis, la baïonnette ballottant sur leur tunique déboutonnée, Marcel s'aperçut qu'il éprouvait un sentiment voisin du mépris. C'étaient des hommes en uniforme et pour lui, invinciblement, l'uniforme était symbole de décorum et de dignité, quel que fût le sentiment de celui qui l'endossait. Julie, comme si elle devinait ses pensées, lui demanda en montrant deux soldats dépenaillés qui s'avançaient bras dessus, bras dessous : — mais, n'a-t-on pas dit que la guerre continuait ?

— Ils l'ont dit — répondit Marcel, se contredisant mentalement dans un effort presque douloureux de compréhension : — mais ce n'est pas vrai et ces pauvres gens ont raison d'être heureux... pour eux la guerre est vraiment finie.

Devant le porche d'entrée du ministère où Marcel était venu prendre des ordres avant de partir pour Paris, il y avait une grande foule qui hurlait, protestait et brandissait le poing. Ceux qui se tenaient tout contre le portail frappaient dans leurs mains pour se faire ouvrir. On entendait répéter à haute voix le nom du ministre qui venait de tomber et ce nom était prononcé sur un ton particulièrement haineux et méprisant. Marcel observa les manifestants sans comprendre où ils voulaient en venir. Finalement le portail s'entrouvrit à peine et dans l'entrebâillement apparut, pâle et implorant, un huissier en tenue galonnée. Il dit quelque chose à ceux qui se trouvaient aux premiers rangs et quelqu'un entra par le portail qui se referma aussitôt. La foule hurla encore quelques instants, puis se dispersa ; pas tout à fait cependant car un certain nombre d'obstinés restèrent à frapper et à crier contre la porte close.

Marcel laissant le ministère derrière lui passa sur la place voisine. Un cri s'éleva : — Place ! Place ! — et la foule s'écarta pour laisser passage. Marcel se rangea comme tout le monde et tendant le cou il vit avancer trois ou quatre garnements qui, au bout d'une corde, tiraient un grand buste du duce. Le buste, qui avait la couleur du bronze, était en réalité en plâtre peint comme en témoignaient les éraflures et les brèches blanches produites par les chocs qu'il recevait sur le pavé. Un petit homme brun, à la face dévorée par d'énormes lunettes d'écaille, se retourna vers Marcel après avoir regardé le buste et lui dit en riant, mais d'un ton sentencieux : — Ce qu'on prenait pour du bronze n'est en réalité que vulgaire argile. — Marcel ne répondit pas et, un instant, le cou tendu, il regarda intensément le buste qui passait devant lui en rebondissant pesamment. C'était une reproduction comme il y en avait des centaines dans les ministères et les locaux administratifs, grossièrement stylisée, la mâchoire saillante, les yeux ronds et enfoncés, le crâne gonflé et nu. Il ne put s'empêcher de penser que cette bouche de bronze, simulacre d'une autre bouche vivante, hier encore si orgueilleuse, était maintenant traînée dans la poussière parmi les railleries et les sifflets de cette même foule qui naguère l'acclamait avec tant de ferveur. Une fois encore Julie parut deviner ses pensées car elle murmura : — Quand on pense qu'il fut un temps où il suffisait d'un buste comme celui-ci dans une antichambre pour que les gens baissent la voix !

Il répondit sèchement : — à cette heure, s'il était en chair et en os, entre leurs mains, ils lui feraient ce qu'ils font à ce buste.

— Tu crois qu'ils le tueront ?

— Certainement, s'ils le peuvent.

Ils firent encore quelques pas, mêlés à la foule qui s'agitait et tournoyait comme l'eau au cours d'une inondation subite. À l'angle d'une rue un groupe de gens avait appuyé une échelle à l'encoignure d'une maison et l'un d'eux, juché sur le dernier barreau, frappait à grands coups de marteau une plaque portant le nom du régime. Quelqu'un dit à Marcel en riant : — Il y a des faisceaux de partout... mais si l'on veut tous les faire sauter, il faudra des années...

— C'est juste — dit Marcel.

Ils traversèrent la place et toujours se frayant un chemin parmi la foule, ils atteignirent la Galerie. Juste au point d'intersection des deux travées de cette Galerie, presque dans le noir, à peine visible dans la faible clarté des lampes camouflées, un groupe de personnes faisaient le cercle autour de quelque chose que l'on ne voyait pas. Marcel s'approcha, se pencha et vit un jeune homme qui parodiait comiquement les gestes et les contorsions d'un mime se livrant à la danse du ventre ; il avait passé la tête au travers d'un portrait du duce, un chromo qui tenait à ses épaules comme un carcan ; on eût dit qu'après avoir été mis au pilori, il dansait avec l'instrument de sa torture encore suspendu à son cou. Tandis qu'ils revenaient vers la place, un jeune officier avec une petite barbiche noire et des yeux de possédé, ayant à son bras une fille brune, très excitée, les cheveux au vent, se jeta vers Marcel en lui criant d'un ton à la fois exalté et sentencieux : — Vive la liberté, soit... mais, surtout, vive le roi !

Julie regarda son mari. — Vive le roi ! — dit Marcel

sans battre des paupières. Ils s'éloignèrent, puis Marcel dit : — Bon nombre de monarchistes s'efforcent de faire tourner les choses en faveur de la royauté... allons voir sur la place du Quirinal.

Non sans peine ils revinrent à l'impasse et de là à la ruelle où ils avaient laissé leur voiture et tandis que Marcel mettait le moteur en marche : — Est-ce vraiment bien nécessaire... — dit Julie, — je suis si lasse de tous ces cris !

— Nous n'avons rien de mieux à faire...

Par des voies de traverse Marcel conduisit rapidement la voiture jusqu'à la place du Quirinal. En y arrivant, ils virent qu'elle n'était pas entièrement comble. La foule, plus dense sous le balcon auquel se montraient d'habitude les membres de la famille royale, se faisait plus rare sur le pourtour de la place et un grand espace demeurait vide. Là aussi, il y avait peu de lumière ; les grands réverbères de fer forgé avec leurs grappes de lampes jaunes et tristes illuminaient faiblement la multitude noire. Les applaudissements et les cris étaient assez sporadiques, sur cette place ; là plus qu'ailleurs il semblait que la foule ne savait pas trop bien ce qu'elle voulait. Sans doute avait elle plus de curiosité que d'enthousiasme. De même qu'autrefois les gens se rassemblaient comme pour un spectacle afin de voir et d'entendre le dictateur, de même auraient-ils voulu voir et entendre celui qui venait d'abattre le dictateur. Pendant que l'auto faisait lentement le tour de la place, Julie demanda à voix basse : — Le roi va-t-il se montrer à la foule ?

Avant de répondre, Marcel se pencha pour regarder, à travers le pare-brise, le balcon faiblement éclairé par deux lampes-torches rougeâtres entre lesquelles on voyait la fenêtre aux persiennes baissées. — Je ne crois pas — répondit-il, — d'ailleurs, pourquoi devrait-il se montrer ?

— Alors, qu'attendent tous ces gens ?

— Rien... c'est l'habitude de venir sur cette place pour acclamer quelqu'un.

Marcel continua à faire le tour de la place, frôlant doucement de ses garde-boue les gens en petits groupes, lents à s'écarter.

— Sais-tu, je suis presque déçue — dit tout à coup Julie.

— Pourquoi ?

— Je pensais qu'ils allaient se livrer à Dieu sait quels excès : brûler des maisons, tuer des gens... quand nous sommes sortis, j'avais peur pour toi et c'est pourquoi je suis venue... et puis rien... rien que des cris, des applaudissements, des « evviva », des « à bas », des chants, des défilés.

Marcel ne put s'empêcher de répondre : — Nous n'avons pas encore vu le pire.

— Que veux-tu dire ? — demanda-t-elle d'une voix subitement épouvantée, — le pire pour nous ou pour les autres ?

— Pour nous et pour les autres.

Aussitôt il se repentit d'avoir parlé, car il sentit que Julie lui saisissait le bras, s'y cramponnait avec angoisse : — Je savais bien que tout ce que tu me disais n'était pas vrai... tout ne s'arrangera pas... tu le confirmes toi-même maintenant...

— Ne t'affole pas... j'ai parlé sans réfléchir...

Cette fois Julie garda le silence et se borna à se cramponner à son bras et à se serrer plus fort contre lui. Gêné dans ses mouvements, mais ne voulant pas la repousser, Marcel conduisit la voiture par de petites rues jusqu'au Corso. De là, par des voies transversales, moins fréquentées, ils atteignirent la place du Peuple ; puis par les rampes du Pincio sombre et peuplé de bustes de marbre, ils se dirigèrent vers la Villa Borghèse.

Ils allaient passer sous la porte Pinciana quand Julie dit

d'une voix triste et languissante : — Je ne veux pas rentrer à la maison.

— Pourquoi ? — demanda Marcel en ralentissant.

— Je ne sais — répondit-elle, les yeux fixés dans le vide, — j'ai le cœur serré rien que d'y penser... l'impression que nous allons quitter cette maison pour toujours... ce n'est pas que j'envisage rien de terrible — s'empressa-t-elle d'ajouter, — mais... c'est une maison qu'il faut évacuer.

— Alors, où veux-tu aller ?

— Où tu veux.

— Veux-tu faire un tour vers la Villa Borghèse ?

— Oui, c'est cela.

Marcel prit la longue avenue obscure au fond de laquelle s'élevait la masse blanche du musée Borghèse. Sur la place, il arrêta, stoppa le moteur : — Veux-tu faire quelques pas ? — dit-il.

Bras dessus, bras dessous, ils s'acheminèrent vers les jardins qui se trouvent derrière le musée. Le parc était désert, les événements politiques l'avaient fait délaisser même par les couples d'amoureux. Dans l'ombre, sur le fond noir et boisé des arbres, on voyait se détacher la blancheur des statues de marbre aux poses élégiaques ou héroïques. Ils allèrent jusqu'à la fontaine et s'attardèrent un moment, en silence, à regarder l'eau noire et immobile. Julie serrait la main de son mari entremêlant ses doigts aux siens. S'étant remis à marcher ils débouchèrent par un chemin très noir dans un bois de chênes. Au bout de quelques pas, Julie s'arrêta brusquement et, jetant son bras autour du cou de Marcel, elle l'embrassa sur les lèvres. Longtemps ils restèrent ainsi enlacés, s'étreignant debout au milieu du chemin. Puis ils se séparèrent et Julie, entraînant son mari par la main en direction du bois, lui murmura : — Viens, faisons l'amour ici... par terre.

— Mais non, — s'exclama Marcel, — pas ici !

— Si — dit-elle, — pourquoi pas ? Viens, j'ai besoin de cela pour me sentir rassurée.

— Rassurée ?

— Tout le monde pense à la guerre, à la politique, aux avions... quand on pourrait être si heureux... viens... je me sens capable de faire l'amour même au milieu de leurs places — ajouta-t-elle avec une subite exaspération dans la voix, — quand ce ne serait que pour démontrer que moi, au moins, je suis capable de penser à autre chose... viens...

Elle paraissait en proie à une soudaine exaltation et le précédait dans l'ombre épaisse parmi les troncs d'arbres.

— Regarde quelle belle chambre à coucher — murmura-t-elle, — bientôt nous n'aurons plus de maison, mais cette chambre-là, on ne pourra jamais nous l'enlever... nous y pourrons dormir et nous aimer toutes les fois que nous voudrons. — Soudain elle disparut à ses yeux comme si la terre l'avait engloutie. Marcel la chercha, puis dans l'obscurité il l'entrevit étendue au pied d'un arbre, un bras sous la tête en guise d'oreiller, de l'autre lui faisant silencieusement signe de venir s'étendre à côté d'elle. Il obéit et était à peine couché que Julie s'enlaça autour de lui des bras et des jambes, lui couvrant le visage de baisers avec une force aveugle et effrénée, comme si elle cherchait sur son front et sur ses joues d'autres bouches où elle pût pénétrer en lui.

Mais presque aussitôt son étreinte faiblit et Marcel la vit se dresser à demi et regarder dans le noir. — On vient — dit-elle.

Marcel s'assit lui aussi et regarda. Entre les arbres, mais encore lointaine, on voyait la lueur d'une lampe de poche s'avancer en se balançant, projetant sur le sol un rond de faible clarté. Pas un bruit ne se faisait entendre, les branches mortes qui recouvraient le terrain étouffaient les pas de l'inconnu. La petite lampe avançait dans leur direction et brusquement Julie, remettant de l'ordre dans sa tenue, s'assit, les genoux entre les bras. Assis l'un à côté de l'autre, adossés à l'arbre, ils virent la lueur s'approcher. — Ce doit être un garde — murmura Julie. Maintenant la petite lampe projetait son rayon à terre à peu de distance d'eux, puis se releva et le rayon vint les frapper en plein visage. Éblouis, ils regardèrent à leur tour la silhouette masculine qui se détachait à peine de l'ombre et dont le poing faisait jaillir une lumière blanche. Ce rayon, pensa Marcel, allait s'abaisser dès que le garde aurait examiné leurs visages. Mais, au contraire, il se prolongea, se fixa dans un silence qui paraissait empli d'étonnement et de réflexion. — Mais peut-on savoir ce que vous voulez ? — demanda Marcel d'une voix irritée.

— Je ne veux rien, Marcel — répondit une voix douce. En même temps le rayon lumineux s'abaissa, puis reprit son mouvement oscillant et s'éloigna d'eux.

— Mais... qui est-ce ? — chuchota Julie, — il semble te connaître.

Marcel immobile, le souffle coupé, semblait profondément troublé.

— Excuse-moi... un moment... je reviens dans un instant — dit-il à sa femme, et se relevant d'un bond il courut pour rattraper l'inconnu.

Il le rejoignit à l'orée du bois, près du piédestal d'une statue de marbre blanc. Non loin, il y avait un réverbère et, comme au bruit de ses pas l'homme se retournait, Marcel reconnut aussitôt, malgré toutes les années écoulées, le visage glabre et ascétique sous les cheveux coupés en brosse. Autrefois Marcel l'avait vu sanglé dans une livrée de chauffeur ; maintenant encore, il portait un uniforme noir, boutonné jusqu'au cou avec des pantalons bouffants et des bottes de cuir noir. Il tenait sa casquette sous son bras et serrait la lampe de poche dans sa main. Il dit aussitôt avec un sourire : — À moins d'être mort, on se revoit toujours.

La phrase, bien que dite inconsciemment peut-être et d'un ton plaisant, parut à Marcel presque trop adaptée aux circonstances. — Mais... — fit-il haletant de sa course et de son trouble à la fois, — mais... je croyais t'avoir tué...

— Moi, Marcel, j'espérais, au contraire, que tu avais appris qu'on m'avait sauvé — répondit Lino tranquillement, — il est vrai qu'un journal avait annoncé ma mort, mais l'erreur était due au fait qu'un autre était mort à l'hôpital, mon voisin de lit... ainsi donc, tu m'as cru mort ?... alors j'ai eu raison de dire : à moins d'être mort, on se revoit toujours.

Plus encore que d'avoir retrouvé Lino, Marcel était frappé d'horreur par ce ton de conversation naturelle, familière, bien que funèbre, qui s'était aussitôt établie entre eux. Il dit avec douleur : — Mais, de t'avoir cru mort, sont nées tant de conséquences... et tu n'étais pas mort...

— Pour moi aussi, Marcel, cela a eu bien des conséquences — dit Lino le regardant avec une sorte de compassion, — je pensai que c'était peut-être un avertissement et je me mariai... et puis ma femme mourut... et puis — ajouta-t-il plus lentement... — tout a recommencé comme avant. Maintenant je fais le garde de nuit... ces jardins sont pleins de beaux garçons comme toi. — Il prononça ces mots avec une effronterie tranquille et douce, sans l'ombre, cependant, de quoi que ce fût qui ressemblât à une avance. Marcel remarqua pour la première fois que ses cheveux étaient gris et que son visage s'était un peu empâté. — Et toi, tu t'es marié... cette femme, c'est la tienne, n'est-ce pas ?

Tout à coup, Marcel ne put plus supporter ce misérable bavardage à voix basse. Saisissant l'homme par les épaules et le secouant, il lui dit : — Tu parles comme si rien n'était arrivé... mais te rends-tu compte que tu as saccagé ma vie ?

Lino répondit sans tenter de se dégager : — Pourquoi me parles-tu ainsi, Marcel ? Tu es marié, tu as peut-être même des enfants, tu as l'air d'avoir une certaine aisance, de quoi te plains-tu ? Serait-ce pire si tu m'avais tué pour de bon ?

— Oui, mais — ne put s'empêcher de s'écrier Marcel, — quand je t'ai connu, j'étais tellement innocent... et après je ne l'ai plus jamais été, jamais.

Il vit Lino le regarder avec stupeur : — Mais tous, Marcel, nous avons été innocents... n'ai-je pas été innocent moi-même ? Et nous la perdons tous, notre innocence, d'une façon ou d'une autre... C'est normal. — Il se libéra sans peine de l'étreinte déjà relâchée de Marcel et ajouta sur un ton de complicité : — Regarde, voici venir ta femme... il vaut mieux que nous nous quittions.

— Marcel — dit dans l'ombre la voix de Julie.

Il se retourna et vit Julie qui s'avançait, vaguement inquiète. Au même moment, Lino remettant sa casquette sur sa tête, fit un geste d'adieu et s'éloigna en hâte dans la direction du musée. — Mais, peux-tu me dire qui c'est ? — demanda Julie.

— Un de mes camarades de classe qui a fini comme garde de nuit — répondit Marcel.

— Retournons chez nous — dit-elle en lui prenant le bras.

— Tu ne veux plus te promener ?

— Non, je préfère rentrer à la maison.

Ils retrouvèrent leur voiture et ne dirent plus un mot jusqu'à leur arrivée chez eux. Tout en conduisant, Marcel repensait aux paroles de Lino, inconsciemment significatives : — Nous la perdons tous, notre innocence, d'une façon ou d'une autre : c'est normal. — Ces paroles représentaient un jugement d'ensemble sur sa propre vie. Le but de tous ses actes avaient été de se racheter d'un crime imaginaire ;

et pourtant les paroles de Lino venaient de lui faire comprendre pour la première fois que même s'il n'avait pas rencontré cet homme et n'avait pas tiré sur lui puis ne s'était pas convaincu de l'avoir tué, bref, si rien n'était arrivé, mais simplement parce que de toute façon il devait perdre son innocence et désirer, en conséquence, la reconquérir, il aurait fait ce qu'il avait fait. Ce qui était normal, c'était justement ce vain et anxieux désir de justifier sa propre vie menacée par la faute originelle et non le fallacieux mirage qu'il avait poursuivi depuis le jour de sa rencontre avec Lino. Il entendit Julie qui lui demandait : — À quelle heure partirons-nous demain matin ? — et il chassa ces pensées comme autant de témoins importuns et désormais inutiles de sa propre erreur.

— Le plus tôt possible — répondit-il.

## III

À l'aube, Marcel se réveilla et vit ou crut voir sa femme debout dans l'embrasure de la fenêtre, regardant à travers les carreaux, dans la lumière grise du petit jour. Elle était complètement nue ; d'une main elle écartait le rideau, de l'autre couvrait sa poitrine, soit par pudeur, soit dans un geste d'instinctive appréhension. Une longue mèche de cheveux pendait le long de sa joue ; son visage tendu en avant, pâle et blême, était empreint d'une expression de désolation réfléchie, de contemplation consternée. Durant cette nuit, son corps même semblait avoir perdu sa plénitude robuste et désirable ; ses seins que la maternité avait quelque peu aplatis et distendus, montraient de profil un pli de molle lassitude que jamais Marcel n'avait remarqué auparavant. Le ventre, moins rond que gonflé, donnait une impression de lourdeur gauche et désarmée, confirmée par la position des cuisses qui se serraient comme craintives pour cacher le bas-ventre. La clarté froide du jour naissant, semblable à un regard indiscret et apathique, illuminait lugubrement cette nudité.

Tout en la considérant, Marcel ne put s'empêcher de se demander quelles pensées passait par l'esprit de sa femme tandis qu'immobile dans la faible lueur de l'aube, elle contemplait la cour déserte. Et avec un vif sentiment de compassion, il se dit qu'il lui était aisé de deviner ces pensées : « Me voici chassée de ma maison » pensait-elle à coup sûr, « avec une enfant d'un âge encore tendre, et un mari ruiné qui n'espère plus rien de l'avenir, dont le sort est incertain et la vie peut-être menacée. Et c'est là le résultat de tant d'efforts, de tant de peine, de tant d'espoir ! » Oui, Julie représentait vraiment Ève chassée de l'Éden et l'Éden c'était cette maison avec toutes les modestes choses qu'elle renfermait : les vêtements dans les armoires, les ustensiles de ménage et de cuisine, le salon pour recevoir les amis, les couverts d'argent, les faux tapis persans, la vaisselle de porcelaine donnée par sa mère, la glacière, le vase de fleurs de l'entrée et cette chambre à coucher de style simili-Empire, achetée à tempérament ; et lui, dans ce lit, qui la regardait. L'Éden, c'était aussi, sans doute, le plaisir de se mettre à table deux fois par jour avec les siens, de dormir la nuit, enlacée à son mari, de vaquer aux soins du ménage, de faire des projets d'avenir pour eux deux et pour leur fille. Enfin, l'Éden, c'était la paix de l'âme, l'accord avec soi-même et avec le monde, la sérénité du cœur apaisé et satisfait. De cet Éden, un ange fulminant et impitoyable la chassait maintenant pour toujours, avec une épée flamboyante, la poussant nue et sans défense dans l'hostilité du monde extérieur.

Marcel observa encore Julie un moment pendant qu'elle prolongeait, immobile, sa mélancolique contemplation ; puis, comme le sommeil recommençait à peser sur ses paupières, il la vit se détacher de la fenêtre, aller sur la pointe des pieds prendre au portemanteau une robe de chambre, l'enfiler et sortir sans bruit. Probablement allait-elle s'asseoir auprès du lit de sa fille endormie, dans une autre triste contemplation ; ou peut-être allait-elle s'assurer des derniers préparatifs du départ. Un instant, il pensa à la rejoindre pour la consoler de son mieux. Mais il se sentait encore lourd de sommeil et il finit par se rendormir.

Plus tard, pendant que, dans la pure lumière du matin estival, l'auto roulait vers Tagliacozzo, il repensa à cette vision lamentable, se demandant s'il l'avait rêvée ou vue véritablement. Sa femme était assise à son côté, se serrant contre lui pour laisser une place à Lucile qui, à genoux sur le siège, la tête en dehors de la portière, s'amusait de la course. Julie se tenait très droite, sa jaquette ouverte sur une blouse blanche, la figure ombragée par un chapeau de voyage. Marcel remarqua qu'elle tenait sur ses genoux un objet de forme oblongue, enveloppé d'un papier marron et lié par une ficelle. — Qu'as-tu dans ce paquet ? — demanda-t-il étonné.

— Cela va te faire sourire — répondit-elle, — mais je n'ai pu me résoudre à laisser ce vase de cristal qui était dans l'antichambre... j'y tiens parce qu'il est beau, mais surtout parce que c'est toi qui me l'as donné... juste après la naissance de la petite... Je sais bien que c'est un enfantillage, mais il me servira... j'y mettrai des fleurs, à Tagliacozzo.

Donc, c'était bien vrai, il n'avait pas rêvé ; c'était bien elle en chair et en os et non une figure de songe qu'il avait vue ce matin, debout contre la fenêtre. Il dit au bout d'un moment : — Si cela te fait plaisir de l'emporter, tu as bien fait... mais je t'assure que nous reviendrons à la maison, ponctuellement, dès la fin de l'été... il n'y a pas de raison de t'alarmer.

— Je ne m'alarme pas.

— Tout s'arrangera pour le mieux — dit Marcel en changeant de vitesse pour attaquer une montée, — et alors tu seras heureuse comme durant ces dernières années et plus encore...

Julie ne répondit pas ; elle ne semblait pas convaincue. Tout en conduisant, Marcel la regardait à la dérobée ; d'une main elle retenait le vase sur ses genoux, de l'autre, elle entourait la taille de sa fille penchée à la portière. Et ce double geste témoignait que tout ce qu'elle aimait était désormais dans cette voiture, son mari d'un côté, sa fille de l'autre, et, symbole de la vie quotidienne, le vase de cristal sur ses genoux. Il se rappela qu'au moment du départ, elle avait dit en embrassant d'un dernier regard la façade de leur maison : — Je me demande qui viendra occuper notre appartement ? — et il comprit qu'il ne l'avait jamais persuadée, qu'il y avait en elle, sinon une conviction arrêtée, du moins le pressentiment terrifié de l'instinct.

— À quoi penses-tu en ce moment ?

— À rien... je ne pense vraiment à rien... je regarde le paysage...

— Non, je veux dire, à quoi penses-tu, généralement ?

— Généralement ? Je pense que les choses vont mal pour nous... mais que ce n'est la faute de personne.

— Peut-être est-ce la mienne ?

— Pourquoi la tienne ? Ce n'est jamais la faute de personne... chacun a en même temps tort et raison... les choses vont mal parce qu'elles vont mal, c'est tout... — Elle prononça ces mots d'un ton sans réplique, comme pour marquer qu'elle n'avait plus envie de parler. Marcel se tut et il y eut entre eux un long silence.

L'heure était matinale, mais déjà la journée s'annonçait chaude ; devant l'auto, au-dessus des haies poussiéreuses et tout enveloppées de lumière, l'air vibrait et la réverbération du soleil caniculaire faisait miroiter des reflets sur l'asphalte. La route tournait dans un paysage ondulé entre des collines dorées, hérissées de chaumes desséchés, avec de rares fermes brunes ou grises perdues au fond des vallons déserts et sans arbres. De temps à autre, ils croisaient une charrette tirée par un cheval ou une vieille auto de campagnard ; c'était une route peu fréquentée et le trafic militaire empruntait d'autres voies. Tout était calme, normal, indifférent et, pensait Marcel en conduisant, on n'aurait jamais cru être dans un pays en guerre et en révolution. Sur les visages des rares paysans aperçus, appuyés à leurs barrières, ou en train de bêcher au milieu de leur champ, on ne lisait que les habituels sentiments de fruste et paisible attention pour les choses courantes, quotidiennes, tangibles de la vie. Tous gens uniquement préoccupés de leurs récoltes, du soleil, de la pluie, du prix des denrées, ou même vides de pensée. Marcel songea que pendant des années Julie avait été comme ces paysans et qu'elle souffrait maintenant d'être arrachée à cette paix. « Tant pis pour elle », en vint-il à penser presque avec irritation. Vivre, pour les humains, ne signifiait pas se laisser aller à la trouble quiétude offerte par la nature indulgente, mais être continuellement en lutte et dans l'inquiétude, résoudre à chaque instant un petit problème, à l'intérieur de problèmes plus vastes, contenus à leur tour dans le grand et complexe problème de la vie. Cette pensée lui rendit confiance en lui-même, tandis que l'auto quittait la plaine désolée pour se faufiler parmi les hauts rochers rougeâtres d'une chaîne de collines.

Tout en conduisant et peut-être parce qu'il avait l'impression de ne faire qu'un avec le moteur qui, inflexiblement et aisément, affrontait et résolvait les difficultés de la route toute en tournants et en montées, il lui sembla, pour la première fois depuis des années, qu'une sorte d'optimisme, à la fois aventureux et crâneur, venait dégager, comme une rafale de vent impétueux, le ciel orageux de son âme. Il s'agissait maintenant de considérer comme finie et ensevelie toute une période de son existence et de tout recommencer sur un plan différent, avec d'autres moyens. La rencontre avec Lino, pensa-t-il encore, avait été très utile, moins en le libérant du remords d'un crime qu'il n'avait pas commis, que parce qu'en prononçant par hasard quelques paroles sur la perte inévitable et normale de l'innocence, Lino lui avait fait comprendre que durant vingt années, il s'était obstiné à suivre une mauvaise voie. De cette voie, il lui fallait résolument sortir. Cette fois, il n'aurait pas besoin de justification ni d'approbation ; il était résolu à ne pas permettre que le crime véritablement commis, celui de Quadri, l'empoisonnât par les tourments d'une vaine recherche de purification et de conformisme. Ce qui était fait était fait, Quadri était mort et, plus pesante qu'une pierre tombale, il laisserait tomber sur cette mort la dalle définitive d'un oubli total.

Peut-être parce que le paysage avait changé et qu'au lieu du désert brûlant qu'ils venaient de quitter, une abondance d'eaux invisibles faisait déborder jusqu'aux bords de la route les herbes, les fleurs et les fougères et, plus haut, la verdure épaisse et luxuriante du taillis, il lui sembla qu'à partir de ce jour, il saurait éviter à jamais la désolation des déserts où l'homme suit sa propre ombre avec une âme de coupable et de persécuté ; au contraire, il rechercherait librement, hardiment, l'atmosphère des lieux semblables à celui-ci, rocheux et inaccessibles, faits pour les aventuriers et les bêtes sauvages. Il s'était lié volontairement, obstinément, stupidement, par des liens indignes et des engagements plus indignes encore ; et tout ceci pour le mirage d'une norme qui n'existait pas. Maintenant ces liens étaient brisés, ces engagements rompus ; il redevenait libre et saurait profiter de sa liberté.

À ce moment, le paysage se présentait sous son aspect le plus pittoresque : d'un côté de la route, le bois taillis couvrait le flanc de la colline ; de l'autre, la pente herbeuse sur laquelle s'élevaient quelques énormes chênes touffus se terminait en bas par un fossé empli de buissons au travers desquels on voyait luire l'eau écumeuse d'un torrent. Au-delà, une paroi rocheuse d'où jaillissait et retombait le ruban d'argent d'une cascade scintillante. Marcel arrêta l'auto. — C'est vraiment beau, ici... — dit-il, — arrêtons-nous un moment.

La petite fille tourna la tête : — Sommes-nous déjà arrivés ?

— Non, nous ne sommes pas arrivés, nous nous arrêtons un peu — dit Julie, la prenant dans ses bras pour la faire descendre de voiture.

Quand ils furent descendus, Julie dit qu'elle voulait profiter de cette halte pour que l'enfant satisfasse ses besoins naturels et tandis qu'elle s'éloignait de quelques pas, tenant la petite fille par la main, Marcel resta seul près de l'auto. La mère marchait doucement, sans se pencher vers la fillette qui, vêtue d'une courte robe blanche, un gros nœud sur la tête, ses cheveux flottants sur ses épaules, bavardait comme d'habitude avec animation et levait de temps en temps son visage vers sa mère, en lui posant quelque question.

Marcel se demanda quelle place aurait sa fille dans cet avenir nouveau et libre que sa subite exaltation venait de lui faire entrevoir et avec une vive tendresse, il se dit que, tout au moins, il saurait la guider vers une vie inspirée par des motifs bien différents de ceux qui avaient dirigé la sienne. Tout, dans la vie de sa fille, devait être ardeur, fantaisie, grâce, légèreté, limpidité, fraîcheur et goût de l'aventure ; tout y ressemblerait à un paysage qui ne connaît ni les brumes, ni les chaleurs suffocantes, mais seulement les rapides orages purificateurs après lesquels l'air est plus clair, les couleurs plus riantes. Rien n'y demeurerait de cet esprit cruel, servilement attaché à la règle qui, jusqu'à hier, avait modelé son propre destin. Oui, elle devait vivre en pleine liberté, il se le promit.

Perdu dans ses réflexions, il traversa la route pour se rapprocher du bois qui ombrageait l'autre côté. Sous les hauts arbres touffus, s'enchevêtraient des rouvres et d'autres arbustes sauvages dont l'ombre sylvestre s'étendait sur un lit de mousse où croissaient des herbes et des fleurs. Marcel allongea le bras parmi le fouillis des branches et cueillit une de ces fleurs, une campanule d'un bleu presque violet. C'était une simple clochette aux pétales striés de blanc et, en la portant à ses narines, il en sentit l'amère odeur herbacée. La pensée lui vint que cette fleur avait poussé dans l'enchevêtrement ombreux du sous-bois, sur la mince couche de terre accrochée au tuf stérile, sans chercher à imiter les plantes plus hautes et robustes, ni à analyser son propre destin afin de l'accepter ou de le refuser. En pleine ignorance, en pleine liberté, elle était née et avait poussé là où le hasard avait fait tomber sa semence, jusqu'à ce jour où il venait de la cueillir. Être comme cette fleur solitaire, sur un lit de mousse, dans un sous-bois obscur, c'était là un destin humble et naturel. Au contraire, l'humilité volontaire qui consistait à rechercher une concordance impossible avec un conformisme fallacieux ne cachait qu'orgueil et amour-propre mal compris.

Il tressaillit à la voix de sa femme qui lui demandait : — Alors... partons-nous ? — et il reprit sa place au volant. L'auto contourna rapidement, par les lacets de la route, la pente parsemée de chênes ; puis, après un taillis épais, à travers une faille de la colline, toute une immense plaine s'offrit à leur vue. L'accablante chaleur de juillet embrumait les horizons lointains sur lesquels les montagnes bleues se détachaient à peine. Dans la lumière dorée et un peu caligineuse, Marcel aperçut au milieu de la plaine une colline solitaire, escarpée, surmontée, en guise de citadelle, d'un hameau de quelques maisons groupées sous les tours et les murailles d'un château. On voyait distinctement les parois grises des maisons accrochées à pic au-dessus de la route qui s'enroulait autour de la colline. Le château était carré, avec une tour ronde et trapue à chaque angle. Le village était rosé par le soleil dont les rayons, incendiant le ciel, arrachaient des scintillements meurtriers aux vitres des maisons. Au pied de la colline, la route toute blanche s'allongeait en ligne droite jusqu'aux extrêmes limites de la plaine. En face, de l'autre côté de la route, s'étendait un vaste pré ras, d'un vert jauni : un camp d'aviation. En opposition avec les vieilles maisons du village, tout le camp apparaissait moderne et neuf : les trois hangars camouflés de vert, de bleu et de brun, l'antenne en haut de laquelle flottait un pavillon blanc et rouge, les nombreux appareils argentés posés comme au hasard tout autour du terrain.

Marcel regarda longuement ce paysage pendant que l'auto, sur la pente raide, descendait rapidement, d'un lacet à l'autre, vers la plaine. Le contraste entre cette roche antique et le très moderne camp d'aviation parut à Marcel significatif ; mais, subitement distrait, il n'arrivait pas à préciser quelle était cette signification. En même temps, il éprouvait un sentiment singulier de chose déjà vue. Pourtant, c'était la première fois — il en était sûr — qu'il parcourait cette route.

Arrivée au bas de la descente, l'auto enfila la ligne droite qui semblait interminable. Marcel accéléra et l'aiguille du compteur s'éleva graduellement à quatre-vingts, puis quatre-vingt-dix kilomètres à l'heure. La route s'allongeait entre deux étendues de champs moissonnés d'un jaune cuivré, sans un arbre, ni une maison. Évidemment, les habitants vivaient tous au village et en descendaient le matin pour aller travailler dans les champs. Puis, le soir, ils remontaient chez eux.

La voix de sa femme le tira de ses réflexions : — Regarde ! — dit-elle en montrant le camp d'aviation : — Que se passe-t-il ?

Marcel vit plusieurs personnes courir çà et là sur le grand pré ras, en agitant les bras. En même temps, chose étrange dans la clarté éblouissante du soleil d'août, du toit d'un des hangars une flamme jaillit, rouge, aiguë, presque sans fumée. Puis une autre flamme s'éleva du second toit et une autre encore du troisième. Les trois flammes n'en faisaient maintenant plus qu'une qui tourbillonnait et dardait en tous sens ses langues de feu ; des nuages de fumée noire roulaient jusqu'à terre, enveloppaient les hangars, se répandaient partout. Tout signe de vie avait disparu et le camp était devenu désert.

Marcel dit d'une voix calme : — Une attaque aérienne.

— Mais, y a-t-il du danger ?

— Non, ils ont dû passer déjà.

Il accéléra, l'aiguille du tachymètre monta à cent, cent vingt. Ils étaient maintenant sous le village ; on voyait la route de ceinture, les parois des maisons, le château. À ce moment, Marcel entendit derrière eux le fracas métallique d'un avion en piqué. À travers l'étourdissante rumeur, il distingua le crépitement de la mitrailleuse qui tirait et comprit que l'avion était dans leur dos et bientôt allait leur passer sur la tête ; le fracas du moteur était dans l'axe de la route, droit et inflexible comme elle. Puis, le temps d'un éclair, l'effroyable bruit passa au-dessus d'eux, assourdissant. Marcel sentit un choc violent à l'épaule, comme un coup de poing suivi d'une langueur mortelle ; désespéré, il parvint à rassembler ses forces et à amener la voiture sur le bord de la route, où il l'arrêta. — Descendons — dit-il d'une voix éteinte, posant la main sur la portière et la poussant.

La portière s'ouvrit toute grande et Marcel tomba en dehors puis, se traînant, la face et les mains dans l'herbe, il parvint à extraire ses jambes de la voiture et retomba sur le sol, étendu près du fossé. Mais aucune voix ne répondit à la sienne et quoique la portière fût ouverte, personne ne s'y montra.

Alors, de loin, retentit le fracas de l'avion qui virait. « Mon Dieu » pensa-t-il encore, « faites qu'elles ne soient pas touchées, elles sont innocentes... », puis, résigné, la bouche dans l'herbe, il attendit le passage de l'avion. L'auto, avec sa portière ouverte, était silencieuse et, dans une douleur déchirante, il eut le temps de comprendre que personne n'en descendrait. Finalement, l'avion fut au-dessus de lui et, s'éloignant dans le ciel embrasé, laissa dans son sillage le silence et la nuit.

# CHRONOLOGIE

1907 : Naissance à Rome d'Alberto Moravia, pseudonyme d'Alberto Pincherle. Son père, israélite d'origine vénitienne, est architecte.

1916 : Une tuberculose osseuse le contraint à l'immobilité pendant huit ans, dont deux en sanatorium à Cortina d'Ampezzo.

1925-1928 : Rédaction des *Indifférents* ; publié à compte d'auteur en 1929, le roman obtient un succès de scandale par sa critique acerbe d'une certaine bourgeoisie.

Moravia prend alors l'habitude, qu'il suivra toute sa vie, d'écrire environ trois heures tous les matins.

1930-1931 : Séjour de six mois à Londres, comme correspondant de *La Stampa*, dont le directeur est alors Curzio Malaparte.

1935-1936 : Correspondant aux États-Unis et au Mexique de *La Gazzetta del Popolo*.

1937 : Reportage en Chine.

1938 : Reportage en Grèce.

1939 : Les lois raciales du gouvernement fasciste le contraignent à abandonner sa collaboration à *La Gazzetta del Popolo*.

1940-1943 : Fréquents séjours à Capri, en compagnie de la romancière Elsa Morante, qu'il épouse en 1941. Ils passent les derniers mois de 1943 dans la clandestinité, dans les montagnes de la Ciociaria, au nord de Naples.

1947 : Reprise de son activité journalistique et nombreuses collaborations cinématographiques en tant que scénariste. Premier grand succès commercial de *La Romaine*.

1953 : Fonde avec Alberto Carocci la revue littéraire *Nuovi Argomenti*, dont le comité de rédaction comprendra également, quelques années plus tard, Pier Paolo Pasolini, devenu entre-temps un des amis les plus intimes de Moravia et l'un de ses principaux interlocuteurs intellectuels.

Début de sa collaboration au *Corriere della Sera* : nouvelles et reportages.

1954 : *Le Mépris*.

1955 : Début de sa collaboration à *L'Espresso* par une chronique hebdomadaire de cinéma ; une partie de ces comptes rendus est rassemblée dans *Au cinéma* (1975).

1962 : Moravia se sépare d'Elsa Morante (elle mourra en 1985) pour vivre avec la jeune romancière Dacia Maraini (née en 1936), dont le féminisme ne manquera pas de l'influencer. Voyage en Inde avec Pasolini.

1963 : *Le Mépris*, de Jean-Luc Godard, inspiré du roman de Moravia, avec Brigitte Bardot et Michel Piccoli.

1967 : Voyage en Chine.

1972 : Premier de nombreux voyages en Afrique et au Moyen-Orient.

1975 : Mort de Pasolini.

1984 : Moravia est élu député au Parlement européen, sur une liste indépendante apparentée au parti communiste.

1986 : Épouse la jeune romancière Carmen Llera, auteur de *Georgette* (1988).

1987 : Manifestations parisiennes en l'honneur de son 80e anniversaire.

1990 : Moravia s'éteint à Rome.

Cet ouvrage a été composé par
I.G.S. - Charente Photogravure à L'Isle-d'Espagnac (16)

Achevé d'imprimer en janvier 2003
dans les ateliers de Normandie Roto Impression s.a.s.
61250 Lonrai
DL : FF844107
N° d'impression : 03-0212
Dépôt légal : février 2003

*Imprimé en France*